PETRA OELKER

Tod am Zollhaus

EIN HISTORISCHER
KRIMINALROMAN

ROWOHLT TASCHENBUCH VERLAG

Für Christiane und Gerd

17. Auflage April 2005

Originalausgabe
Veröffentlicht im Rowohlt Taschenbuch Verlag,
Reinbek bei Hamburg, August 1997

Umschlaggestaltung C. Günther/W. Hellmann
(Foto: «Aussicht aus Altona auf die Elbe
und deren Gegenden biss Haarburg»;
Archiv für Kunst und Geschichte, Berlin)
Foto der Autorin auf Seite 4:
Copyright © by Kristina Jentzsch
Historische Karte Seite 2/3:
Staatsarchiv der Freien und Hansestadt Hamburg
Satz Caslon (Linotronic 500)
Gesamtherstellung Clausen & Bosse, Leck
Printed in Germany
ISBN 3 499 22116 0

Denn Mord, hat er auch keine Zunge,
wird doch mit wundersamer Stimme sprechen.
William Shakespeare (Hamlet)

1. KAPITEL

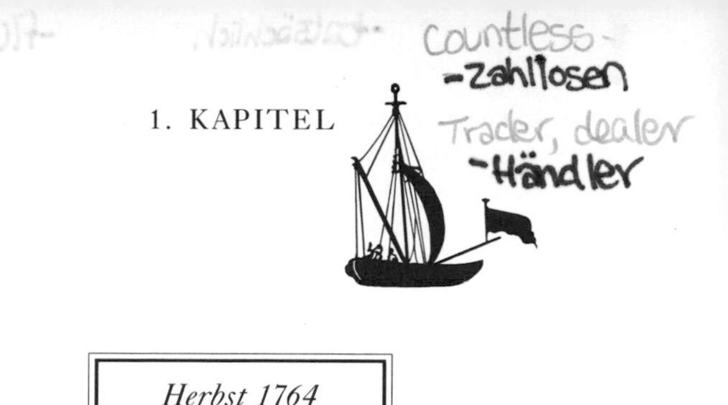

Herbst 1764

Das Mondlicht glänzte geheimnisvoll auf dem unbewegten Wasser der St. Aubin's Bay. Für die Schmuggler war die Nacht viel zu hell. Die engen Felsbuchten und die versteckten Höhlen der schroffen Nordküste lagen verlassen. Die ganze Insel schien zu schlafen. Die Bauern in ihren geduckten Gehöften aus grauem Stein, die braunen Kühe auf dem Weideland unter den zahllosen Apfelbäumen auf der Hochebene und in den engen Bachtälern, die Fischer und Händler an der sanften Südküste.

Ein einsamer Reiter trabte von St. Aubin über den meilenlangen weißen Strand nach St. Hélier am östlichen Ende der Bucht. Dort ragte Elisabeth Castle grau und trutzig aus den Uferfelsen. Nur in einem Turmfenster brannte ein trübes Licht.

Claes Herrmanns saß am Tisch des Speisezimmers im Herrenhaus der Familie St. Roberts. Er sah hinaus auf die Uferlandschaft mit dem erleuchteten Burgfenster und dem Reiter im fahlen Licht des Mondes und fühlte sich wie auf einem fernen Kontinent. Er sah auf die Südküste einer kleinen Insel im Englischen Kanal, und der weite Blick über das Meer und die sanfte grüne Uferlandschaft mit dem Wehrschloß im Wasser waren so ganz anders als der Blick aus dem Fenster seines eigenen Hauses in Hamburg. Die alte Hafenstadt an der Elbe erschien ihm plötzlich sehr eng und stickig.

«Und du, mein Freund, was sagst du dazu? Glaubst du, daß ein Kessel voll Dampf den Wind in den Segeln ersetzen kann?»

Paul St. Roberts beugte sich ein wenig vor und blickte seinen

Freund neugierig an. Die Diskussion um den Dampf war also immer noch nicht zu Ende.

«Nun», Claes hob sein Glas gegen den hellen Schein der Kerzen, die in schweren Silberleuchtern auf dem Tisch standen, und betrachtete nachdenklich den aufglühenden Wein. «Ich weiß nicht so recht.» Bedächtig nahm er einen Schluck. «Sieh den Wein. Ein bißchen Flüssigkeit in einem Glas. Ruhig, ohne die Kraft, das Glas zu zerbrechen. Doch denk an die vielen Wasserräder, die seit Jahrhunderten die Mühlen antreiben. Denk an die Kraft des Wassers, wenn es mit der Ebbe alles ins Meer zieht, was sich nicht rechtzeitig in Sicherheit bringt, oder mit dem Sturm über unsere Küsten tobt. Wenn die Suppe kocht, hebt der Dampf den Deckel. Wenn man nun einen sehr großen Topf voller Dampf hätte, der ein sehr großes Rad antreibt – vielleicht könnte so ein Rad tatsächlich ein Schiff übers Meer schieben...»

«Ah, mein lieber Claude», rief St. Roberts lachend und prostete dem jungen Mann im nachtblauen Samtrock am anderen Ende des Tisches zu. «Ihr habt einen Verbündeten. Seid nett zu ihm, er bringt seine Waren mit eigenen Schiffen über die Meere. Überzeugt ihn davon, daß Eure verrückten Experimente mit dem Dampf seine Säcke und Fässer schneller in den Hafen bringen, und Ihr bekommt vielleicht von ihm das Geld für Euren Traum von der Schiffahrt frei von den Launen der Winde.»

Claes schüttelte den Kopf. «Da wendet er sich besser an euch Engländer und an seine eigenen Landsleute. Unsere Schiffe segeln nur durch die Nord- und Ostsee nach den nördlichen Eismeeren oder nach Süden durch die Biskaya bis nach Portugal. Ihr laßt uns ja nicht mit euren amerikanischen und indischen Kolonien Handel treiben. Den Reibach behaltet ihr für euch.»

St. Roberts nickte vergnügt. «Da hast du recht, mein armer deutscher Freund. Wir achten hübsch eifersüchtig auf unseren Reichtum. Und seit euch unsere gierigen Nachbarn, die Franzosen, noch das fette Faßgeld aufgedrückt haben, wird euch der Import schön teuer. Trotzdem. Ich bin der falsche Mann für unseren jungen Marquis. Ich halte es mit Monsieur Vernoilli.»

Er nahm mit sichtlichem Behagen eine Prise Tabak.

«Und mit der Akademie der Wissenschaften in Paris.»

Er nieste kräftig in ein Spitzentuch.

«Die hat ihm einen Preis verliehen, weil er bewies, daß es absolut keinen Ersatz für den Wind gibt, wenn es um Schiffe geht. Ihr, mein junger Freund, seid ein Träumer.»

«Aber das ist mehr als zehn Jahre her», versetzte Claude Marquis Jouffroy d'Abbans hitzig. «Die Welt bleibt nicht stehen. Und die Wissenschaft...»

Claes lehnte sich zurück und hörte zu. Die lange Diskussion hatte ihn ermüdet. Er hatte Geschäftsverbindungen nach Frankreich, England, Portugal und Italien, fremde Sprachen gehörten zu seinem Alltag. Das Englische war ihm vertraut, seit er als junger Mann einige Jahre in London in der Lehre gewesen war, und auch das Französische beherrschte er einigermaßen. Aber der ständige Wechsel zwischen den beiden Sprachen, wie er im Hause St. Roberts üblich war, strengte ihn an. Ganz besonders weil der französische Dialekt auf der Insel, das alte normannische Jersiais, für ihn nur schwer zu verstehen war.

Drei Wochen war er nun schon auf Jersey. Und was hatte er bisher erreicht? Gar nichts.

Claes hatte Sorgen. Sein Handelshaus gehörte zu den großen in Hamburg, aber das machte auch seine Sorgen groß. Seit dem Ende der sieben Jahre dauernden Kriege zwischen Preußen und Österreich um die Vorherrschaft auf dem Kontinent und zwischen England, Spanien und Frankreich auf See um ihre überseeischen Kolonien ging es den Hamburgern schlecht.

So gut wie sie als Händler einer neutralen freien Reichsstadt während der Kriege verdient hatten, so sehr litten sie nun unter den Folgen. Der Zusammenbruch der preußischen Währung hatte in den letzten zwei Jahren viele holländische Banken ruiniert, die viele Hamburger Händler mit in den Bankrott gezogen hatten.

Seit einigen Jahren forderten die Franzosen für jeden Sack, der von einem französischen Schiff im Hamburger Hafen gelöscht wurde, für jedes Faß, das ein deutsches Schiff in Frankreich an Bord nahm, deftige Gebühren. Das ließ den Gewinn gefährlich schrumpfen.

Aber solange alle Waren aus den Kolonien nur von Schiffen der Kolonialmächte transportiert werden durften, waren die deutschen Händler machtlos. Die Hamburger traf es besonders hart. Ein großer Teil der Kolonialwaren und jeder zweite Sack Kaffee aus den französischen Kolonien ging über den Hamburger Hafen. Als Paul St. Roberts seinem alten Freund anbot, ihm zu billigeren Kaffeelieferungen zu verhelfen, hatte Claes deshalb nicht lange gezögert.

Ein Kapitän, der während der Kriegsjahre als Freibeuter manches französische Schiff für die englische Krone gekapert hatte, lieferte nun Kaffee direkt aus den amerikanischen Kolonien. Für die Leute auf Jersey war das kein Verbrechen. Sie waren zwar mehr oder weniger loyale Untertanen des englischen Königs, aber sie lebten zoll- und steuerfrei, und der Schmuggel auf den Kontinent und an die englische Küste blühte hier seit Jahrhunderten.

Es war Claes peinlich, auf Jersey in der Sonne zu sitzen, nichts zu tun und auf einen Schmuggler zu warten. Paul hatte nur gelacht. Das sei doch ganz normal, und im Krieg sei es sogar legal. Schon Elisabeth, die große Königin, habe mit den Beutezügen von Sir Francis Drake, dem verwegensten aller Freibeuter, ihre Juwelen und ihre ruhmreichen Seekriege, vor allem die Vernichtung der spanischen Armada, finanziert. Und selbst die frommen Malteser-Ritter, zu denen auch viele Deutsche gehörten, machten reichen Profit auf Kaperfahrten.

Daß zur Zeit kein Krieg herrschte, kümmerte Paul dabei wenig. Es sei ja doch nur eine Pause. Bis zum nächsten – das zeige die Geschichte – dauere es nie lange. Und wer wußte schon, wann die Franzosen das nächste Mal versuchen würden, ganz Jersey und seine Nachbarinseln zu kapern.

Sicher hatte Paul recht, und Claes war nie zimperlich, wenn es um ein gutes Geschäft ging. Aber er fand es doch unwürdig für

 nun –

einen hanseatischen Kaufmann, untätig herumzusitzen und auf einen Abenteurer zu warten.

Vielleicht wäre es wirklich besser gewesen, wenn er Behrmann geschickt hätte. Der war mit allen Geschäften vertraut, zuverlässig wie kein zweiter und hätte auch auf den Teufel gewartet, um dem Handelshaus Herrmanns zu nutzen. Aber da war noch die Sache mit Emily. Die konnte ihm niemand abnehmen.

Ohne Zweifel war Pauls Tochter eine gute Partie. Die großen dunklen Augen, die milchzarte Haut und der kleine kirschrote Mund gaben ihr den Ausdruck einer Puppe. Doch das täuschte: Wie alle St. Roberts hatte sie einen wachen Geist und eine gute Bildung. Kein Wunder bei den Menschen, die im Haus ihres Vaters ein und aus gingen. Jeder Künstler oder Wissenschaftler, der Jersey besuchte, ob Genie oder Dilettant, wurde eingeladen, fürstlich bewirtet und gründlich befragt.

Morgen, dachte er, morgen muß ich endlich eine Entscheidung treffen.

Claes betrachtete die Gesellschaft, die sein alter Freund und Handelspartner Paul an diesem Abend um seinen Tisch versammelt hatte. Rechts neben ihm saß John Maynor, der Arzt der reichen Händler und Gutsherren auf der Insel. Ein beleibter Herr, der, obwohl er sein graues Haar noch unter einer altmodischen, hohen Perücke verbarg, mit Neugier und geübtem Verstand die neuesten Experimente und Entdeckungen der wissenschaftlichen Welt verfolgte.

Ihm gegenüber saß Pierre Chenau und stopfte, beide Ellenbogen auf den Tisch gestützt, seine Meerschaumpfeife. Er war Kaufmann auf Jersey, wie der Gastgeber, aber von einer kostspieligen Leidenschaft für die Alchimie geplagt. Seine Hoffnung, daß davon niemand wisse, war vergeblich. Auf dem ganzen Archipel flüsterte man über seine sündige Suche nach dem Rezept fürs Goldmachen.

Neben Chenau saß ein eleganter junger Mann, dessen blonde Locken im Nacken zu einem modischen Zopf gebunden waren. William Gatherby, der einzige Neffe des Hausherrn, hatte sich seit einiger Zeit als scharfer Rechner und kühner Planer in dessen Kontor unentbehrlich gemacht. Der Handel mit dem Hause St. Roberts, dachte Claes, wird in Zukunft trotz aller Freundschaft härter werden.

William folgte den aufgeregten Debatten mit trägen Augen und sanftem Lächeln, auch wenn er sich selbst kaum daran beteiligte.

Der junge Marquis Jouffroy d'Abbans, der neben dem stets beherrschten William zappelig wie ein junger Spaniel auf der Stuhlkante saß, war ein entfernter Cousin der St. Roberts. Auch wenn England und Frankreich seit den Zeiten der Normannen ständig Kriege gegeneinander anzettelten, war eine solche Verwandtschaft hier nicht ungewöhnlich. Die Inseln gehörten seit Jahrhunderten zum Reich der britischen Krone, aber ihre Lage nur wenige Meilen vor der Küste der Normandie hatte sie doch eng mit Frankreich verbunden.

Mit leichter Wehmut betrachtete Claes das noch kindlich runde Gesicht Jouffroys. Er hatte die Heftigkeit und Leidenschaft eines Jungen, der das Unmögliche für leicht erreichbar hält, wenn man es nur wirklich will. Für einen Moment spürte Claes eine nagende Sehnsucht nach solcher Leidenschaft und fühlte sich sehr viel älter als seine 44 Jahre. War er jemals so glühend gewesen? Oder tatsächlich schon immer der vernünftige Mann, der kühle Rechner, der nur gerade Wege ging?

«Messieurs. Nun haben Sie uns wirklich lange genug warten lassen!»

Die klare Stimme von Anne St. Roberts unterbrach abrupt die Melancholie seiner Gedanken. Pauls Schwester, seit dem Tod ihrer Schwägerin die erste Dame des Hauses, stand in der weit geöffneten Tür zum Salon. Obwohl sie sich um ein damenhaft gelassenes Lächeln bemühte, verriet ihre Miene Ungeduld.

Claes betrachtete sie amüsiert. Er konnte sich gut vorstellen, daß Anne das Geplauder der Damen über neue Liebschaften, Kleiderschnitte, Romane und die letzten Kinderkrankheiten schon nach kurzer Zeit tödlich langweilte. Anne St. Roberts interessierte sich mehr für Probleme der Schiffahrt und des Handels. Oder für Neuigkeiten wie die Blitzableiter, die Wissenschaftler in den nordamerikanischen Kolonien erfunden hatten. In Europa gab es inzwischen auch schon einen: Er krönte die Spitze eines Leuchtturms, der auf einem Felsbrocken im Meer südlich von Plymouth stand. Auf einem englischen Felsbrocken. Darauf war man auch auf Jersey stolz, selbst wenn über den Nutzen dieser Erfindung noch keine Einigkeit herrschte. Viele warteten darauf, daß Gott die Menschen für diesen Eingriff in seine Pläne strafen werde.

Anne war fasziniert von allem, was mit dieser neuen Elektrizität zu tun hatte. Am vorigen Abend hatte sie versucht, ihren Bruder davon zu überzeugen, daß ein solcher Blitzableiter auf dem Dach des neuen Lagerhauses am Hafen von großem Vorteil sein könnte. Paul hatte schließlich versprochen, zumindest darüber nachzudenken.

Claes hatte schnell gemerkt, daß Anne von den Geschäften der St. Roberts mehr verstand als ihr Bruder und als die heimliche Herrin des Kontors galt. Sie war eine schlanke, hochgewachsene Frau, ihr Teint war nicht so blaß, ihre Stimme nicht so zart, wie es sich für eine Dame gehörte. Ihre Nase war ein wenig spitz, ihr Mund ganz sicher zu groß. Aber sie war ohne Zweifel auf ihre besondere Art schön.

Claes hätte gerne gewußt, warum sie nie geheiratet hatte. Ihr Alter war schwer zu schätzen. Sie erschien ihm sehr viel jünger als ihr Bruder, aber die Dreißig hatte sie sicher längst überschritten. Eine energische Dame, die sich allerdings, auch das hatte Claes festgestellt, beim Tanz mit vollendeter Grazie und Geschmeidigkeit bewegte.

In der Mitte des Salons thronte rund und rosig unter ihrer reich mit Spitzen besetzten Haube auf einer gepolsterten Bank Mathilda Maynor. Die Frau des Arztes und Mutter seiner sechs Kinder verfolgte mit kleinen schwarzen Augen wachsam, wie St. Roberts seinen deutschen Freund nötigte, neben Emily Platz zu nehmen. St. Roberts' einzige Tochter erinnerte Claes an die Porzellanfigurinen, die er im letzten Jahr von der Leipziger Messe mitgebracht hatte: zart, kühl und glatt. Sie nickte ihm mit einem flüchtigen Lächeln zu und nippte an ihrem Kaffee.

Claes fühlte sich unbehaglich. Wegen Emily und wegen des Kaffees. Beide spielten in seinem Leben in diesen Wochen eine wichtige Rolle, und beide bereiteten ihm Sorgen. Eine der beiden Sorgen würde er am nächsten Tag nicht mehr haben. Aber das wußte er jetzt noch nicht. Und so blieb ihm nur, seinen Kaffee zu trinken und schwer und heimlich zu seufzen.

Claes Herrmanns betrat das Frühstückszimmer am nächsten Morgen als letzter. Die Herrschaften, so teilte ihm Frederik mit, seien alle schon fort. Mademoiselle Anne und Monsieur Paul hofften, ihn später im Kontor am Hafen zu sehen. Monsieur William sei nach St. Hélier geritten, und Mademoiselle Emily sei spazierengegangen, was sich am Vormittag für eine junge Dame nicht schicke, aber Mademoiselle habe immer ihren eigenen Kopf.

Der alte Diener blickte streng.

Zu Hause in Hamburg war Claes am Morgen stets der erste. Manchmal ging er schon vor der Morgensuppe hinunter an den Hafen. In seinem großen Haus am Neuen Wandrahm mit dem reichverzierten, barock geschwungenen Giebel war es um diese frühe Stunde noch still. Aber an den Vorsetzen, am Baumwall und beim Neuen Kran drängten sich schon die Lastträger und Karren. Es roch nach Wind, Brackwasser, Teer und Gewürzen. Die ersten Ewer vom Südufer der Elbe, von Glückstadt, Stade oder den Vierlanden passierten den Schlagbaum und glitten in den Binnenhafen. Breitschultrige Männer stakten flache Schuten in die Fleete, vollbeladen mit Frachten von den Seglern für die Speicher in der Stadt.

Aber hier hatte er seit drei Wochen nichts zu tun, als zu warten. In den ersten Tagen hatte er stundenlang am Pier gesessen und auf den Horizont gestarrt, als könnte er auf diese Weise die Brigg, die er so dringend erwartete, herbeizaubern. William hatte ihn aufgefordert, am Morgen mit ihm auszureiten. Aber Claes ritt nie zum Vergnügen. Und er hatte gesehen, wie William seine Stute im scharfen Galopp über die taunassen Wiesen jagte und kein Hindernis scheute. Die Vorstellung, es ihm gleichtun zu müssen, hatte ihn frösteln lassen.

Auch wenn William sich seinem Tempo angepaßt hätte, wäre ein gemeinsamer Ausritt für Claes keine Entspannung gewesen. Er fühlte sich in Gesellschaft von St. Roberts' elegantem Neffen stets ein wenig unbehaglich. Warum, wußte er nicht, es gab keinen Grund zur Klage. William zeigte weit über die reine Höflichkeit hinaus echtes Interesse an dem alten Freund seines Onkels, er war ein guter Zuhörer und ein charmanter Plauderer. Dennoch spürte Claes in Williams Gegenwart eine ungreifbare Spannung. In den bernsteinfarbenen Augen des jungen Kaufmanns fand er wenig von der Wärme, Großzügigkeit und Lebenslust, die den Umgang mit Paul so angenehm machten.

Claes stand unschlüssig vor dem Frühstückstisch. Das üppige Dinner vom vorigen Abend lag ihm noch im Magen. Er griff nach einem Pfirsich und machte sich auf den Weg zum Hafen.

Am Abhang über der Stadt blieb er stehen und betrachtete das friedliche Bild zu seinen Füßen. St. Aubin lag in der warmen Septembersonne. Möwen glitten in weiten Bögen über das grün glitzernde Wasser der Bucht, in der nach Sonnenaufgang die Delphine sprangen.

Hier herrschte nie das hektische Treiben, das für den Vormittag in Hamburg so typisch war. Die wichtigste Stadt auf Jersey war ein Dorf, der Hafen nicht viel mehr als eine lange Mole und ein paar Lagerschuppen. Am Ufer der langgestreckten Bucht, die einige Meilen weiter bei St. Hélier in schroffen Felsen endete, lagen kleine Werften. Der Lärm der Hämmer und Sägen der Schiffsbauer vermischte sich mit dem Gegacker der Hühner auf der sandigen Straße und bestimmte die Musik des Ortes. Claes war Hafenstädte wie Hamburg, Lissabon oder Bristol gewöhnt. Er fand es erstaunlich, daß dieses verschlafene Nest ein bedeutender Handelsplatz war.

«Gefällt Euch unsere Insel, Monsieur?» Emily war plötzlich hinter einer Geißblatthecke hervorgetreten und stellte sich ihm in den Weg, als ob sie auf ihn gewartet hätte. «Unser ruhiges Leben langweilt Euch gewiß.»

«Guten Morgen, Mademoiselle Emily.» Claes verneigte sich höflich und sah Pauls Tochter neugierig an. Sie schien nervös, das Spitzentuch in ihren Händen war verdreht und feucht. «Warum sollte ich mich langweilen? Ich habe selten in so kurzer Zeit so viele interessante Menschen kennengelernt wie in Eurem Haus. Und in so charmanter Gesellschaft kann ich mich gar nicht langweilen.» Er sah sich suchend um. «Eure Gesellschafterin scheint verschwunden zu sein. Darf ich Euch nach Hause begleiten? Oder wollt Ihr auch Euren Vater besuchen?»

Sie überlegte, als sei dies eine Frage von großer Bedeutung. «Nein», entschied sie schließlich. «Ich will nicht zu meinem Vater. Ihr dürft mich nach Hause begleiten.»

Eine Weile gingen sie schweigend nebeneinanderher. Plötzlich blieb sie stehen. Sie holte tief Luft und sah ihn fest an.

«Habt Ihr Euch entschieden?» fragte sie. «Wollt Ihr mich heiraten?»

Alle Nervosität schien nun, da die Frage ausgesprochen war, verflogen. Sie lachte leise auf. «Schaut nicht so schockiert. Glaubt Ihr tatsächlich, ich wüßte nicht, daß Euer Problem mit dem Kaffeehandel nicht der einzige Grund für Euren Besuch ist? Glaubt Ihr tatsächlich, ich wüßte nicht, daß mein Vater mich mit Euch verheiraten will? Wollt Ihr mich heiraten, Monsieur Herrmanns?»

Claes schluckte. Bisher hatte sie ihm nicht das kleinste Zeichen gegeben. Kein Blick, kein sanftes Wort hatten verraten, daß er Einlaß in ihre Träume gefunden hatte. Er hatte auch noch nie davon gehört, daß englische junge Damen reifen Herren Heiratsanträge machen.

Sie sah ihm gerade in die Augen, und er versuchte darin zu lesen, welche Antwort sie erwartete.

«Nun, Mademoiselle», stotterte er, «Euer Vater hat tatsächlich daran gedacht. Es ist mir eine große Ehre, und wer könnte mein Haus mehr schmücken als Ihr. Aber so eine Entscheidung...»

«Wie recht Ihr habt», sagte sie mit ernstem Nicken, «eine Entscheidung für alle Tage, für das ganze Leben. Eine sehr schwere Entscheidung. Ich will sie Euch abnehmen. Ich schätze Euch sehr, denn Ihr seid liebenswürdig und klug. Jede Frau wird Euch gerne anschauen. Und Euer Haar», fuhr sie fort, als preise sie die Vorzüge eines neuen Pferdes, «ist sehr schön, noch ganz voll und fast ohne Grau. Aber ich werde Euch nicht heiraten.»

Claes starrte die junge Frau verblüfft an.

«Ihr könntet wenigstens ein kleines Bedauern zeigen, Monsieur. Euer Gesicht verrät Erleichterung.»

«Mademoiselle, Ihr schmeichelt mir heftig, aber vor allem erstaunt Ihr mich viel zu sehr, als daß ich überhaupt etwas zeigen könnte. Natürlich bedauere ich...»

«Vergeßt für einen Moment die höflichen Floskeln, Monsieur, und vergeßt auch, daß ich ein Mädchen bin.»

Sie lächelte breit, und ihr strahlender Blick löste alle Anstrengung des Verhaltens.

«Laßt uns miteinander reden wie zwei Kaufleute, denn eine Ehe mit mir wäre für Euch doch zuallererst ein Handel. Ich liebe meinen Vater sehr, und ich bemühe mich um Gehorsam.» Eine kleine Falte wuchs über ihrer Nasenwurzel. «Das ist nicht immer leicht, wie Ihr bei einigem Nachdenken verstehen werdet. Nehmt zum Beispiel meinen Bruder. Er ist gerade zwölf Jahre alt und wird behandelt wie ein Mann. Ich bin siebzehn Jahre alt und werde behandelt wie ein Kind, das nicht weiß, was gut für sein Leben ist. Auch Ihr behandelt mich wie ein Kind.»

Sie legte vertraulich ihre Hand auf seinen Arm und sah ihn mit schmelzendem Lächeln an. «Natürlich wäre ein Leben an Eurer Seite ein gutes Leben. Aber liebt Ihr mich?»

Claes holte tief Luft. «Nun, die Liebe ist eine Sache des Bemühens und der Gewohnheit.» Er begann, diese ungewöhnliche Unterhaltung amüsant zu finden. «Wenn sie uns überfällt wie

habit - Gewohnheit

to take trouble; pains Bemühens

affair, business - Sache

ein Gewitterregen, ist sie nichts als ein Rausch, der bald vergeht. Sie kann aber wachsen, wenn zwei Menschen...»

«Ihr redet wie meine Gouvernante, die zu meinem und ihrem Glück schon seit einem Jahr anderen Mädchen weise Vorträge hält», unterbrach sie ihn mit einer ungeduldigen Handbewegung. «Habt Ihr je geliebt, Monsieur? Wirklich geliebt?»

«Ich glaube, Mademoiselle, das tut hier nichts zur Sache», sagte Claes, der langsam begriff. «Sicher scheint mir, daß Ihr liebt. Und ganz bestimmt nicht mich.»

«Ja, ich liebe. Und ich werde den, den ich liebe, heiraten. Niemand sonst. Lieber will ich sterben, als die Frau eines anderen zu werden. Oh, Monsieur, könnt Ihr mich nicht verstehen?»

«Emily», sagte Claes lachend, «erst jetzt begreife ich, daß es ein Fehler war, nicht entschiedener um Euch zu werben. Der, den Ihr liebt, ist zu beneiden. Er bekommt nicht nur eine bezaubernde, sondern auch eine starke Frau.»

«Dann verzeiht Ihr mir? Werdet Ihr mir helfen? Bitte, Ihr müßt mir helfen.»

«Wobei soll ich Euch helfen? Muß er noch überzeugt werden, Euch wiederzulieben?»

«O nein, Monsieur, das tut er längst. Obwohl er sagt, daß es manchmal nicht leicht ist.»

Sie kicherte zufrieden. Das Pathos, mit dem ihre Stimme bei der Androhung des edlen Todes der tragisch Liebenden vibriert hatte, war so schnell verflogen, wie es gekommen war.

«Aber er will mich so, wie ich bin. Nur mein Vater will ihn nicht so, wie er ist. Das, Monsieur, ist unser Problem. David versteht nichts von Schiffen, Zahlen und Fässern, von Zucker, Gerste und Wolle. Er will auch nichts davon verstehen. Nicht einmal aus Liebe zu mir.»

Wieder begann sie ihr malträtiertes Spitzentuch zwischen den Fingern zu drehen. «Er würde sterben, wenn er nicht mehr malen könnte, denn er ist ein wunderbarer Maler. Monsieur, Ihr habt vor ein paar Tagen gezeigt, daß Ihr die Malerei liebt, daß

Ihr sie sogar versteht, was selten ist bei einem Kaufmann. Ihr müßt mir helfen! Wenn ich David nicht heiraten darf, brennen wir einfach durch. Es gibt einen Schmied in Schottland, der darf jeden trauen, auch ohne die Erlaubnis des Vaters. Ich würde so gerne durchbrennen, aber», fügte sie ärgerlich hinzu, «David will nicht mitmachen. Er findet Durchbrennen unehrenhaft.»

«Was für ihn spricht!» Claes ertappte sich bei dem Gedanken, der ehrenhafte David rechne sich vielleicht nur aus, daß er kaum auf Emilys Erbschaft hoffen konnte, wenn er sie entführte. «Warum will Paul Euren David nicht? Er liebt doch auch die Malerei. Hat er sich nicht sogar von dem jungen Gainsborough portraitieren lassen, als er im letzten Jahr in Bath zur Trinkkur war?»

«O ja! Er liebt schöne Bilder. Vor allem, wenn darauf Schiffe und das Meer zu sehen sind. Oder Damen. Und er liebt es, mit Malern über Fragen der Perspektive und des Spiels von Licht und Schatten zu streiten. Aber er liebt keinen Maler, der seine Tochter liebt.» Sie sah ihn flehend an. «Mein Vater vertraut Euch seit vielen Jahren, er schätzt Euer Urteil. Wenn Ihr ihn überzeugt, daß David mich wahrhaft liebt und eine große Zukunft hat, wird er uns erlauben zu heiraten. Bitte.»

Da war nichts mehr von der gelangweilten Kühle, die sie ihm in den vergangenen Wochen gezeigt hatte. Der brennenden Leidenschaft in ihren Augen, der Hitze, die Claes schon am Abend zuvor neidvoll im Gesicht des jungen Jouffroy gesehen hatte, konnte er nicht widerstehen. Er dachte flüchtig an Sophie. Ob sie auch solche Augen haben konnte? Er würde sich mehr um seine Tochter kümmern müssen, wenn er wieder in Hamburg war. Auch dort gab es schöne junge Maler, die keinen Sinn für Schiffahrt und Zahlen hatten.

«Ihr verlangt viel von mir, Emily, gerade weil Euer Vater mir vertraut. In einem habt Ihr gewiß recht: Die Verlockung, Euch als meine Braut zu erobern, war immer groß, aber der Gedanke daran war mir nicht leicht. Ich bin zu alt für Euch. Nein, keine Widerrede. Ich weiß, daß Ihr genauso denkt.»

Sie dachte nicht im geringsten an Widerrede. Auch wenn sie David nicht geliebt hätte, konnte sie sich nicht vorstellen, einen Mann zu heiraten, der kaum jünger war als ihr Vater.

«Wie kann ich Euren Vater davon überzeugen, daß David – wer immer er sein mag – der richtige Mann für Euch ist?» Claes sah lächelnd in das glühende Gesicht. «Am besten, Ihr bringt mich zu Eurem Maler, vielleicht heute nachmittag, damit ich mir seine Bilder ansehen kann. Und, wenn Ihr gestattet, auch ihn selbst. Ohne ein kleines Examen geht es nicht. Ihr habt es selbst gesagt: Es ist für das ganze Leben.»

Später erzählten sich die Leute von St. Aubin, die Verlobung zwischen Emily und dem deutschen Kaufmann sei nun wohl endlich verabredet. Die Köchin von Madame Boucher habe gesehen, wie die Mademoiselle, Tränen des Glücks auf beiden Wangen, den Freund ihres Vaters auf dem Weg zum Haus der St. Roberts umarmt und geküßt habe. Kurz bevor die Sache mit den Fässern passiert sei.

Claes hätte gerne laut gesungen, als er sich wieder auf den Weg zum Hafen machte. Er hatte lange nicht mehr gesungen, vom sonntäglichen Kirchenbesuch einmal abgesehen, und er würde es auch heute nicht tun. Aber das Gefühl der Erleichterung war köstlich. Natürlich würde nun die Suche nach einer Ehefrau wieder von vorne beginnen.

Sicher hat Sophie recht, dachte Claes. Wenn sie im nächsten Sommer heiratet, ist es besser für mich, eine neue Hausfrau zu haben.

Er hatte Marias schreckliches Ende lange nicht begriffen. Im ersten Jahr nach ihrem Tod betrat er oft den Salon oder ihr Schlafzimmer und wunderte sich, daß sie ihn nicht wie immer erwartete.

Doch inzwischen hatte er sich sein Leben bequem eingerichtet. Er war nicht sicher, ob er wirklich noch einmal heiraten wollte. Wenn, dann müßte es eine reifere Frau sein, sanft und nachgiebig. Und sie müßte verstehen, daß ihm der Handel Spaß machte, daß es für ihn ein Abenteuer war, seine Geschäfte zu führen, Risiken einzugehen und zu gewinnen. An Verluste mochte er nun nicht denken.

Eine Woge von Zuversicht erfaßte ihn. Alles würde sich regeln. Das Problem Emily hatte sich schon von selbst gelöst. Und die Sache mit den Kaffeelieferungen würde er morgen regeln. Oder nächste Woche, wann immer Captain Braniff mit seiner Brigg in der Bucht vor Anker ging.

Am Ende der Pier sah er Anne vor der weitgeöffneten Tür des St. Robertsschen Kontors stehen. In ihrem resedagrünen Kleid und mit der weißen Haube wirkte sie wie eine Lilie. Er wollte ihr zuwinken. Aber das gelang ihm nicht mehr. Claes hörte auch ihren entsetzten Aufschrei nicht. Er hörte nur die Explosion in seinem Kopf, ein seltsames Knirschen – dann war Stille. Eine eigentümliche, dunkle Stille, wie ein Versinken. Er spürte nichts, keinen Schmerz, kein Erstaunen und auch nicht mehr die Freude, die ihn so erregt hatte.

Er lag unter einem Haufen zerborstener Fässer, aus denen gelber Zucker und braunes Getreide auf die Pier rieselten. Sein Körper war kaum zu sehen.

«Der is hin», brummte der Alte, der auf einem Hocker in der Sonne saß und Äpfel schälte.

Aber niemand hörte ihm zu, alle waren zusammengelaufen und versuchten, den leblosen Körper unter den Fässern hervorzuziehen.

Keiner sah den Mann, der im Schatten der Lagerhäuser den Hang hinaufging und den Weg nach St. Peter einschlug. Trotz seines steifen Beines bewegte er sich geschmeidig wie ein Fuchs.

2. KAPITEL

Frühling 1765

DIENSTAG

Sanft flirrten die Töne durch die kühle Aprilluft, stiegen zu einem sehnsuchtsvollen Tremolo auf und erreichten in Trillern, die jedem Pirol Ehre gemacht hätten, ihren Höhepunkt. Dann war es wieder still. Das Mädchen sah sich um. Solche Töne hatte sie noch nie gehört. Das mußte ein wunderbarer Vogel sein, mit buntem Gefieder und langem Hals. Auf den kahlen Ästen der Erlen hockten aber nur ein paar aufgeplusterte Spatzen, die Schwalben und all die anderen Sommersänger waren noch nicht aus dem Süden zurückgekehrt.

Wieder ein Triller. Und Stimmen. Das konnte kein Vogel sein. Das waren Menschen.

Vorsichtig kroch sie auf den Erdwall, der das Gehöft schützend umschloß, schlüpfte durch die Lücke des dichten Gestrüpps aus Brombeer- und Geißblattranken auf der Kuppe und sah hinunter auf das Grasland. Es war ihr verboten, die Welt jenseits des Erdwalles allein zu betreten, denn dort war die große Straße. Eine gefährliche Welt, so hatte man ihr erzählt, durch die nicht nur ehrbare Kaufleute in Kutschen und auf Fuhrwerken reisten, sondern auch all das Gesindel, das in den Städten sein Unwesen trieb.

Das Mädchen war schon neun Jahre alt und oft den Erdwall hinaufgekrochen. Sie hatte viele Fuhrwerke gesehen und sicher auch Gesindel. Aber weil sie nicht wußte, wie sie Kaufleute von Gesindel unterscheiden konnte, wußte sie auch nicht, wen sie gesehen hatte.

Auf der Straße bewegten sich Menschen, Wagen, Pferde und Kutschen, und manchmal stellte das Mädchen sich vor, wie es über den Wall kroch, auf die Wiese lief und mit diesen geheimnisvollen Wesen verschwand. Sie hatte noch nie eine Stadt gesehen, nur manchmal, bei klarem Wetter, konnte sie vom Wipfel der Buche am Teich die Spitzen der Kirchtürme hinter den Wäldern erkennen. Die Geschichten, die der Vater erzählte, wenn er von einem seiner seltenen Ausflüge in diese Welt der Wunder zurückkam, hatten ihrer Phantasie prächtige Bilder von Gefahr und sündigem Prunk gemalt.

Der Vater hatte auch von Schiffen erzählt, größer als ein Haus, deren Segel an baumhohe Masten gespannt waren. Darin fing sich der Wind und trieb die Schiffe über die unendlichen Meere in fremde Länder. Er hatte eines mit der Haselgerte in den festen Sand vor der Scheune geritzt, und seit diesem Tag träumte das Mädchen davon, auf so einem schwimmenden Haus mit dem Wind davonzureisen. Mädchen seien auf Schiffen nicht erlaubt, hatte der Vater gesagt und das Bild schnell in den Sand getreten.

Dann war er fortgegangen, um die beiden Kühe auf die Weide hinter dem Teich zu bringen. Er hatte nicht vom Meer erzählen wollen, das irgendwo hinter der Stadt begann. Aber seitdem träumte sie von der Stadt und vom Meer.

Da. Wieder die Triller. Eine mutwillig hüpfende Melodie flog den Wall hinauf. Vorsichtig kroch das Mädchen unter der letzten Brombeerranke hindurch, und endlich sah es, woher die Töne kamen. Auf der Wiese neben der Straße standen drei Wagen, die Pferde waren ausgeschirrt und suchten am Rande des Walls nach frischem Gras.

Zwischen all den Leuten, die bei ihren Wagen Rast machten, entdeckte sie die Frau sofort. Sie saß mit gekreuzten Füßen auf einer Holzkiste an ein Wagenrad gelehnt und spielte auf einem Ding, das wie eine Flöte aussah und doch ganz anders als die, die Tobias mitbrachte, wenn er am Sonntag zu Besuch kam. Diese hier war nicht aus Holz, sondern glänzte wie die polierten Kerzenleuchter in der Wandsbeker Kirche, wenn Sonnenstrahlen durch die Glasfenster auf den Altar fielen. Und niemals gelangen Tobias solche Töne! Das Mädchen hockte auf dem Wall und lauschte und sah. Sie würde diese Töne und den Glanz nie mehr vergessen, und die Sehnsucht, die sie in ihr weckten, würde sie einige Jahre später aus der Welt der Gehöfte und schützenden Erdwälle fliehen lassen.

«Holla, Rosina», rief ein dicker Mann mit gelben, struppigen Haaren, «du hast Publikum.»

Pu-bli-kum. Das Mädchen nahm den schönen Klang des fremden Wortes in seine Gedanken auf und verband es mit den hellen Tönen der Flöte. Dann erst erschrak sie und sprang auf. Sie war entdeckt von diesen Fremden, die so anders aussahen.

«Lauf nicht weg», rief der Mann, «wir tun dir nichts. Möchtest du ein Stück Brot?»

Das Mädchen wußte, daß es vor Fremden weglaufen sollte. Aber, so dachte sie, wer so himmlische Musik machen kann, muß zu den ehrbaren Kaufleuten gehören. Sie hätte gerne von dem Brot probiert, aber sie traute sich nicht, den Wall hinunterzulaufen und den Fremden nahe zu kommen.

«Komm doch her!» Der Mann winkte mit beiden Händen.

«Laß das Kind in Ruhe, Titus», sagte eine andere Frau, die auf der Deichsel des Wagens saß und ihr lockiges, rotbraunes Haar mit zwei Kämmen feststeckte, «die Bauern mögen es nicht, wenn wir mit ihren Kindern sprechen.»

«Ach was, Helena. Kein Bauer weit und breit, nur ein neugieriges kleines Fräulein.»

Er griff in seinen Korb, der neben Kisten und Beuteln im Gras stand, und das Mädchen sah aus seinen Händen fünf bunte Kugeln in die Luft auffliegen und im großen Bogen zurückkehren. Sie stiegen hoch über seinen Kopf, wieder und wieder, bis er eine nach der anderen in das Gras fallen ließ.

«Willst du es auch mal versuchen?»

Das Mädchen schüttelte heftig den Kopf. Sie hatte sich auf einen Baumstamm gesetzt, der am Rande des Gestrüpps lag, den grauen Rock fest über die mageren Beine gezogen und starrte auf die Fremden.

Da waren der Dicke mit den Bällen, die Frau auf der Deichsel des ersten Wagens, Helena hatte er sie genannt, und die andere, die mit der Flöte, Rosina. Niemals hatte sie so schöne Frauen gesehen, und selbst die Narbe, die der Blonden über die linke Wange zum Kinn lief, ließ sie nicht weniger schön erscheinen.

Auf dem zweiten Wagen hockte ein Mann in einer ordentlichen grünen Joppe und versuchte das Durcheinander von Gepäckstücken zu ordnen. Der lange Regen hatte die Straße in ein endloses Schlammloch verwandelt. Der zweite Wagen steckte mit dem linken Vorderrad tief im Morast. Die hoch aufgetürmte Ladung war verrutscht, das Rad aber zum Glück nicht gebrochen. Kisten und Körbe lagen im Dreck.

«Gib mir mal den Korb mit den Kerzen, Gesine», rief er der Frau zu, die neben dem Wagen stand und ihm zusah. «Hier ist noch eine Lücke, wenn wir die nicht stopfen, gerät die Ladung wieder ins Rutschen.»

«Fritz», rief die Frau, «hilf mir. Die Kiste ist zu schwer.»

Ein Junge, pausbäckig, den Kopf voller kräuseliger, fast weißer Locken und kaum älter als das Kind auf dem Baumstamm, kam hinter dem Wagen hervor und half, die Kiste hinaufzustemmen.

«Immer ich», maulte er, «warum muß Manon nicht helfen?»

«Wenn du nicht immer nur vor dich hin träumen würdest, hättest du gesehen, daß deine Schwester Lies hilft, ihre Kräuter in trockene Tücher zu packen. Während du im Baum...»

«Laß doch, Gesine», sagte der Mann vom Wagen herunter. «Er wollte nur nachsehen, ob man die Türme von Hamburg schon sieht. Wann haben die Kinder schon mal Zeit, auf Bäumen herumzuklettern?»

«Du bist zu nachlässig mit ihm, Rudolf. Er muß lernen zuzupacken. Die Bücher machen ihn nicht satt.»

Ärgerlich wandte sie sich ab, und der Mann auf dem Wagen, Rudolf, beugte sich wortlos wieder über seine Arbeit.

Das Mädchen auf dem Baumstamm hörte zu und war zufrieden. Die Fremden sprachen im gleichen Ton miteinander wie ihre Eltern. Der dicke Mann, der die Kugeln so schön kreisen lassen konnte, sah noch einmal zu dem Mädchen hinauf, dann zuckte er mit den Schultern und wandte sich wieder den anderen zu. Die Frau, die er Helena genannt hatte, war von der Deichsel heruntergesprungen. Sie schüttelte Brotkrumen von ihrem Rock aus schwerem grauem Stoff und sah sich prüfend um.

«Bist du alleine?» fragte sie.

Das Mädchen antwortete nicht. Sie saß nur bewegungslos auf dem Baumstamm und starrte mit einer Mischung von Sehnsucht und Furcht auf die Fremden. Helenas Haar glänzte wie die Kastanien, die das Bauernkind im Herbst als Wintervorrat für das Vieh sammelte. Das Tuch, das sie um ihre Schultern gebunden hatte, erinnerte an nichts, was das Mädchen je gesehen hatte. Seine Farben leuchteten wie Veilchen, frisches Buchengrün, Sumpfdotterblumen und Margeriten. Glänzende Fransen von der Farbe reifer Hagebutten wippten bei jeder Bewegung an den Rändern. Das Tuch hätte sie fast noch lieber berührt als die Flöte.

Die war verschwunden. Rosina hatte sie in ein weißes Tuch gewickelt und in einen Holzkasten gelegt.

«Schade», sagte ein junger Mann, der eine sandfarbene Stute mit schwarzer Mähne auf der Wiese herumgeführt hatte und sie nun an den Wagen band. «Unser kleiner Gast möchte sicher gerne noch mehr hören. Wie ich.»

Sein Haar war von der gleichen Farbe wie die Stute und mit einer glänzenden schwarzen Schleife im Nacken gebunden. Er zog seine braune Jacke aus, und das Mädchen sah, daß sein weißes Hemd weite Ärmel und feine Biesen hatte.

Er blickte zu ihr hinauf und lächelte.

«Komm, Muto», rief er dann, «wir geben der Prinzessin zum Abschied noch eine kleine, ganz private Vorstellung.»

Ein rothaariger Junge von etwa zwölf Jahren hüpfte grinsend von einem der Wagen. Er lief ein paar Schritte zurück, nahm Anlauf, sprang, wirbelte wie ein lebendiger Ball in einem schnellen Salto durch die Luft – und landete mit beiden Füßen genau auf den Schultern des Mannes. Die Hände der beiden fanden sich, und schon schwebte der Junge kopfüber in der Luft, um in einem neuen Salto zurück ins Gras zu springen.

Das Mädchen hatte das blitzschnelle Kunststück atemlos verfolgt. So wäre sie auch gerne durch die Luft geflogen, aber nun rief niemand mehr nach ihr. Die Menschen auf dem Grasland hatten den kleinen und den großen Akrobaten umringt. Sie klatschten in die Hände und riefen durcheinander: «Sebastian, wann hast du ihm das beigebracht?» und «Muto, du bist ja ein echter Artist» und «Ihr Geheimniskrämer! Was könnt ihr noch?»

«Ist das nicht genug für den Anfang?» wehrte Sebastian lachend und außer Atem ab und strubbelte Muto durchs zerzauste Haar. «Es ist nur sein Verdienst. Der kleine Teufelsbraten ist gelenkig wie eine Katze und mutig wie ein Adler. Na, jedenfalls wie ein Bussard.»

Die anderen waren begeistert, sie schlugen Sebastian auf die Schultern, knufften Muto in die Oberarme und lachten. Nur Muto sagte nichts, obwohl ihn doch alle etwas fragten. Er lachte tonlos mit offenem Mund und strahlenden Augen. Dann lief er über die Wiese, in mutwilligen Sprüngen wie ein Osterlamm, warf die Arme in die Luft und sang ein lautloses Lied.

Helena sah ihm nach, und das Mädchen verstand nicht, warum sie für einen Moment traurig erschien.

Bald waren Kisten, Säcke und Körbe, die überall im Gras verstreut gewesen waren, auf den Wagen verstaut. Sebastian und Rosina begannen die Pferde anzuspannen, die schläfrig unter den Bäumen im Gras gestanden hatten.

Sie gehen fort, dachte das Bauernkind und wünschte sich heiß, Rosina möge noch einmal die Flöte auspacken und das Lied mit den Trillern spielen, nur einmal noch, als es sich plötzlich grob am Kragen gepackt und zurückgerissen fühlte.

«Gesindel», schrie der Vater und schwang wütend die Forke gegen die Menschen auf der Wiese, «Komödiantenpack, verschwindet von unserem Grund. Hier ist nichts zu stehlen. Und wenn ihr das Kind angefaßt habt, dann gnade euch Gott...»

«Plustere dich nicht so auf, Bauer», schrie der Dicke zurück. «Dein Grund mag hinter dem Wall anfangen, aber diese Wiese gehört allen, die auf dieser Straße reisen...»

«Still, Titus», Helena zog den wütenden Komödianten heftig am Ärmel, «es hat doch keinen Zweck. Komm!»

Die Pferde zogen an und die hoch bepackten Wagen rollten von der Wiese auf die Straße. Niemand sah zurück, nur Titus brüllte so laut, daß der Vater des Mädchens ihn deutlich hören konnte.

«So ein Hungerleider von Bauerntölpel! Betrügt bei jedem Scheffel Buchweizen, den er auf den Markt schleppt, lebt mit seinen Schweinen in einem Koben und will uns zeigen, was Verachtung ist...»

Das Mädchen hätte den Wagen gerne noch eine Weile hinterhergesehen. Aber der Vater zog es unerbittlich mit sich durch die Hecke, den Wall hinunter über den Acker und über den Hof bis vor das Feuer in der Diele des Gehöfts. Dort schlug er es voller Zorn zweimal heftig ins Gesicht. Das Kind wußte nicht, daß er das aus Angst tat, weil er gefürchtet hatte, die Fahrenden wollten ihm sein Kind stehlen.

Das Mädchen hatte nun Gesindel kennengelernt, und von diesem Tag an glaubte es nicht mehr alles, was seine Eltern erzählten.

Die Komödiantengesellschaft, die sich nach ihrem Prinzipal Jean Becker die Beckersche nannte, beeilte sich. Noch zwei Stunden bis Hamburg, und die dunklen Wolken, die jetzt von Süden heraufzogen, drohten mit Regen. Jean reiste diesmal nicht mit auf den vollbepackten Wagen. Er war schon in der vergangenen Woche mit der Kutsche von Lübeck aus vorausgefahren, um ihre Ankunft vorzubereiten. Die Spielgenehmigung des Rats mußte eingeholt, das Quartier bei der Krögerin in der Fuhlentwiete vorbereitet werden. Und die Komödienbude, die die Hamburger reisenden Komödiantengesellschaften zur Verfügung stellten, war nach dem langen, besonders regenreichen Winter sicher voller Löcher. Da mußte rechtzeitig bei den Handwerkern geschmeichelt und mit einem Goldstück geklimpert werden, damit der Meister sie nicht zu lange warten ließ.

Rosina und Helena saßen auf dem Bock des ersten Wagens. Titus, noch immer Wutfalten auf der Stirn, lenkte den zweiten. Der Platz neben ihm war leer. Die alte Lies hatte sich hinter seinem schützenden Rücken zwischen zwei Weidenkörben einen Sitz gebaut, der für ihre steifen Knochen bequem genug war. Sie sorgte sich um ihre Kräuter. Als die hoch aufgetürmten Kisten und Körbe zu rutschen begannen und schließlich vom Wagen fielen, hatte sich der Kräuterkorb geöffnet und seinen Inhalt auf die nasse Straße gespuckt. Es waren nur wenige Säckchen und Bündel gewesen, denn jetzt im Frühling war der Vorrat an heilenden Kräutern und Wurzeln fast erschöpft, aber gerade deshalb waren sie um so wertvoller. Am Abend, in der warmen Stube der Krögerin, konnte sie ihre Schätze trocknen. Nur der Salbei war wohl nicht mehr zu retten.

Am dritten Wagen führte Rudolf die Zügel. Obwohl er müde war, ging er neben den Pferden. Wenn er sich zu Gesine auf den Kutschbock setzte, würde sie nur weiter mit ihm streiten. Wie alle Komödiantenkinder waren auch Fritz und Manon, gerade zehn und elf Jahre alt, schon tüchtige Artisten. Sie spielten kleine Rollen und waren zarte Elfe und pausbäckiger Cupido im Ballett. Beide konnten lesen, schreiben, rechnen und auch schon ein wenig Französisch. Die Sprache Molières war ihrer Mutter besonders wichtig. Als sich Sebastian der Gesellschaft anschloß, hatte Rudolf den Studenten gebeten, Fritz in Philosophie und Latein zu unterrichten. Sein Sohn sollte eines Tages entscheiden können, ob er Komödiant bleiben wollte. Aber wann gelang es einem Komödiantenkind einmal, in der Bürgerwelt Fuß zu fassen? Das schafften nur solche, die von den Universitäten zu den Komödianten gelaufen waren, Bürgerkinder auf der Suche nach dem Abenteuer. Manche kehrten nach einigen Jahren zurück. Aber wahrscheinlich hatte Gesine recht: einer wie Fritz, dessen Urgroßeltern schon auf dem Karren gefahren waren, hatte keine Chance.

Rudolf lebte sein Komödiantenleben mit der Ergebenheit eines Hiob. Er war kein guter Schauspieler. Aber er hatte ein anderes Talent, das ihn manchmal sogar glücklich machte: er malte die schönsten Kulissen und zauberte die phantastischsten Illuminationen und Flugwerke, die auf einer kleinen Wanderbühne möglich waren.

Es war kein schlechtes Leben. Andere hungerten mehr und öfter, und wenn er die Knechte und Mägde auf den Feldern mit krummen Rücken schuften sah, konnte es geschehen, daß er sich frei und stolz fühlte.

Dennoch träumte er für seine Kinder von einem ruhigeren Leben in bürgerlicher Sicherheit.

«Verzeih mir, Rudolf.» Leise drang Gesines Stimme in seine Gedanken. «Ich weiß, du meinst es gut, aber es macht mir angst. Fritz ist ein Komödiantenkind, und so eines findet keine Tür zur anderen Seite der Bühne. Selbst die Bauern verjagen uns wie Diebe.»

Sie schwieg eine Weile. «Unser Leben ist nicht leicht», fuhr sie schließlich fort, «aber es ist auch nicht schlecht. Schlecht wird es nur für einen, der seinen Platz nicht kennt. Setz dem Jungen keine Träume ins Herz, die sein Leben schlecht erscheinen lassen. Er wird kein anderes finden. Verwische seine Grenzen nicht.»

«Grenzen ändern sich, Gesine. Als wir geheiratet haben, waren wir noch das dumme Gesindel für die groben Späße. Die Bürger verachteten uns, die Fürsten liebten nur die italienische Oper...»

«Das tun sie immer noch, die Bürger wie die Fürsten.»

«Aber nicht mehr so sehr.»

Gesine antwortete nicht. Sie sah seine schmalen Schultern,

das dünner werdende Haar. Ein unauffälliger Mann. Er hatte sie stets mit Respekt behandelt, aber er war ein wenig versponnen, ein Künstler und Tüftler, nicht immer leicht zu verstehen. Doch sie liebte ihn, und das würde immer so bleiben. Ohne ihre Entschlossenheit und Stärke wäre er in dieser rauhen Welt vielleicht untergegangen. Mit ihr war er stark. Aber so, dachte sie, soll es ja auch sein. Zusammen stark sein war genug.

Fritz und Manon rannten mit Muto um die Wette dem kleinen Wagenzug voraus. Manon hatte die Röcke hochgebunden, und ihre Sprünge waren genauso wild wie die der Jungen. Gesine lächelte. Auch ihre Kinder waren stark. Sie würden ihren Weg finden.

So wie Rosina, die aufrecht neben Helena auf dem ersten Wagen saß. Gesine war nicht begeistert gewesen, als Rosina an einem kalten Regenabend vor fünf Jahren in ihrem Quartier auftauchte. Sie war naß und schmutzig, aber Gesine hatte auf den ersten Blick gesehen, daß sie log, als sie behauptete, eine entlaufene Magd zu sein. Die zarte Haut, die feine Sprache und der zierliche Gang verrieten, daß sie nicht an schwere Arbeit im Stall oder in der Küche gewöhnt war. Inzwischen war aus dem zarten Mädchen eine kräftige junge Frau geworden. Ihren Händen war anzusehen, daß sie oft die Zügel führte.

«Vergiß es einfach, Rosina. Der Mann war nur ein dummer Bauer.» Helena legte freundlich die Hand auf den Arm der Jüngeren.

«Ja», Rosina nickte, «ein dummer Bauer, ein dummer Bürger, ein dummer Förster, ein dummer Pfarrer – ich sollte mich daran gewöhnt haben. Aber ich kann es nicht. Es macht mich immer wieder maßlos wütend...»

«Bald sind wir in Hamburg. Da lassen sie uns in Ruhe. Und wenn wir hübsch spielen und singen, klatschen sie sogar.» Helena lachte. «Und erinnere dich an das letzte Mal. Da wollte dich sogar einer heiraten.»

«Du meinst den verrückten alten Gotländer-Wirt?»

«Den verrückten, reichen alten Gotländer-Wirt.»

«Der wollte nicht mich, sondern ein Aushängeschild für sein Wirtshaus, eine Schankmamsell, die die Männer anzieht und ihnen mit Gesang und großem Dekolleté das Geld aus der Tasche lockt.»

«Bürger und Fürsten verhökern ihre Töchter auch. Das ist überall so.»

Rosina nickte. «Ich weiß.»

Dann ließ sie die Zügel fröhlich auf die breiten Hinterbacken der Pferde klatschen. «Aber mich verhökert niemand!» rief sie und begann laut zu singen.

3. KAPITEL

DIENSTAG NACHMITTAG

Der Frühling hatte sich in diesem Jahr beeilt. Schon in den letzten Februartagen blühten die ersten Primeln auf den Alsterwiesen. Ende März zeigten die Büsche zartes Grün, und alle glaubten, daß die prallen Knospen an den Kirschbäumen bald aufplatzen würden. Aber Petrus war unberechenbar. Er griff noch einmal in die Winterkiste und schickte mit dem April wahre Sturzbäche von kaltem Regen auf die Erde. In der letzten Woche hatte es nachts sogar gefroren, und ob es in diesem Jahr genug Kirschen geben würde, war nun ungewiß.

Am Nachmittag erreichten die Wagen die Vorstadt St. Georg. Die Komödianten der Beckerschen Gesellschaft hatten den Lübschen Baum und die äußere Festungsmauer der alten Hansestadt Hamburg passiert, nun rollten sie durch die lange Ulmenallee auf das Steintor zu.

Es nieselte und die Komödianten froren. Ihre Kleider waren naß, sie dachten an nichts als eine warme Stube und einen Teller dampfender Suppe. Nur Rosina summte leise und vergnügt ein Trinklied. Sie war nicht sicher, ob die große Stadt sie ängstigte oder freute, aber eines spürte sie genau: Das ständige Gewimmel von Menschen vieler Nationen, der nicht endende Wagenlärm und das Geschrei in den Gassen, die zahllosen Schenken und Kaffeehäuser, die Märkte und Geschäfte, die alles feilboten, was eine Frau sich wünschte, machten sie hellwach. Das letzte Stück Weg bis zum Tor war für sie so erregend wie das dramatische Finale eines guten Schauspiels.

Trotz der nassen Kälte begann das Gedränge schon vor dem Tor. Wagen um Wagen reihte sich auf der Straße, zwei nervöse Rappen zogen im eiligen Trab eine reich beschlagene Kutsche an den hochbeladenen Fuhrwerken vorbei. Ein Bauer und sein Kind waren mit fünf Schweinen und einer ganzen Schar Gänse unterwegs zum Markt am Dom oder zum Schlachthaus an der Heiliggeistbrücke. Am Ende der Allee ließ ein Bärenführer sein zottiges Tier unter dem Johlen der Menge tanzen, und überall streckten Bettelkinder ihre mageren, schmutzigen Hände aus.

Die Torwachen zeigten heute wenig Lust, die tropfende Ladung der drei Wagen zu kontrollieren. Wenn sie gewußt hätten, daß unter den schweren Planen aus dickem Ölpapier keine Säcke mit Roggen, Salz oder fettiger Wolle von der Frühjahrsschur verborgen waren, sondern Körbe voller bunter Kostüme und Kisten mit seltsamen Geräten, hätten sie die Wagen vielleicht gar nicht erst in die Stadt gelassen. Fahrende Komödianten waren in diesen Tagen in Hamburg nicht erwünscht.

So aber rollten die Wagen bald zwischen den wuchtigen Rundtürmen des Steintores hindurch, über das holperige Pflaster der Steinstraße, weiter an St. Jacobi und St. Petri vorbei bis zur Binnenalster. Sie kamen nur langsam voran, ganz Hamburg schien auf den Beinen zu sein und drängte sich in den Straßen mit den hochgiebeligen Häusern. Am Pranger vor der Fronerei stand mit hängendem Kopf eine traurige Gestalt, durchnäßt und schmutzig, niemand beachtete sie. Rosina auf dem ersten Wagen trieb mit aufmunterndem Schnalzen die Pferde an. Endlich bogen die Komödiantenwagen vom Jungfernstieg links in die Hohen Bleichen. Wo einst Leinwand und Kattun gebleicht wurden, hatte sich die Reihe der Fachwerkhäuser längst geschlossen. Trotz des Regens drängten sich auch hier Karren und Wagen, Mägde und Damen, Männer in fadenscheinigen Joppen wie in besten Tuchen zwischen Reitern und allerlei kleinem Hausgetier durch die engen, schmutzigen Gassen.

Endlich erreichten die drei Wagen die Fuhlentwiete und ver-

schwanden durch eine enge Einfahrt in einem Hof nahe der Schenke Zum Bremer Schlüssel.

Rosina und Helena sprangen vom Kutschbock. Helena, Anfang Dreißig, eine füllige Venus mit schmaler Taille, heller Haut und dunklen Augen, war auf der Bühne erste Heroine, mit ihrer stolzen Statur und der würdigen Haltung gerade richtig für Königinnen, Musen und tragische Heldinnen jeder Art.

Rosina, um ein knappes Jahrzehnt jünger und energischer, spielte ganz nach Bedarf die innigste Liebhaberin oder den frechsten Jüngling. Im Ballett war sie die Primaballerina, und auch ihr Gesang ließ die Herzen schmelzen. Doch unter ihren regenschweren Umhängen sahen beide aus wie einfache Frauen auf dem Weg zum Markt. Rosina hatte ihr dickes blondes Haar für die Reise auf den Landstraßen zu einem praktischen Zopf gebunden, und Helenas kastanienbraune Locken steckten unter einer schwarzen Haube aus gewalkter Wolle.

Die beiden Frauen sahen sich um. Keine Tür flog auf, niemand kam aus dem Haus, um die Ankömmlinge zu begrüßen.

«Was für ein kalter Empfang», sagte Helena und rieb sich die von Regen und Wind roten Hände. «Warum ist niemand hier? Wo mag Jean sein?»

«Im Wirtshaus», antwortete Rosina lachend, schüttelte die Nässe von ihrem schweren Schultertuch und schlug die Plane des Wagens zurück. «Aussteigen», rief sie, «wir sind da.»

Muto, den der Regen von Sebastians Seite unter die Plane getrieben hatte, steckte den Kopf heraus, sah sich verschlafen um und ärgerte sich. Er war noch nie in einer so großen Stadt gewesen. Nun hatte er die Einfahrt durch das Tor und durch die Straßen verschlafen. Aber das konnte er niemandem sagen.

Titus, der dicke Mann mit den struppigen gelben Haaren, stieg ächzend von seinem Wagen und streckte die steifen Glieder. «Hallo, Leute», rief er, «wo seid ihr alle? Die Komödianten sind da.» Er machte einen eleganten Kratzfuß und einen kleinen, etwas müden Luftsprung und sah sich um. «Tatsächlich. Keiner da. Wo ist Jean?»

Nach und nach kletterten auch die anderen von den Wagen. Titus war ein Spaßmacher auf der Bühne und im Leben. Er war schon so lange Hanswurst, daß er nicht mehr genau wußte, wer er eigentlich selber war. Nur so hält man's aus, immer diesen bösen Trampel zu spielen, sagte er oft. Vielleicht hatte er damit recht.

Rudolf kümmerte sich nicht um den kalten Empfang. Er rief nach seinem Sohn, und gemeinsam krochen sie unter die Plane auf dem zweiten Wagen. Rudolf war stets in Sorge um seine Farbtöpfe und Werkzeuge, um die Kulissen und die Winden und Seilzüge für das Flugwerk.

«Sind die Körbe mit den Kostümen trocken geblieben?»

Gesine, stets in Sorge um alles, steckte den Kopf unter die Plane. Die Kostüme waren ihre Leidenschaft. Sie zauberte noch aus den abgewetztesten Lumpen eine königliche Robe, mit ein wenig Spitze, Flitter und einem Fetzen Samt einen Kopfputz, der an jedem Fürstenhof Aufsehen erregt hätte.

Nun rollte der letzte Wagen in den Hof. Der Trubel in den engen Gassen hatte die junge Stute nervös gemacht. Sebastian führte sie mit besänftigendem Gemurmel behutsam in die letzte, enge Lücke. Er war ein hagerer, hochgewachsener Mann, fast ein Junge noch, aber mit kräftigen Armen, die jedes Pferd bändigten und beim Aufbau der Bretterbühne zwei Arbeiter ersetzten. Er war erst seit dem letzten Frühjahr bei der Gesellschaft. Niemand wußte genau, woher und warum er gekommen war. Er war Student gewesen. Wahrscheinlich war seinen Eltern das Geld für die Universität ausgegangen, und er hatte keine Lust, in irgendeiner Schreibstube zu verstauben.

Aber das war nur seine Sache. Wenn einer nur schön deklamieren konnte, die Pfeife oder die Trompete blasen, ein wenig singen und weder Wetter noch harte Arbeit scheute, war er hier gut zu brauchen.

Sebastian konnte nicht gut deklamieren, auch der jugendliche Liebhaber, den er auf der Bühne zu geben hatte, gelang ihm nur wenig schmelzend und galant, aber er war der beste Akrobat, den die Beckersche Truppe je gehabt hatte. Er lief auf den Händen wie andere kaum auf den Füßen, und seine Sprünge waren hoch und weit wie die einer großen Katze.

«Sieh nach, ob im Stall frisches Stroh für die Pferde ist, Muto», rief er dem Jungen zu, der aufgeregt jede Ecke des Hofes inspizierte. Der Junge nickte heftig, nahm den Hut von seinem roten Haarschopf und schob sich flink durch die knarrende Stalltür.

Lies steckte den grauen Kopf unter der Plane des dritten Wagens hervor und sah sich mißmutig um. Sie hatte heute einen grämlichen Tag, da halfen ihr selbst die eigenen Heilkünste nicht. Lies kannte alle Kräuter und Tränke, die ein Mensch in den Fährnissen des Lebens brauchen kann. Sie wußte Mittel gegen Husten und Kinderlosigkeit oder zuviel Fruchtbarkeit, gegen Furunkel, Schlagfluß, entzündete Augen oder Wassersucht. Es hieß auch, sie könne zaubern, wenn es unbedingt nötig sei. Vor allem in Liebesdingen. Aber das hatte noch niemand in der Beckerschen Gesellschaft erlebt. Lies war klug. In den deutschen Ländern brannte immer noch ab und zu eine Hexe.

Da standen sie nun im Hof, strichen die zerdrückten, feuchten Kleider glatt und sahen sich erwartungsvoll um. Sebastian begann gerade die Pferde abzuschirren, als im ersten Stock des Hauses ein Fenster aufflog. Eine dicke Frau zwängte ihren Kopf, der mit einer mächtigen weißen Haube geschmückt war, durch die enge Öffnung.

«Ah, Frau Helena», rief sie, «da seid ihr ja. Fangt gar nicht erst an, die Wagen abzuladen. Hier könnt ihr nicht bleiben. Diesmal ist nichts mit Komödiespielen.»

Helena und Rosina sahen sich verblüfft an.

«Die Majestät ist mal wieder schlecht gestimmt», knurrte Titus, «ganz furchtbar schlecht gestimmt sogar.»

«Sei doch still», zischte Rosina, «wir brauchen sie. Einen schönen guten Tag, Frau Krögerin», rief sie zu der weißen Haube gewandt, «immer zu Scherzen aufgelegt? Warum...»

Aber da war das Fenster schon mit einem lauten Knall zugeklappt.

«Hier stimmt was nicht», sagte Rosina, raffte ihre nassen Röcke, sprang mit großen Schritten über die Pfützen des schlammigen Hofs und pochte heftig an die Tür.

Es dauerte eine ganze Weile und kostete viel Schmeichelei, bis die Krögerin doch ihre Tür aufmachte und die frierenden Komödianten ins Haus ließ.

Sebastian hatte unterdessen mit Muto, Manon und Fritz die Pferde ausgeschirrt und im Stall trockengerieben. Als die vier in die Stube traten, standen eine dampfende Suppe, ein Laib schwarzes Brot und ein Krug mit warmem Bier auf dem Tisch. Die Krögerin hatte sich erinnert, daß die alte Lies sie vor zwei Wintern mit ihren Kräutern vom spanischen Fieber errettet hatte und daß Rosina ihr im letzten Herbst ein Schreiben an den Rat aufgesetzt hatte, in dem genug lateinische Worte standen, um den notwendigen Eindruck zu machen. Und der Herr Jean war doch eigentlich immer ein sehr netter Herr gewesen, der eine Dame richtig zu behandeln wußte, auch wenn er nur ein Komödiant war. Kurz und gut, sie hatte sich an ihre Christenpflicht zur Dankbarkeit und an ihre leere Börse erinnert und den Komödianten erlaubt, eine Nacht zu bleiben. Oder zwei, jedenfalls lange genug, daß Helena herausfinden konnte, was mit Jean geschehen würde.

Nein, so hatte sie beteuert, natürlich konnte sie nicht glauben, daß der Herr Jean so schlimme Dinge tat wie einem ordentlichen Hamburger Schreiber ein langes Messer in die Brust stechen. Warum auch? Aber wenn die Wache es doch gesehen hatte...

Vielleicht, so gab sie zu bedenken, wäre es doch besser, wenn alle gleich wieder abreisten. Mitgefangen, mitgehangen. Wo ein Komödiant Böses tat, waren die anderen sicher mit im Spiel. Der Pastor Goeze von St. Katharinen habe erst am vorletzten Sonntag wieder von der Kanzel gepredigt, daß die Komödianten ein unchristliches Volk seien.

Da hatte Titus auf den Tisch gehauen und gebrüllt, ob er denn nicht besser aus der Bibel zu reden wisse als die Frau Krögerin

selbst. Und auch die Kinder seien getauft. Im Sächsischen würden die Komödianten nicht behandelt wie Tagediebe und Halsabschneider. Nur hier bei den Pfeffersäcken gelte die Theaterkunst nichts, nur Konzertgefiedel und die Oper. Und seien die Operisten etwa ehrbarer? Gar besser? Pleite sei die Hamburger Oper, auch das wisse jeder.

Nur mit viel Mühe und einem Beutel Kaffeebohnen konnten Helena und Rosina die Krögerin überzeugen, daß Titus es doch nicht so gemeint habe. Er sei nur müde von der Reise und besorgt um den Prinzipal.

Die Ankunft der Beckerschen Komödiantengesellschaft im April 1765 in Hamburg stand unter einem dunklen Stern.

Jean war zwar wohlbehalten vor zwei Wochen in Hamburg eingetroffen, aber, so wurde gesagt, anstatt sich um sein Theater zu kümmern, betrank er sich und erstach den ersten Schreiber eines der reichsten Kaufleute der Stadt. Nun saß er in der Fronerei und wartete auf den Prozeß, an dessen Ausgang niemand zweifelte.

Es war nicht das erste Mal. Die Nürnberger hatten ihn für eine Nacht eingesperrt, weil er sich mit einem Diener des Bürgermeisters um eine ganz ungewöhnlich reizende Zofe geschlagen hatte. Die Wittenberger ließen ihn erst wieder heraus, nachdem sich – zum Erstaunen aller Bürger – der Herzog selbst für Jean stark gemacht hatte. Die Pastoren waren empört. Wer in der frommen Luther-Stadt drei Studenten der Theologie zu Trunk und Tabak verführte und mit ihnen in St. Marien, wo einst der Reformator persönlich predigte, mitten in der Nacht Trinklieder auf der Orgel spielte, durfte keine Hoffnung auf ein mildes Gericht haben.

Zuletzt hatte Jean auf der Celler Kerkerpritsche geschlafen. Auf dem Theaterzettel war ein Ballett versprochen. Das fiel aus – wer weiß heute schon noch, warum? –, und Jean war nicht bereit, dem aufgebrachten Publikum einen Teil des Eintrittsgeldes zurückzuzahlen.

Jean war ein Filou, ein großes Kind mit einem Kopf voller leichtsinniger Späße.

Aber ein Mörder?

«Niemals!» sagte Rosina, als sie gemeinsam mit Helena in der engen Stube unter dem Dach ihre Kisten auspackte.

«Er mag ein Angeber sein, ein Gernegroß, und ab und zu liebt der Kindskopf eine ordentliche Prügelei. Aber er ist doch keiner, der zum Messer greift.»

Behutsam wickelte sie den Kasten mit Tinte, Feder und Papier aus einem dicken Leintuch und stellte ihn auf den Tisch. «Hat Jean überhaupt ein Messer?»

«Ich weiß es nicht.» Helena lehnte an der Fensterluke und sah in den Nieselregen hinaus. Es dämmerte schon, und sie fühlte nichts als eine große Müdigkeit. Nicht die Wut und die Sorge um Jean, die sie doch fühlen müßte, oder die gewöhnliche Zerschlagenheit nach einer langen Reise. Eine kalte Gleichgültigkeit lähmte sie.

«Ich weiß es nicht, Rosina», wiederholte sie nach einer kleinen Pause, «und auch wenn ich ...», sie zögerte einen Moment, «... wenn ich fast seine Frau bin, weiß ich nicht, was er tun könnte, wenn er mitten in der Nacht, den Bauch voll Bier, in einen Streit gerät. Wahrscheinlich weiß er das nicht einmal selbst.»

Rosina schwieg. Sie konnte sich Jean nicht als Mörder vorstellen, nicht einmal mit dem Kopf voller Zorn oder dem Bauch voller Bier. Niemand wurde vom Bier so fröhlich wie Jean. Dann vergaß er alle tragischen Rollen, die er nüchtern zu Titus' ständigem Ärger als einzig große Kunst erklärte. Dann wurde er ein wahrer Komödiant, der mit Grimassen, Sprüngen und frechen Liedern das Volk unterhielt, bis das grölende Gelächter die Stadtwache herbeirief.

Aber vielleicht hatte Jean das Geld verspielt, mit dem er die Gebühren für die Spielerlaubnis und die Miete für das Theater und die Zimmer bei der Krögerin bezahlen sollte. Vielleicht war er verzweifelt und hatte keinen anderen Weg gesehen, als dem Schreiber seinen Beutel wegzunehmen. Vielleicht hatten sie miteinander gerungen, und der Schreiber hatte ein Messer gezogen, das Jean ihm im Gerangel aus Versehen in den Leib gedrückt hatte. Rosina mochte es nicht, wenn in ihren Gedanken lauter Fragen ohne Antworten kreisten.

«Die Krögerin weiß nur den Klatsch, den sie auf dem Markt gehört hat», sagte sie und schob ihren Hocker zurück. «Vielleicht war alles ganz anders. Wir müssen mit Jean sprechen. Der Kerker in der Fronerei hat gewiß ein Fenster. Hat die Krögerin gesagt, für wen der Schreiber gearbeitet hat?»

«Für einen Kaufmann. Heimann. Oder Herrmann? Er hat das schönste Haus am Neuen Wandrahm, sagt die Krögerin. So einer spricht nicht mit Komödiantinnen.»

«Das werden wir sehen. Aber zuerst müssen wir mit Jean sprechen. Er weiß am besten, was passiert ist.»

«Wenn er sich erinnern kann», murmelte Helena düster. Sie kannte Jean besser als alle anderen.

«Es tut mir wirklich leid. Er war ein tüchtiger Schreiber und ein netter Bursche.»

Joachim van Stetten sah seinen Freund ernst an.

Claes Herrmanns seufzte.

«Danke, Joachim. Behrmanns Tod ist ein großes Unglück.» Er stand am Fenster und sah in den Regen hinaus. «Langsam glaube ich, was die Leute reden.»

«Was reden die Leute?»

Van Stetten griff nach der Portwein-Karaffe und füllte das Glas, das vor ihm auf dem großen polierten Eichentisch stand.

«Sie reden von einem schwarzen Stern, der über meinen Geschäften steht.» Er lachte freudlos. «Das ist natürlich Spökenkiekerei. Aber wer weiß? Vielleicht hat Gott endlich den Sünder in mir erkannt und will mich zur Strafe ruinieren.»

«Das ist doch Unsinn, Claes. Ohne dich gäbe es nicht das neue Haus auf dem Pesthof, die Orgel in St. Katharinen wäre stumm, viele Arme, die jetzt satt in ihren Betten liegen, würden hungern und frieren. Und bei deinen Geschäften bist du geradezu unangenehm ehrbar. Jeder hat mal eine Pechsträhne, das gehört zum Handel wie der Jäger zum Hasen. Nun bist du mal dran. Das geht auch wieder vorbei. Trink einen Schluck Port, dann wird dir besser.»

«Du hast wohl recht, Joachim.» Claes kam langsam und schwer auf einen Stock gestützt durch das Zimmer. Er nippte an seinem Glas.

«Ich sollte trotz allem dankbar sein. Niemand hat verstanden, daß mich die Fässer auf der Pier von St. Aubin nicht erschlagen haben. Ein Wunder, daß ich lebe. Mein Schutzengel hat besser aufgepaßt als Behrmanns.»

«Du hattest Glück, einen guten Chirurgen und die beste Pflege.»

Claes nickte. Er erinnerte sich nicht an den Unfall. Als er nach zehn Tagen aus tiefer Bewußtlosigkeit erwachte und begriff, was mit ihm geschehen war, begannen die Wunden schon zu heilen. Anne St. Roberts saß an seinem Bett, blaß und mit tiefen Ringen unter den Augen. Es dauerte noch Wochen, bis er gesund genug war, um nach Hamburg zurückzukehren.

Wenigstens war es ihm in jener Zeit gelungen, Paul davon zu überzeugen, daß Emily nicht ihn, sondern ihren Maler heiraten mußte.

Van Stetten sah ihn lächeln.

«So ist es gut. Hast du neue Nachrichten aus Lissabon?»

«Die alten reichen mir völlig. Es scheint mir immer noch unfaßbar, daß die Bark durch eine Explosion untergegangen ist. Stürme und Korsaren versenken ein Schiff, sogar ein Seeungeheuer wäre wahrscheinlicher.»

Joachim lachte. «Die Spökenkiekerei steckt dir doch noch im Blut, Claes. Ich finde eine Explosion gar nicht so unwahrscheinlich, es kommt doch öfter vor. Wie viele Kanonen hatte die *Katharina*? Dreißig?»

«Nur zwanzig. Und nicht mehr Pulverkisten als unbedingt nötig.»

«Wo Pulver ist, sind auch Explosionen.»

Claes schüttelte nachdenklich den Kopf. «Aber das Kanonendeck ist weit von der Kombüse entfernt. Sonst ist kein Feuer an Bord.»

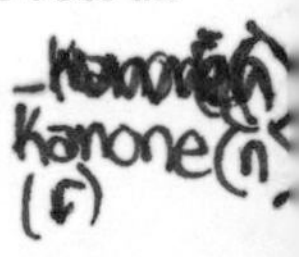

«Wer weiß, vielleicht hat irgendein junger Kerl heimlich eine Pfeife geraucht? Und wumm – schon ist es passiert.»

«Mag sein.» Claes war nicht überzeugt. Wenn sich das Pulvermagazin entzündet hätte, wäre die ganze Bark in die Luft geflogen. Aber das Loch war so tief im Bug, daß der vollbeladene Dreimaster sofort sank.

«Dann muß ich wohl auch als Glück ansehen, daß es nur dreizehn Tote gegeben hat. Die *Katharina* segelte noch in der Tejomündung. Die meisten Matrosen konnten über Bord springen, an Land schwimmen oder sich so lange an ein Brett oder ein dümpelndes Faß klammern, bis sie aus dem Wasser gefischt wurden. Trotzdem», er lachte grimmig, «noch so ein Unglück, und du kannst meinen Handel übernehmen, Joachim.»

Van Stetten zupfte an der Spitzenmanschette, die aus dem Ärmel seines eleganten grauen Samtrockes hervorsah. «Auf so einen Unsinn erwartest du sicher keine Antwort, alter Freund? Und auch mit der Explosion hattest du Glück im Unglück. Du warst doch einer der ersten, die sich gleich im Januar in die Listen der neuen Assekuranz-Compagnie eingeschrieben haben.»

«Das stimmt schon. Aber die Versicherung trägt natürlich nur einen Teil des Verlustes. Und es geht ja um mehr als Gewinn und Verlust.»

«Hör endlich auf, dir Gedanken um die Leute zu machen, Claes. Wer zur See geht, weiß nie, ob er wieder nach Hause kommt. Daran hast du nun wirklich keine Schuld.»

Claes hatte weniger an die Toten gedacht als an die beunruhigende Serie von Unglücken, die sein Haus trafen. Aber Joachims Mitgefühl tat ihm wohl. Er kannte ihn seit ihrer gemeinsamen Kinderzeit. Daniel van Stetten, der ältere Bruder, war sein bester Freund gewesen. Bis zu ihrem dreizehnten Jahr hatten sie den gleichen Hauslehrer gehabt und die Streiche ihrer Jugend geteilt. Dann wurde Claes nach London und Daniel nach Amsterdam in die Lehre geschickt, so wie es in den alten Kaufmannsfamilien üblich war.

Später übernahmen beide von ihren Vätern ein Handelshaus,

das in Generationen groß geworden war. Die Konkurrenz hatte ihrer Freundschaft nicht geschadet.

Daniel war vor drei Jahren gestorben, und Joachim, der in den letzten Jahren die Interessen seiner Familie in London vertreten hatte, kehrte zurück. Er übernahm die Leitung des Handelshauses und wurde, wie zuvor sein Bruder Daniel, Claes' Freund und Vertrauter. Es war ein schwarzes Jahr für Claes gewesen. Erst verlor er Daniel, dann Maria. Er wußte nicht, wie er diese schwere Zeit ohne Joachim überstanden hätte.

Er hatte sich gewünscht, daß ihre Söhne diese Freundschaft in die nächste Generation tragen würden. Aber Joachim hatte erst spät geheiratet. Als sein Sohn geboren wurde, sein erstes Kind, war der älteste Herrmanns schon in der Lehre in Bergen. Aber eine der drei Töchter, die Gritt van Stetten in den folgenden Jahren noch geboren hatte, würde vielleicht die richtige Braut für Nicolas sein. Claes' Jüngster hatte gerade seinen zehnten Geburtstag gefeiert. Seit Aschermittwoch war er in Köln bei seiner Tante Corinna, um sich in dem milderen Klima des Rheintals von einem hartnäckigen Husten zu erholen.

Hoffentlich gerieten Joachims Töchter nicht nach ihrer Mutter. Bei der späten Wahl seiner Braut hatte er weniger auf Klugheit, Güte und ein fröhliches Herz geachtet als auf die vielversprechenden Handelsbeziehungen, an denen Gritts Familie ihn teilhaben ließ. Claes wußte nicht, ob er es bereut hatte. Er sprach nie über seine Ehe, und Claes war zu diskret, um ihn danach zu fragen.

Joachim leerte sein Glas. Dann stand er auf und legte Claes freundlich die Hand auf die Schulter. «Ich muß zurück ins Kontor. Wenn es bedrohlich wird, weißt du, daß ich immer helfe. Versprich mir, daß du mich zuerst fragst, wenn du Hilfe brauchst.»

«Versprochen, Joachim. Ich danke dir.»

Claes wußte, daß Joachim wie die meisten anderen Hamburger Kaufleute in diesen Zeiten hart rechnen mußte. Mit dem Ende des Krieges, in dem das neutrale Hamburg gute Geschäfte gemacht hatte, ordnete sich die Welt und ganz besonders der Handel neu.

Die meisten Hamburger Kaufleute holten mehr als die Hälfte ihrer Waren aus französischen Häfen und litten unter den Gebühren, die erhoben wurden, seit Ludwig XV. die alten Handelsverträge aufgekündigt hatte. Aber Joachim konnte man keinen schwarzen Stern nachsagen. Vor allem das neue Indigo-Geschäft brachte ihm offenbar stolzen Gewinn.

Der Regen hatte nachgelassen, aber die Wolken hingen noch tief und dunkel über der Stadt. Claes zündete die Kerzen an, griff nach dem Briefbogen, der unter anderen Papieren auf dem Tisch lag, und betrachtete ihn unwillig. Warum hatte er behauptet, es gebe keine neuen Nachrichten aus Lissabon? Er hatte jetzt einfach keine Lust, darüber zu sprechen. Nicht einmal mit Joachim.

Die Nachrichten, die Martin Sievers mit einem geheimen Eilkurier über den Kontinent geschickt hatte, erschreckten ihn. Der junge Kaufmann, der die Herrmannssche Niederlassung in der portugiesischen Hauptstadt leitete, war hartnäckig. Weil er nicht an ein Unglück glauben konnte, hatte er einen Taucher zum Wrack der *Katharina* hinuntergeschickt, das vor Lissabon am Grund des Tejo lag. Und er hatte recht gehabt.

Es gibt keinen Zweifel, daß die Explosion kein Unglück war, schrieb Martin. *Wir hatten keine Ladung wie Wolle, die sich selbst entzünden kann, wenn sie nicht ordentlich getrocknet und gepackt ist. Und die Pulverkisten lagerten noch fest verschlossen unter den Öltüchern auf dem Kanonendeck. Dafür müssen wir Gott danken. Wenn sie sich entzündet hätten, wäre wohl niemand auf der Bark mit dem Leben davongekommen.*

Aber die Bark hatte zwei große Lecks, eines steuerbords am Bug, ein anderes backbords nahe dem Heck. Das Kupferblech um den Rumpf war aufgerissen wie eine alte Wurst. Die Katharina *ist zu schnell gesunken, das Feuer konnte das Pulver nicht mehr erreichen.*

Ich habe niemals von so einem Unglück gehört, und die Leute in Lissabon sagen, der Teufel habe seine glühenden Krallen im Spiel gehabt. Die

Südländer sind abergläubisch bis zur Ketzerei, doch diesmal scheint mir, daß tatsächlich ein Teufel am Werk war. Allerdings glaube ich an einen menschlichen.

Ich werde alle Überlebenden noch einmal peinlich befragen. Pereira, mein erster Schreiber, treibt sich in den Gassen, an der Börse und in den Schenken herum und hört den Leuten zu. Ganz gewiß werde ich bald mehr wissen.

Claes verstand die Löcher im Bug ebensowenig wie Martin. Selbst wenn jemand das Schiff zerstören wollte, wäre es einfacher gewesen, die Pulverkisten zur Explosion zu bringen.

Womöglich war ein Teufel mit Skrupeln am Werk gewesen. Mit den beiden großen Löchern an Bug und Heck war die Bark abgesoffen wie eine kranke Katze. Schiff und Ladung waren für immer verloren, aber die meisten Menschen an Bord konnten ihr Leben retten.

Die Bark hatte vor allem Kaffee, Zucker, Gewürze und afrikanische Hölzer geladen, ein paar Kisten mit Zitronen, iberischer Majolika und Seide. Nur Claes, Martin und der Weinbauer wußten, daß sich auch acht Fässer mit Portwein in der Ladung versteckten. Der Weinbauer war ein patriotischer Mensch, der alles tat, um das englische Handelsmonopol für seine Ware zu durchbrechen.

Sie hatten die englische Handelskompanie um ein paar Goldstücke gebracht. Mehr nicht. War es möglich, daß Martins verbotener Handel doch nicht so geheim geblieben und die Explosion ein Exempel der Engländer war?

Claes fühlte den eisernen Ring von Schmerz, der sich seit dem Unfall auf Jersey immer wieder um seinen Kopf legte. Er lehnte sich zurück und machte ein paar tiefe Atemzüge. Für einen Moment wünschte er, Martin wäre weniger gewissenhaft. Ihm wäre es lieber gewesen, wenn die Explosion auf der *Katharina* ein Unglück geblieben wäre.

In den letzten Wochen hatte er das Leben so genossen. Er fühlte sich wieder gesund. Auch das Bein, hatte der junge Doktor Struensee aus Altona gesagt, werde bald nicht mehr schmerzen, wenn er nur tüchtig ausschreite, anstatt es zu schonen wie ein alter Mann. Die warme Vorfrühlingssonne vertrieb an einigen Tagen die Kälte und gab ihm ebensoviel Lebenslust zurück wie der Aufschwung seiner Geschäfte. Doch nun fühlte er sich müde wie nie zuvor in seinem Leben.

Er blickte zurück auf die letzten sechs Monate. Zuerst der Unfall auf Jersey, der ihn fast das Leben gekostet hatte. Dann der Untergang der *Katharina* in Lissabon, der, wenn Martin recht hatte, ein Anschlag gewesen war. Und vorgestern der Mord an Behrmann. Der war immerhin ein Unglück, das nichts mit seinen Geschäften zu tun haben konnte. Ein vermaledeiter Komödiant, ein hergelaufener Lumpenhund, hatte Behrmann erstochen. Um ein paar Taler, sonst nichts.

Claes hielt den Brief näher an die Kerzen und las weiter:

Ich schicke Euch diesen Brief mit einem geheimen Kurier. Denn wenn jemand dem Handelshaus Herrmanns schaden will, so kann das nur einer sein, der wie Ihr zwischen Hamburg und Lissabon Handel treibt.

Seit der Brief heute morgen angekommen war, hatte er diesen Satz wieder und wieder gelesen. Als gäbe es nicht genug Gefahr und Ärger mit den algerischen Korsaren, die sich im Mittelmeer und auf dem Atlantik herumtrieben und Handelsschiffe kaperten. Die Kanonen, mit denen jedes Handelsschiff zum Kampf gegen die Räuber auf See bestückt war, beanspruchten viel kostbaren Frachtraum.

Sollte er sich nun auf der Börse und im Kaffeehaus die Kaufleute, von denen er viele seit seiner Kindheit kannte, ansehen und argwöhnen, welcher von ihnen seinen Handel ruinieren wollte?

Und warum? Die Handelshäuser, die groß genug waren, um wie er Handel mit Lissabon zu treiben, konnten ihn leichter mit klugen und listenreichen Geschäftsabschlüssen ausstechen als mit Pulver im Rumpf eines seiner Schiffe.

Ein leises Räuspern riß ihn aus seinen Gedanken. Er blickte

auf. «Was ist denn, Blohm? Ich wollte doch nicht gestört werden.»

Blohm rang die großen roten Hände. «Gewiß, Herr, aber die Damen wollen nicht wieder gehen. Sie machen...», er räusperte sich wieder, «sie machen Schwierigkeiten.»

«Damen? Was für Damen?»

«Nun, vielleicht sind sie gar keine Damen, auch wenn sie aussehen wie Damen. Fein geputzt, aber nicht zu sehr. Und sie sprechen doch manierlich, auch keine Schminke, nicht mal Puder, wie es sonst solche, nun ja, Damen im Gesicht haben...»

«Blohm, rede keinen Unsinn. Was sind das für Damen, und was wollen sie?»

«Die Damen sagen, sie kommen wegen Behrmann. Oder wegen seinem Mörder. Das haben sie natürlich nicht so gesagt, sie sagen, der Mörder ist keiner. Die Damen sind von den Komödianten.»

«Wirf sie raus! Und wenn du es nicht schaffst, hol die Wache.»

Blohm schloß eilig die Tür.

präp + gen (umg + dat) because of - wegen
hasty, hurried - eilig nonsense - Unsinn (m)

4. KAPITEL

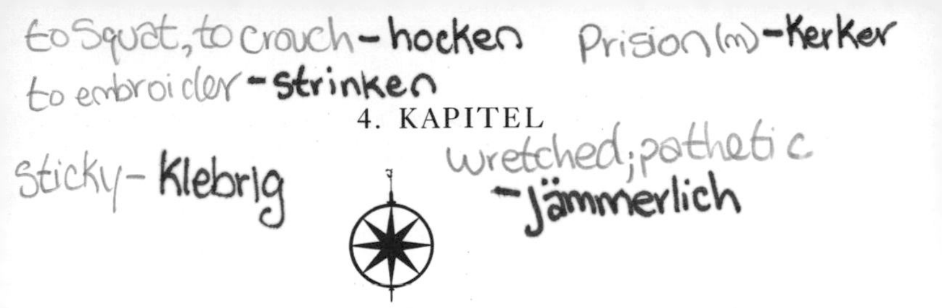

MITTWOCH

Jean hockte auf einem stinkenden Strohsack im Kerker der Fronerei an der Bergstraße nahe St. Petri und fror jämmerlich.

Die Mauern waren feucht und klebrig wie die abgewetzte Decke, mit der er vergeblich versuchte, sich zu wärmen. Er lauschte auf den Lärm, der durch die vergitterte Luke herein-drang. Sie maß nicht mehr als zwei Hände und war so hoch oben in der Mauer, daß er nicht hinaussehen konnte. Er erreichte sie mit den Fingerspitzen, aber sein Versuch, sich hochzuziehen, scheiterte. Die Wände waren zu glitschig, er rutschte immer wieder ab.

Jean hatte Angst.

Es stimmte. Er hatte zuviel getrunken und beim Würfeln vielleicht ein wenig dem Glück nachgeholfen. Wirklich nur sehr wenig. Es hatte auch gar nichts genützt. Der andere, so betrunken wie er selbst, hatte meistens gewonnen. Aber nie und nimmer hatte Jean ihn erstochen. Er hatte ja nicht einmal ein Messer gehabt.

Jean starrte auf die zerkratzten Wände des Kerkers. Sosehr er sich bemühte, an glücklichere Zeiten zu denken, immer wieder erschienen schwarze Bilder von Gehenkten, Geräderten und Ersäuften auf den Mauern.

Er war auf einem Karren geboren und sein ganzes Leben als fahrender Komödiant durch das Land gereist. Er hatte alles gesehen, was Menschen einander antun können. Aus vielen Städten war er von frommen Pfarrern und Bürgern verjagt worden. Ob eine Kuh verendete, ein Kind tot geboren oder ein Schwein gestohlen wurde, wenn Komödianten in der Nähe waren, wurde nie lange gefragt, wer schuldig war.

Trotzdem liebte er das Wanderleben. Er liebte das Spiel auf der Bühne, das Johlen der Leute, ihr Lachen und ihre Tränen. Die Freiheit der Fahrenden war teuer bezahlt, aber um keinen Preis wollte er sich in einer der stickigen Städte niederlassen. Um fast keinen Preis. So wichtig wie den Applaus brauchte Jean das Leben unter freiem Himmel und das Reisen durch eine Welt, die grenzenlos schien.

Die Sehnsucht, frische Luft zu atmen und der Düsternis und Enge zu entfliehen, wurde in diesem Kerker zur brennenden Gier.

Er schloß die Augen und folgte den Geräuschen, die durch die Luke vom Platz vor der Fronerei hereindrangen. In seiner Phantasie verwandelten sich die Geräusche in Bilder: Das Knarren von Rädern wurde zu Lastkarren, die quietschende Kette zeigte ihm den Kran, der Fässer auf die Waage hievte. Ausrufer priesen ihre frischen Aale, Hampelmänner für brave Kinder, Tauben, Zitronen und Kieler Sprotten. Wasserträger und Scherenschleifer boten ihre Dienste an.

Dann schaffte die Ratswache mit lautem Geschrei Platz für die Kutschen der Ratsherren, unterwegs zum nahen Rathaus. Er hörte die Köchinnen und Mägde auf dem Weg zum Markt am Meßberg miteinander klatschen und lachen, Hunde bellten, und jede Stunde erinnerte der Glockenschlag von St. Petri, wie die Zeit verrann.

Jean wußte nicht, ob er sich wünschen sollte, daß sie langsamer oder schneller verrann.

Es hatte nur zwei Tage gedauert, bis er die Fronknechte mit einem krächzenden Husten beim Kartenspiel störte. Schließlich gaben sie ihm eine zweite Decke. Es war lange keiner mehr gehenkt worden, und das Spektakel wollten sie sich nicht entgehen lassen, nur weil der Komödiant zu bald am Fieber starb. Daß einer, der den ersten Schreiber von Claes Herrmanns erstochen hatte, gehenkt wurde, war sicher. Das sagten sie auch den beiden Frauen, die den Gefangenen am Nachmittag besuchen wollten. Die Knechte hatten sie wieder fortgeschickt. Nur der Pfarrer durfte einen Mörder besuchen. Aber der kam erst eine Stunde vor seinem letzten Gang, und so weit war es noch nicht. Jean hatte nicht gehört, wie Helena und Rosina beteuerten, sie wollten den Gefangenen nur an seine Christenpflicht erinnern, die große Sünde zu gestehen. Er hatte auch nicht gehört, wie die Fronknechte die beiden Frauen auslachten und mit groben, gierigen Händen aus der Wachstube drängten. Jean hockte auf dem Strohsack und fühlte sich verlassen wie ein Kind.

Am schlimmsten war, daß er sich nicht erinnern konnte, was in jener Nacht wirklich geschehen war. Er war im Scharfen Anker an den Mühren eingekehrt, das wußte er noch. Dort wurde beim Spiel nur so wenig betrogen, daß er leicht mithalten konnte, und das Bier war billig und doch nicht gepanscht. Wahrscheinlich war es sogar zu stark gewesen.

Immer wieder dachte er an die Minuten, bevor die Stadtwache ihn in die Fronerei schleppte. Daran konnte er sich genau erinnern:

Er war unter einem Haustor aufgewacht und hatte gefühlt, daß es regnete. Kalt, aber nicht so unangenehm, dieser Regen. Leicht wie eine Tüllgardine strich er über das Gesicht, fein und geradezu zärtlich. Wieso Tüllgardine? Ach, Jean seufzte zufrieden, die Gardine in der Kammer über der Schenke, in der er eine köstliche Stunde verbracht hatte, bevor das Würfelspiel begann. Wie hatte die Kleine doch geheißen? Der Name fiel ihm nicht ein. Aber er fühlte noch ihren festen, wohlgerundeten Hintern in seinen Händen, die Brüste, das feine flachsblonde Haar – teuer war sie, das wohl. Aber sie war es wert gewesen.

Allmählich wurde aus der zärtlichen Gardine auf seinem Gesicht doch schlichter Regen. Jean setzte sich auf. Sofort begann sich die Welt um ihn zu drehen. Ihm wurde übel, und der Schmerz unter seiner Schädeldecke holte ihn endgültig aus seinen Träumen.

Am Hinterkopf fühlte er eine dicke Beule, und als er seine Hand zurückzog, sah er, daß sie blutig war. Oder schmutzig. Das war in der Dunkelheit nicht so genau zu erkennen. Egal, der Kopf schmerzte höllisch. Er blickte sich um. Das war nicht die enge Gasse, die zum Scharfen Anker führte. Nahe beim Hafen sahen alle Gassen gleich aus, jedenfalls für einen Fremden wie ihn. Aber diese war breiter als die anderen. Und heller. Er blinzelte, langsam wurde sein Geist klarer, und er begriff, wo er war. Der massige schwarze Schatten vor ihm wurde zur Fassade eines solide gemauerten Hauses, hoch wie eine Kirche. Er zählte sechs breite Fenster in jeder Etage, alle stockdunkel, und an dem turmartigen Aufbau auf dem Dach, der sich nun scharf gegen den Nachthimmel abhob, erkannte er endlich das prächtige alte Gesellschaftshaus, das die Hamburger Baumhaus nannten.

Wie war er nur hierhergekommen? Das Baumhaus stand am Elbufer, genau an der Alstermündung, wo nachts schwimmende Barrieren aus mächtigen Baumstämmen die Einfahrt des Binnenhafens zum offenen Fluß hin verschlossen. Jetzt hörte er auch das leise Glucksen des Wassers an den kräftigen Mauersäulen, die das Haus auf der Uferseite trugen. Jean hatte dieses Haus, eines der schönsten und berühmtesten der Stadt, nie betreten. In den Sälen im oberen Stockwerk feierten die reichen Bürger ihre Feste, in dem noblen Restaurant, im Spielzimmer und im Weinkeller handelten Kaufleute, Kapitäne und Diplomaten ihre Geschäfte aus, und auf der Dachterrasse hielten sie nach ihren Schiffen Ausschau. Das Baumhaus gehörte den Hamburger Bürgern, und mit dem Hafenmeister und den Zollknechten, die im angebauten Zollhaus regierten, hatte er – gottlob – nichts zu schaffen. Warum war er nur hier? Das Baumhaus lag nicht an seinem Heimweg, sondern genau in entgegengesetzter Richtung.

Er atmete tief durch. Aufstehen, dachte er, du mußt aufstehen und einfach losgehen. Zuviel Hamburger Bier, wieder zu viel Bier. Ach, Helena. Wieder hatte er seine Versprechen nicht gehalten.

Es nutzte wenig, im Regen zu sitzen und über Sünden nachzudenken. Jean rappelte sich auf. Der Boden schwankte nur noch leicht. Von hier war es nicht weit bis zum Haus der Krögerin.

Und dann? Was war dann passiert?

Er erinnerte sich, daß er noch ein Weilchen im Regen gesessen und sich den kürzesten Weg vom Baumhaus zur Fuhlentwiete überlegt hatte.

Dann hatte er den Mann entdeckt. Gerade als ihm eingefallen war, daß er nur über die Brücke am Ende des Steinhöft und dann immer am Herrengraben entlanggehen mußte, um den Krögerschen Hof und sein warmes, trockenes Bett zu erreichen, sah er ihn. Er lehnte nur wenige Schritte entfernt mit dem Rücken an der Tür des Zollhauses. Ein Hut lag neben ihm im Schlamm, sein Gesicht und seine Hände schimmerten fahl im Dunkel, er sah aus wie eine Marionette, der jemand die Fäden abgeschnitten hatte.

«Steh auf, mein Freund», murmelte Jean und beugte sich über die Gestalt, «wer immer du bist. Wir müssen nach Hause. Auch sanfter Regen wird mal kalt.»

Zuerst konnte er sich nicht an das Gesicht erinnern, aber dann erkannte er den Schreiber, mit dem er gewürfelt hatte. Der hatte sich wohl in die Spelunke verirrt. So einen Rock aus feinem englischen Tuch sah man dort nur selten.

«Wach auf», flüsterte Jean und rüttelte den Schreiber an der Schulter, «wach auf.»

Der Mann rührte sich nicht.

«Ich kann dich nicht tragen, du mußt schon selber gehen», brummte Jean, «heute nacht kann ich nicht mal eine Maus tragen.»

Er hörte Schritte. Kein Zweifel, sie wurden lauter.

«Schnell», flüsterte Jean, «die Stadtwache. Wir müssen uns davonmachen. Oder willst du die Nacht im Loch verbringen?»

Die Schritte kamen immer näher, aber der Schreiber bewegte sich nicht. Jean griff ihn fest am Rock und versuchte ihn fortzuziehen. Ein scharfer Schmerz durchzuckte seine Schulter, und in seinem Kopf schlug ein ganzes Regiment die Trommel. Er hatte sich in der Schenke wohl doch geprügelt.

«Halt», rief da eine Stimme, «bleibt stehen!»

«Na gut», seufzte Jean. «Gehen wir eben gemeinsam für diese Nacht ins Loch. Hoffentlich ist es da wenigstens trokken.»

Aber Jean ging allein ins Loch. Der Mann mit dem guten Rock brauchte keinen Kerker mehr, sondern nur noch eine Holzkiste. Irgend jemand hatte ihm ein langes, scharfes Messer durch das feine englische Tuch direkt ins Herz gestoßen. Nur der Schaft stak noch heraus.

Und nun hockte Jean in der Fronerei, im Kerker gleich neben der Folterkammer. Er zog die schmutzige Decke über den Kopf und weinte.

Helena blickte nach der Vormittagssonne und schob den Spiegel ein wenig mehr nach links. Ja, so stand er gut. «Manon», rief sie, «komm her, es ist Zeit für die Anprobe.»

Manon war nicht zu sehen. Sie hockte mit ihrem Bruder Fritz auf dem Heuboden über dem Pferdestall und hoffte, daß Helena sie einfach vergessen würde.

Manon liebte schöne Kleider über alles. Aber sie haßte Anproben. Mit ihr stimme etwas nicht, hatte Gesine, ihre Mutter, gesagt. Alle Mädchen freuten sich auf Anproben. Nicht alle, hatte Manon geantwortet, ich nicht.

Seither erzählte Fritz, daß seine Schwester kein Mädchen sei.

«Laß den Kindern doch diesen Morgen.» Lies schob mit zusammengekniffenen Augen einen Faden durch eine Nadel. Sie hatte sich mit einem Korb voller Kostüme und dem Nähbeutel in die Sonne gesetzt, die endlich den Regen abgelöst hatte. «Wozu eine Anprobe? Ohne Jean können wir doch nicht spielen. Nur gut, daß wir in Lübeck und Schleswig so prächtig verdient haben. Die Krögerin hätte uns kaum aufgenommen, wenn wir nicht für vier Wochen vorausbezahlt hätten.»

«Wir müssen aber spielen, Lies. Die Leute sollen sehen, daß wir da sind und keine Angst haben.»

Lies schüttelte den Kopf. «Das interessiert die Leute nicht. Und der Rat wird uns die Erlaubnis nicht geben, da können Rosina und Sebastian noch so schön bitten.»

Sie bekamen die Spielerlaubnis tatsächlich nicht.

«Aber immerhin dürfen wir in der Stadt bleiben, bis der Prozeß zu Ende ist», berichtete Sebastian.

«Dürfen! Das ist gut», schimpfte Helena. «Wahrscheinlich läßt man uns gar nicht aus dem Tor, solange Jean in der Fronerei sitzt.»

«Hör auf, Helena.» Rosina umarmte sie schnell. «Wir haben viel zu tun. Jean ist bald wieder frei, und bis dahin muß alles fertig sein. Laß uns in die Komödienbude gehen und sehen, was da zu tun ist.»

In anderen großen Städten wie Leipzig, Braunschweig, Kiel oder Frankfurt im Hessischen bauten die Beckerschen Komödianten für jedes Gastspiel eine hölzerne Bude aus Balken und Brettern mit einer Bühne und je einer Galerie an der linken und rechten Seite für die betuchteren Gäste. Am Ende der wochen-, manchmal monatelangen Gastspielzeit bauten sie die Bude wieder ab und lagerten das Holz bis zum nächsten Besuch in einem gemieteten Schuppen. In Hamburg aber konnten fahrende Schauspieler, Akrobaten oder Puppenspieler die Komödienbude an der Fuhlentwiete in der Neustadt mieten. Wer es sich leisten konnte, gastierte allerdings lieber in der einst prächtigen alten Oper am Gänsemarkt, die seit vielen Jahren leerstand. Die Hamburger Bürger waren die ersten in Deutschland, die sich schon vor fast hundert Jahren wie sonst nur die Fürsten und Könige eine Oper gebaut hatten. Doch die glanzvollen Jahre waren längst vergangen. Noch in diesem Frühjahr sollte das große, baufällige Haus nun endlich abgerissen werden.

Die Komödienbude hinter der Fuhlentwiete war dagegen wirklich nur eine Bude.

«Paßt auf!»

Rudolf stand auf der Bühne und zeigte mit dem Meßstock auf ein Loch im Bretterboden. Helena, Rosina und Sebastian blieben stehen und sahen sich um.

«Wenn ihr an den Wänden entlanggeht, seid ihr sicher. Nur in der Mitte sind ein paar Bretter gebrochen», sagte Rudolf. «Und das Dach», sein Meßstock wies nach oben, «lüftet besser, als uns lieb sein kann.»

«Warst du schon auf den Galerien?» Sebastian schaute mißtrauisch die steile Stiege hinauf.

«Es sieht schlimmer aus, als es ist.»

Ob das stimmte, war nicht sicher, aber für Rudolf gab es außer Gesine wenig, was er mehr liebte als die Baumeisterei. Während Helena und Rosina verzagt das staubige Durcheinander von zerborstenen Brettern, alten, kaputten Kulissen anderer Komödianten und das recht durchscheinende Dach betrachteten, sah Rudolf in dem Chaos schon das Theater.

«Es ist wirklich nicht so schlimm, wie es aussieht. Und wir haben mal wieder Glück. Möhle wird uns helfen. Ihn kümmert das Geschwätz um Jean nicht. Den Schreiber, sagt er, hat er nicht gekannt. Aber Jean. Und der tue keinem was.» Helena, Rosina und Sebastian schwiegen.

«Ihr könntet euch ruhig ein bißchen mehr freuen. Möhle ist ein guter Schreiner. Er kommt morgen mit seinem Gesellen und einem Lehrling, und dann fangen wir an. Das Holz kann er auch liefern. Spätestens in zwei Wochen steht hier eine Komödienbude, die mit jedem Fürstentheater mithalten kann.» Damit wandte er sich um und machte sich wieder an seine Meßarbeit.

«Ich wollte, ich hätte deine Zuversicht», sagte Helena mit einem tiefen Seufzer.

«Die hast du», sagte Rudolf, ohne von seiner Arbeit aufzusehen, «du mußt dir nur mehr Mühe geben, es auch zu merken.»

Claes öffnete die Tür und trat in den vom Tabakqualm blaudunstigen Raum. In Jensens Kaffeehaus hinter der Börse war wie immer um die Mittagsstunde Hochbetrieb.

«Claes!» Joachim van Stetten winkte aus einer Nische hinter dem Billardtisch. «Hast du schon gehört?» fragte er, nachdem Claes sich gesetzt hatte. «Archangelsk soll schon eisfrei sein. Spätestens in vier Wochen können wir mit den ersten russischen Schiffen rechnen.»

Claes nickte. Er kam gerade vom Hafen, dort sprachen alle davon, wie früh in diesem Jahr das Eis zurückgegangen war. Der kleine Umweg durch die Deichstraße und über den Hopfenmarkt hatte ihn erfrischt und die grauen Gedanken vertrieben. Er spürte wieder die alte Zuversicht. Sein Bein schmerzte heute nicht, er fühlte sich jung und tatkräftig.

«Danke, Jensen», sagte er und nahm dem Wirt die Kaffeetasse ab. «Mit Kardamom?»

«Mit Kardamom», antwortete der Wirt mit einer kleinen Verbeugung, «wie immer.»

«Du wirst noch süchtig werden, alter Freund.»

Claes lachte. «So ist das mit uns Kaffeetrinkern, Joachim. Wenn schon, denn schon.»

Er nahm einen Schluck und lehnte sich mit sichtlichem Behagen zurück.

«Neuigkeiten aus Lissabon?» fragte Joachim.

Claes rührte langsam mit dem kleinen silbernen Löffel in seiner Kaffeetasse.

«Nein, nichts Neues. Aber die *Clementine* muß bald einlaufen, die bringt sicher auch einen Brief von Martin.»

«Mit dem hast du einen guten Griff getan. Wer hätte das vor ein paar Jahren gedacht.»

Martin, der jüngere Sohn eines Zuckerbäckers, war vor acht Jahren in Claes' Kontor erschienen und hatte den Kaufmann gebeten, ihn als Laufjungen einzustellen. Claes hatte schon einen, der seine Post zwischen Kontor, Börse und Hafen hin- und herbrachte. Aber der Junge mit der geraden Nase und den klaren grauen Augen hatte ihn beeindruckt.

Martin war damals noch keine sechzehn gewesen, aber er hatte sich vor den mächtigen Kaufmann gestellt wie einer, der was zu bieten hat. Die kleinen Rinnsale von Schweiß, die dem Jungen dabei den Rücken hinuntergelaufen waren, hatte Claes nicht bemerkt, doch sie hätten ihn auch nicht gestört. Er glaubte nicht daran, daß Menschen, die weder Angst noch Zweifel kannten, die Tüchtigeren waren. Er hatte recht gehabt. Martin wurde schnell zu einem klugen, aber doch wagemutigen Kaufmannsgehilfen. Vor drei Jahren hatte er ihn dann nach Lissabon geschickt. Es war kein großes Risiko gewesen, denn die Portugal-Geschäfte lagen schon lange brach. Lissabon war einer der Haupthäfen für die Waren aus den überseeischen Kolonien in Nordamerika, Brasilien und den Inseln im Karibischen Meer: Kaffee, Zucker, Tabak, Baumwolle oder Farbhölzer, aber auch Waltran, Gold und Diamanten. Die Geschäfte in Lissabon wurden jedoch von den Engländern regiert. Es war deshalb billiger, direkt in London, Plymouth oder Bristol zu kaufen.

Claes hatte das alte Kontor am Tejo aus reiner Sentimentalität noch nicht geschlossen, auch wenn er eine so unpassende Regung niemals zugegeben hätte. Etwa zehn Jahre war es her, daß das große Erdbeben halb Lissabon zerstörte. Die Katastrophe am Allerheiligentag des Jahres 1755 hatte Zehntausende das Leben gekostet, und das Entsetzen darüber hatte ganz Europa erschüttert. Daß inmitten der Verwüstung das Herrmannssche Haus nahezu unversehrt geblieben war, schien wie ein Wunder. Und wie ein Zeichen, die Beziehungen zu Portugal nicht abreißen zu lassen.

Martin hatte sich bewährt. Der Handel mit Lissabon war inzwischen zu einem wichtigen Pfeiler in Claes' weiterverzweigten Geschäften geworden.

Sophie würde einen tüchtigen Mann bekommen, auch wenn

er weder Vermögen noch eine alte hanseatische Familie vorzuweisen hatte.

«Bonjour, Messieurs, es ist doch erlaubt?» Ohne eine Antwort abzuwarten, ließ sich der alte Herr, der schwer auf den Arm seines Dieners gestützt herangeschlurft war, auf den Sessel neben Claes fallen. «Es ist gut, Moses, hol mir eine Schokolade, und dann laß mich in Ruhe. Ich bin nur alt, kein Kind.»

Widerwillig drehte sich der Diener, kaum jünger und rüstiger als sein Herr, um und folgte dem Befehl.

«Monsieur Telemann, wie schön, Euch wieder einmal im Kaffeehaus zu sehen», sagte Claes. «Es geht Euch also besser?»

«Ging es mir schlecht? Nur weil meine Beine lahm und meine Augen müde sind, bin ich doch noch nicht tot. So schnell werdet ihr mich nicht los», er kicherte boshaft, «ihr müßt schon noch ein wenig dankbar sein.»

«Das sind wir gerne. Wer hat uns je schönere Musik geschenkt als Ihr?»

«Keine Komplimente, lieber Freund.» Der alte Kantor und städtische Musikdirektor sah sich steif und ungeduldig nach seiner Schokolade um. «Oder doch, mach mir Komplimente. Sie wärmen mein Herz. Es wird doch schon ein wenig kalt», fügte er mit einem düsteren Seufzer hinzu.

«Ein Herz, das Oratorien wie den ‹Messias› schafft, kann kaum kalt werden. Und die neue Kantate...»

«Du hast die Opern vergessen. Es ist ein Kreuz mit euch Bürgern, immer vergeßt ihr die Opern.» Telemann schob einen spitzen Zeigefinger unter seine alte, etwas zerzauste Perücke und kratzte sich über der Schläfe.

«Deine Tante hat mir erzählt, daß am Gänsemarkt, wo gerade das Opernhaus abgerissen wird, ein Theater entstehen soll?»

Claes hob bedauernd die Hände. Er hatte auch davon gehört. Ganz Hamburg sprach ja davon, aber er interessierte sich nicht für das Theater. Nach Behrmanns Tod weniger denn je.

«Das ist wahr», sagte Joachim van Stetten. «Ein festes Theater für die Schauspiele, so wie eines auch in Leipzig geplant ist. Im Sommer soll es fertig sein.»

Joachim freute sich auf das neue Komödienhaus. In London war er oft im Theater gewesen, und er vermißte den Lärm und die Heiterkeit dieser Stunden.

Claes betrachtete den alten Mann freundlich. Er erinnerte sich gut an die Zeit, als Telemann ihm, damals noch ein molliger Johanneum-Schüler mit ungeschickten Fingern, die Kunst des Musizierens beizubringen versucht hatte. Vergeblich: Sosehr er sich auch bemühte, er lernte nie, die richtigen Tasten zu greifen, und auch im Chor war er nicht zu gebrauchen.

Aber der Musicus war seither oft im Herrmannsschen Haus am Neuen Wandrahm zu Gast. Claes' Vater war ein spröder Mensch gewesen, für die Künste hatte er wenig Sinn gehabt. Aber den städtischen Musikdirektor, mit dem sich so belebend streiten ließ, hatte er sehr gemocht.

Telemann mochte 84 Jahre alt und kränklich sein, aber sein Geist und ganz besonders sein Blick für die Menschen waren immer noch klar – abgesehen von seiner Schwäche für Claes' Tante Augusta. Daß er sie als sanfte Blume gepriesen hatte, mochte an dem Port liegen, von dem er an jenem Abend ein wenig zuviel genossen hatte. Daß er sie jedoch seit einiger Zeit als göttliche Muse verehrte, war wirklich kein Zeichen von Klarsicht. Augusta war eine kluge, liebenswürdige alte Dame, aber so unmusikalisch wie die Rappen, die ihre Kutsche zogen.

«Kennst du den jungen Mann dort drüben, Claes?» unterbrach Joachim van Stetten das freundschaftliche Geplänkel der beiden Männer. «In dem grauen Atlasrock, neben Thomas Matthews.»

Der Kaufmann Thomas Matthews saß, eine Zeitung aus seiner Heimatstadt London noch in der Hand, mit einem jungen Mann am Tisch, den Claes nie zuvor gesehen hatte. Ein Fremder war hier nichts Besonderes, Jensens Kaffeehaus war nicht nur der Treffpunkt der Kaufleute, Literaten und Musikanten, sondern auch aller Reisenden, die in die Stadt kamen, sofern sie eine Tasse Kaffee oder Schokolade bezahlen konnten.

Gerade in diesem Moment wandten sich Matthews und der Fremde um und sahen zu ihm herüber. Hatten sie über ihn gesprochen? Unsinn, dachte Claes, wohl eher über den berühmten alten Musikus, der für gebildete Besucher immer eine Attraktion war.

Warum sollten sie über mich sprechen? dachte er und spürte doch, daß Martins Warnung Früchte getragen hatte. Seit Matthews sich vor zwei Jahren in Hamburg niedergelassen hatte, versuchte er ziemlich erfolglos, in den Handel mit Archangelsk einzusteigen. Und sicher hatte er Verbindungen nach Jersey. Erst kürzlich hatte Joachim angedeutet, er möge sich vor Matthews in acht nehmen. In London sei er als intriganter und windiger Geschäftemacher bekannt.

Claes hatte nicht darauf gehört, er gab nicht viel auf Gerüchte, wenn es um Persönliches ging. Aber seit Martins Brief schien alles anders.

Er schüttelte unwillig den Kopf. Das Unglück auf der Pier von St. Aubin war ein Unfall gewesen, er würde nicht zulassen, daß Mißtrauen sein Leben vergiftete. Und auch wenn er Thomas für einen Gecken hielt, traute er ihm doch keine Verbrechen zu.

Telemann hatte seine Lorgnette vor die Augen gehoben und war Claes' Blick gefolgt.

«Wahrlich ein hübscher junger Mann», kicherte er, «sehr hübsch, besonders die Wimpern. Wartet nur, bis er aufsteht, ich bin sicher, er hat einen Hintern wie eine Aprikose.»

Joachim und Claes sahen sich amüsiert an. Der Alte wurde doch ein wenig wunderlich.

Claes hatte recht gehabt. Als Thomas Matthews mit dem Fremden an ihren Tisch kam, nickte er den beiden Kaufleuten nur kurz zu und verbeugte sich dann tief vor Telemann.

«Meister, darf ich Euch diesen jungen Verehrer Eurer Kunst vorstellen? Friedrich Reichenbach aus Leipzig. Er hat so viel von Eurer Musik gehört, daß er nicht versäumen will, Euch kennenzulernen.»

Der junge Mann hatte tatsächlich besonders hübsche Wimpern, und Claes ertappte sich dabei, daß er ein wenig den Hals reckte, um die Sache mit den Aprikosen zu überprüfen.

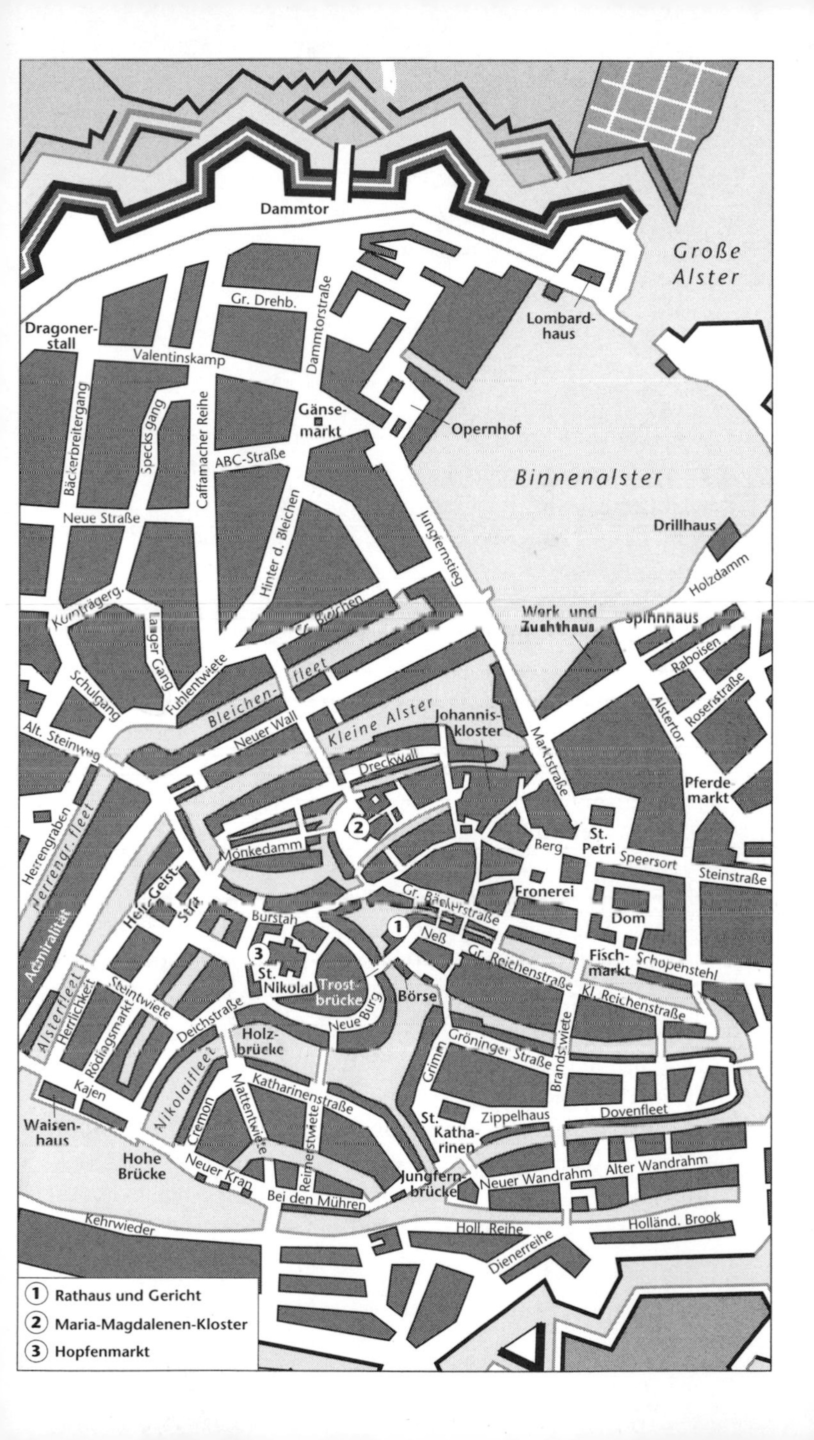
Dammtor
Große Alster
Gr. Drehb.
Dammtorstraße
Lombardhaus
Dragonerstall
Valentinskamp
Bäckerbreitergang
Specksgang
Caffamacher Reihe
Gänsemarkt
Opernhof
ABC-Straße
Binnenalster
Neue Straße
Hinter d. Bleichen
Jungfernstieg
Drillhaus
Holzdamm
Kurzträgerg.
Langer Gang
Gr. Bleichen
Werk- und Zuchthaus
Spinnhaus
Raboisen
Schulgang
Fuhlentwiete
Bleichenfleet
Rosenstraße
Alstertor
Neuer Wall
Kleine Alster
Johanniskloster
Alt. Steinweg
Marktstraße
Dreckwall
Pferdemarkt
Herrengraben
Herrengr. fleet
Mönkedamm
Berg
St. Petri
Speersort
Steinstraße
Heil. Geist-Stift
Fronerei
Admiralität
Gr. Bäckerstraße
Burstah
Dom
Neß
Gr. Reichenstraße
Fischmarkt
Schopenstehl
St. Nikolai
Trostbrücke
Börse
Kl. Reichenstraße
Alsterfleet
Herrlichkeit
Steintwiete
Rödingsmarkt
Deichstraße
Neue Burg
Holzbrücke
Gröninger Straße
Brandstwiete
Grimm
Nikolaifleet
Mattentwiete
Katharinenstraße
Kajen
Cremon
Reimerstwiete
St. Katharinen
Zippelhaus
Dovenfleet
Waisenhaus
Hohe Brücke
Neuer Kran
Jungfernbrücke
Neuer Wandrahm
Alter Wandrahm
Bei den Mühren
Kehrwieder
Holl. Reihe
Holländ. Brook
Dienerreihe
1 Rathaus und Gericht
2 Maria-Magdalenen-Kloster
3 Hopfenmarkt

5. KAPITEL

MITTWOCH NACHMITTAG

Die Standuhr tickte leise. Sie zeigte Viertel nach drei. Immer wieder blickte Sophie auf die goldenen Zeiger und fragte sich, ob das Uhrwerk nicht doch einen Fehler hatte. Bei keiner Arbeit verging Claes Herrmanns' Tochter die Zeit so quälend langsam wie beim Sticken.

Augusta Kjellerup, eine weißhaarige alte Dame, die an ihrer Haube ein für ihr Alter und ihren Witwenstand völlig unpassendes glänzendes Band trug, saß ihr in einem bequemen Sessel gegenüber und tat, als lese sie konzentriert im «Hamburgischen Correspondenten». Schließlich gab sie es auf, die immer tiefer werdenden Seufzer ihrer Großnichte zu überhören. Sie ließ ihre Lorgnette sinken und betrachtete das Mädchen liebevoll. «Freust du dich auf die Ehe?»

Sophie blickte erstaunt auf. «Natürlich, Tante Augusta. Es wird so aufregend sein, so voller Abenteuer, und immer scheint die Sonne. Lissabon, schreibt Martin, ist schon wieder ganz neu aufgebaut und prächtiger als Paris, und das Meer ist so blau wie das Kleid, das ich trug, als wir uns das letzte Mal sahen...»

«Bei dem Abschiedsessen? War es nicht grün?»

«Das macht doch nichts. Der Gürtel war blau.»

«Ein Jahr ist eine lange Zeit.»

«Nun sind es ja nur noch neun Wochen. Und nur noch fünf, bis Martin wieder hier ist.»

«Nein, mein Kind, ich meine: Ihr habt euch ein ganzes Jahr nicht mehr gesehen. In einem Jahr kann sich viel ändern.»

«Findest du, daß ich schöner geworden bin?»

Augusta lachte. «Du bist ein Kindskopf. Natürlich bist du schöner geworden, aber darauf kommt es nicht an.»

«Doch. Darauf kommt es an. Es ist viel leichter, ein Mädchen zu lieben, das schön ist.»

«Findest du Martin schön?»

«O ja. Und so männlich.»

Sophie stützte mit einem kleinen Seufzer die Wange in die Hand und sah sehnsüchtig zum Fenster hinaus. «Sicher ist er auch hübscher geworden.»

Hoffentlich, dachte Augusta und versuchte, ihre Erinnerung an den blassen, ein wenig schmallippigen Martin durch ein eleganteres Bild zu ersetzen. Er war tüchtig, zuverlässig und ganz sicher äußerst ehrbar. Schönheit oder gar Leidenschaft hatte Augusta bisher nicht an ihm entdeckt. Sie wünschte Sophie eine ebenso glückliche Ehe, wie sie selbst gehabt hatte, zweifelte jedoch, ob das mit Martin möglich sein würde. Aber wer verstand schon die seltsamen Wege der Liebe? «Schreibt er schöne Briefe?»

Sophie nahm ihre Handarbeit wieder auf und stocherte mit der Nadel in dem Leintuch. «Doch. Er schreibt sehr schöne Briefe. Und so klug. Ich weiß jetzt so viel über den Handel in Portugal und über all die Schiffe, die im Hafen von Lissabon liegen, was sie laden und ...»

«Verzeih die Frage, Sophie. Aber schreibt er auch über seine Liebe zu dir?»

«Betty sagt, nur Frauen schreiben von ihrer Liebe. Aber mit seinem letzten Brief hat er mir ein Gedicht geschickt. Von Blumen und Schäferinnen, und vom Frühling.»

«Immerhin», Augusta nickte zufrieden, «immerhin ein Gedicht. Männer, die nicht einmal vor der Hochzeit ein Gedicht zu Papier bringen, selbst wenn es nur abgeschrieben ist, machen auch nach der Hochzeit wenig Vergnügen.»

«Du bist frivol.»

«Ich bin alt, mein Kind, ich darf frivol sein. Du», sagte sie und hob den Zeigefinger, «darfst das nicht! Sticke weiter, sonst bist du zur silbernen Hochzeit noch nicht fertig.»

Damit vertiefte sie sich wieder in ihre Zeitung.

Sophie stickte ein Monogramm auf ein feines Leinentuch. Um genau zu sein: sie war gerade dabei, es wieder aufzutrennen. «Ich kann wirklich nicht glauben, daß Martin mich mehr liebt, wenn ich all diese Monogramme selber sticke», sagte sie und ließ die Näharbeit ärgerlich in ihren Schoß fallen. «Sie werden doch nie so hübsch wie die von Madame Florentine.»

«Madame Florentine tut seit zwanzig Jahren nichts anderes, und sie wird dafür bezahlt. Aber wer heiraten will, muß auch sticken. Das ist ein uraltes Sprichwort.» Augusta sah das Mädchen über den Rand ihrer Zeitung streng an.

«Von diesem Sprichwort habe ich nie gehört. Und selbst wenn es so eines gäbe, warum sollte es mich kümmern? Ich werde Annecke fragen, ob du deine Wäsche damals selbst bestickt hast. Ich bin sicher, du hast kein einziges Monogramm zustande gebracht.»

Augusta ließ die Zeitung sinken und seufzte. «Würdest du bitte respektvoller mit deiner Großtante sprechen? Und Annecke ist steinalt, sie erinnert sich an gar nichts mehr. Jedenfalls nicht an Dinge wie das Besticken meiner Aussteuer.»

Sie legte die Zeitung auf den kleinen Rosenholztisch und griff nach dem Leinen, das zerknittert und nicht mehr ganz reinlich auf Sophies Knien lag. «Deine Stickerei ist schauderhaft. Danke dem Herrn, daß du genug andere Talente hast. Wie lange ist es noch bis zur Hochzeit? Neun Wochen?»

«Neun Wochen und zwei Tage. Bitte, laß uns wenigstens die Mundtücher und das Bettleinen zu Madame Florentine bringen. Sie macht so hübsche Muster, und ich habe so viel anderes zu tun.»

Sophie wußte, daß sie schon gewonnen hatte. Niemand verstand besser als Augusta, daß die Arbeit mit Nadel und Faden für Sophie eine Folter bedeutete. Sie war einfach zu ungeduldig für die mühselige Stichelei.

«Ich fürchte, du hast doch zuviel von mir geerbt. Deine Mutter war eine Meisterin mit der Nadel.» Augusta blickte ihre Großnichte nachsichtig an. «Aber Martin wird es tatsächlich egal sein, wer seine Monogramme stickt. Ruf deine grämliche Zofe, sie soll nach Madame Florentine schicken. Laß doch, Kind, du bringst mich ja um.» Lachend rettete sie ihre Haube vor Sophies stürmischer Umarmung.

Wie der Wind war das Mädchen aus dem Zimmer und machte sich auf die Suche nach Bärbel, der Hausmagd, die Tante Augusta gerne spöttisch «die Zofe» nannte.

Augusta griff wieder nach der Zeitung. Aber sie hatte nun keinen Sinn mehr für Professor Bodmers gelehrten Aufsatz über die vorzügliche Dichtung des jungen Poeten Klopstock.

Sie konnte sich nur schwer an den Gedanken gewöhnen, daß Sophie bald eine verheiratete Frau sein würde. Trotz ihrer achtzehn Jahre erschien das Mädchen ihr noch so jung und ungebärdig. Dabei war sie selbst erst sechzehn gewesen, als sie Thorben Kjellerup heiratete. Sophie hatte sich getäuscht. Augusta hatte brav die unzähligen Stiche ausgeführt, die aus Leinentüchern standesgemäße Wäsche machen. Lächelnd faltete sie das Tuch zusammen und legte es in die Truhe, die geöffnet neben dem Tisch stand. Sie war eine schrecklich brave junge Frau gewesen. Und vielleicht wäre sie das auch geblieben, wenn sie nicht so früh Witwe geworden wäre. Sie freute sich, daß Sophie ihren eigenen Kopf hatte, auch wenn es ihr das Leben nicht immer leichter machen würde.

Augusta war von ihren Eltern nicht gefragt worden, ob sie den dänischen Kaufmann heiraten und mit ihm in Kopenhagen leben wolle. Aber sie hatte Glück gehabt. Aus dieser Verbindung, die den Geschäften der beiden Familien diente, war eine Liebesehe geworden.

Manchmal, wenn sie tief in der Nacht aufwachte und sich auf die Bank am Fenster setzte, um über das breite Fleet bis St. Katharinen zu sehen, sorgte sie sich, ob Claes richtig entschieden hatte, als er Sophies Verliebtheit nachgab. Denn daran, daß diese Ehe Sophies Wunsch gewesen war, bestand kein Zweifel. Martins Respekt vor dem Reichtum und der Honorigkeit der alten Patrizierfamilie Herrmanns war viel zu groß, als daß er, ein Mann ohne Familie und Vermögen, es gewagt hätte, um die Hand der einzigen Tochter anzuhalten. Zumindest war er kein Leichtfuß, sondern ein ernsthafter junger Kaufmann mit einem klugen Kopf. Und vielleicht hatte er dort unten im Süden ein wenig von seiner Steifheit verloren. Sophie brauchte einen Mann mit viel Humor, einen großzügigen Geist und keinen Pedanten, der auf die richtige Linie im Monogramm achtete.

Sie war noch ein Kind gewesen, als ihr Vater Martin nach Lissabon geschickt hatte. In ihrer Erinnerung war er zu einem romantischen Helden geworden, der die Welt kannte und ihr ein abenteuerliches Leben bot. Augusta war da nicht so sicher. Aber ihre Bedenken hatten Sophies glühende Seele nicht einmal erreicht. Augusta liebte Sophie wie die Enkeltochter, die sie selbst nie gehabt hatte. Von ihren vier Kindern waren drei schon früh an Scharlach gestorben. Den Jüngsten, Sven, hatte die See schon in seinem fünfzehnten Jahr auf seiner ersten Fahrt geholt. Nur zwei Jahre später war auch Thorben von einer Reise nach Santander nicht zurückgekehrt. Auf dem Grund der Biskaya lagen viele Schiffe, die ihre Toten festhielten.

In den ersten Jahren nach seinem Tode glaubte sie oft, ihren Sohn zu sehen. Er ging über den Markt von Kopenhagen oder ruderte in einem kleinen Boot nach Christianshavn hinüber. Ein anderes Mal, als sie nach Bad Pyrmont fuhr, ritt er, in einen schwarzen Mantel gehüllt, an ihrer Kutsche vorbei. Aber es waren immer andere Jungen gewesen, die nur wie Sven ungebärdiges rotblondes Haar hatten und den hageren Körper eines Knaben, der bald ein Mann sein würde.

Seltsamerweise hatte sie niemals geglaubt, Thorben zu sehen.

«Störe ich dich, Augusta?»

Claes Herrmanns trat in den Salon und beugte sich über die Hand seiner Tante.

«Nein, Claes, natürlich nicht.» Sie sah ihren Neffen prüfend an. «Du siehst wohl aus heute.»

«Das macht die Frühlingssonne.» Er setzte sich auf die Bank und lehnte seinen Stock gegen die Lehne. «Ich brauche deinen Rat, Augusta. Gestern kam ein Brief von Martin», er reichte ihr den Bogen, «lies ihn und sage mir, was du davon hältst.»

«Ein Brief von Martin? Wegen der Hochzeit?»

«Nein, wegen der Explosion der *Katharina*. Du gibst dir zwar alle Mühe, so zu tun, als verstündest du nichts von der Welt da draußen», fuhr er lächelnd fort, «aber wir beide wissen, daß das nicht stimmt. Lies, und sage mir, was du denkst.»

Augusta hielt den Brief ans Fenster und las.

«Eine böse Geschichte», sagte sie dann. «Hast du einen Verdacht?»

«Nein», antwortete Claes zögernd. «Nicht wirklich.»

Augusta kannte ihren Neffen gut genug, um zu spüren, daß diese Antwort nicht stimmte.

«Martin ist seit Jahren weit weg von Hamburg, für ihn ist es leicht, in unseren Kontoren Feindschaft und Verrat zu wittern. Aber wer weiß, womöglich hat er recht. Die Zeiten sind härter geworden.»

Sie nahm die kleine Kolombine aus Porzellan vom Tisch und drehte sie langsam in den Händen, als suche sie einen Fehler in dem fein gemalten Gesicht.

«Nimm mir meine Frage nicht übel, aber – kannst du Martin trauen?»

Claes hatte diese Frage befürchtet und schwieg. Verstohlen tastete er nach dem Brief in der Innentasche seines Rockes. Davon wollte er Augusta nichts sagen. Es war ein anonymer Brief, nur ein paar unsinnige Sätze, die er am besten einfach wieder vergaß. Auch wenn es schon der zweite dieser Art war. Er mußte Jensen morgen noch einmal fragen. Irgend jemand mußte doch gesehen haben, wer den Brief mit seinem Namen auf den Schanktisch des Kaffeehauses gelegt hatte.

«Du bist verrückt! Du stürzt uns alle ins Unglück!» Helena schloß krachend das Fenster der Dachkammer im Krögerschen Haus, damit niemand ihren Streit hören konnte.

«Wenn dich jemand erkannt hätte?»

«Wer wollte mich denn erkennen? Nicht einmal in Auerbachs Keller hat mich jemand erkannt. Und die Leipziger haben mich oft gesehen.» Der junge Mann im grauen Rock nahm den Hut vom Kopf, dickes blondes Haar quoll darunter hervor.

«Dein Haar hat sich gelöst! Wenn dir das im Kaffeehaus passiert wäre!»

«Schimpf nicht, Helena. Es war doch nur eine kleine Scharade.»

Die schlanke Gestalt streifte die graue Atlasjacke und die weißen Kniehosen ab, zupfte den schmalen Bart von der Oberlippe und schlüpfte in ein Kleid aus blaugestreiftem Kattun. Aus dem jungen Reisenden aus Sachsen war wieder die Komödiantin Rosina geworden.

«Kindskopf», schimpfte Helena weiter. «Ich bin sicher, es hat dir auch noch Spaß gemacht!»

Zornig griff sie nach Jacke und Hose und hängte sie ordentlich über zwei hölzerne Haken an der Wand.

«Nun erzähl endlich, was du dir dabei gedacht hast.»

Rosina hatte eine Menge gedacht, bevor sie sich als junger Reisender unter die Bürger in Jensens Kaffeehaus mischte. Zuerst wollte sie nur erfahren, was man in der Stadt über die Beckersche Komödiantengesellschaft und ihren Prinzipal sprach. Darüber hörte sie wenig, um so mehr sprachen die Leute davon, daß Claes Herrmanns in den letzten Monaten ein bißchen viel Pech habe. Vor allem im täglichen Mittagstrubel vor der Börse wurde viel darüber geredet. Bedauern und Schadenfreude hielten sich die Waage.

Auf dem Jungfernstieg erzählte ein Wasserträger dem Vogelhändler von einem Unfall, der den Kaufmann fast das Leben gekostet habe, und von einem seiner Schiffe, das im Hafen von Lissabon untergegangen sei.

Auf dem Gänsemarkt stritt ein Fuhrmann mit einer Zwiebelfrau, ob der Komödiant, der den Behrmann erstochen habe, wohl ein Zauberer sei, den man am besten gleich aufs Rad flechte. Die Goldstücke, um die er den Schreiber totgemacht habe, habe er weggehext, behauptete der Fuhrmann. Wie sonst könne es angehen, daß er sie nicht mehr bei sich hatte, als die Wache ihn auf der Gasse fand?

Unsinn, antwortete die Zwiebelfrau, mit der Hexerei sei es ja heutzutage vorbei – sie bekreuzigte sich schnell –, aber wo ein Spitzbube sei, sei auch ein zweiter. Sein Komplize habe ihn sicher im Stich gelassen und sich mit der Beute davongemacht.

Zwei Schreiber, den Dreispitz unter dem einen, Börsenbriefe unter dem anderen Arm, spekulierten vor dem Rathaus, wieviel Malaise Herrmanns noch treffen müsse, damit er von einem großen zu einem kleinen Kaufmann werde.

Rosina schlenderte weiter und setzte sich beim Johanniskloster am Alsterufer auf einen Stein in die Sonne. Sie mußte nachdenken. Aber dazu war der Platz schlecht gewählt, jedes der aufgeputzten Mädchen, die auf dem Weg zum Jungfernstieg waren, um die ersten Primeln, Veilchen und ihre ganz privaten Dienste anzubieten, wollte mit dem ungewöhnlich hübschen jungen Mann ins Geschäft kommen.

Schließlich flüchtete Rosina in die St.-Petri-Kirche. Dort störte niemand den frommen Herrn, der tief ins Gebet versunken schien.

Sie versuchte, sich an alles, was sie gehört hatte, zu erinnern. Ein Unfall auf einer fernen Insel hatte den Kaufmann fast das Leben gekostet. Eine Explosion im noch ferneren Lissabon hatte eines seiner Schiffe zerstört. Schließlich erstach jemand seinen ersten Schreiber. Ein großes Unglück nach dem anderen für den Kaufmann Claes Herrmanns.

Er tat ihr nicht leid, dafür hatte er sie und Helena viel zu barsch aus seinem Haus weisen lassen. Und wenn einer so reich war, würde schon der eine oder andere dunkle Fleck die Unschuld seiner Seele trüben. Gott war wohl doch gerecht.

Aber es mußte eher mit dem Teufel zugehen – sie warf einen entschuldigenden Blick auf die heiligen Bilder über dem Altar –, wenn das nur Zufälle waren. In den Jahren, die Rosina mit den Komödianten durch viele Städte und Dörfer gezogen war, hatte sie aufgehört, an Zufälle zu glauben. Und über die Hexerei dachte sie wie die Zwiebelfrau.

Letztlich ging es im Leben nicht viel anders zu als in den Komödien. Da hat einer was, was ein anderer auch haben will, eine schöne Braut, einen Sack Geld oder ein Königreich. Da wird geprügelt, intrigiert, betrogen und gefoppt. Immer ist einer der Gute und ein anderer der Böse. Immer gibt es endlose Verwirrspiele, bis endlich das Gute siegt. Fragte sich nur, wer in diesem mörderischen Spiel der Böse war, wer betrog und wer gefoppt wurde. Und um welchen Preis.

Er mußte mächtig sein, wenn er selbst in Lissabon und auf dieser englischen Insel Unglück bringen konnte. Und schlau. Es war sicher auch kein Zufall, daß gerade Jean neben dem toten Schreiber im Regen gelegen hatte, als die Stadtwache die Gasse heraufkam. Kein Bürger zweifelte daran, daß ein Komödiant um ein paar Taler einen Mord begeht. Ihr Vater glaubte das auch.

Sie fühlte sich plötzlich sehr matt. Wie sollte sie den Mörder finden? Wie herausbekommen, welche Ränke und Kabalen in den Kontoren und Hinterzimmern der Kaufleute gesponnen wurden? Auch wenn sie in Leipzig, Braunschweig, Schleswig oder Frankfurt Freunde unter den Bürgern hatte, die sie von Zeit zu Zeit sogar in ihre Salons einluden, in Hamburg blieben ihnen die Türen der Bürgerhäuser verschlossen.

«Und welcher Teufel hat dich geritten, ins Kaffeehaus zu gehen?» unterbrach Helena den Bericht.

«Ganz einfach. Ich trug meinen Trübsinn durch die Stadt und wußte nicht weiter, als ich plötzlich vor der Tür stand. Schimpf nicht mit mir, Helena. Wo sonst erfährt man Neuigkeiten aus den Kontoren? Dort sitzen die Männer, lesen in der Zeitung, spielen Billard und Karten, trinken Kaffee und Schokolade, tratschen wie die Zwiebelweiber und tun sich wichtig. Es ist der einzige Ort in einer großen Stadt, wo jeder Zutritt hat, wenn er nur bezahlen kann. Und wenn er ein Mann ist», fügte sie grimmig hinzu. «Nun war ich gerade ein Mann, und ein paar Münzen hatte ich auch. Gottlob mußte ich mit niemandem Karten spielen. Wenn Jean wieder bei uns ist, muß er mir unbedingt ein paar Tricks beibringen. Denn wo sie über den Karten saßen, wurde am meisten geklatscht.»

Aber sie hatte es auch ohne Karten geschafft und war schließlich sogar mit dem Kaufmann Herrmanns ins Gespräch gekommen. Er war der einzige in der Stadt, der wie die Komödianten unbedingt herausbekommen mußte, was da gespielt wurde. Wirklich ein recht gebildeter Mann, nur vom Theater verstand er gar nichts. Sie hatte kräftig mit ihm gestritten, ob die Schauspiele eine Kunst seien, und schließlich hatte sie sich mit ihm in der Komödienbude an der Fuhlentwiete verabredet, wenn das erste Schauspiel gezeigt werden würde.

Da hatte Rosina sich fast verraten, denn Herrmanns hatte grimmig gelacht und ihr versichert, es werde in diesem Frühjahr keine Komödie geben. Schließlich sei der Liederjan von Prinzipal als Mörder im Loch.

Das sei doch aber gar nicht gewiß, hatte Rosina heftig erwidert und fast ihre Rolle vergessen. Aber er hatte sich über ihre Hitzköpfigkeit amüsiert und versprochen, falls die Komödie tatsächlich gegeben werde, wolle er dort sein und sehen, ob die Komödianten mehr böten als Hanswursterei.

«Alles in allem habe ich einen guten Eindruck gemacht», schloß Rosina mit der Miene einer Katze, die eine besonders fette Maus gefangen hat. «Er fand den jungen Herrn Reichenbach aus Sachsen sehr interessant. Ich konnte mich gerade noch rechtzeitig davonmachen, sonst hätte er mich in sein Haus eingeladen. Und dem zu folgen erschien mir doch zu kühn.»

«Du wirst am Galgen enden», sagte Helena, aber ihr Zorn war verflogen. Mit Zaudern und Bravsein würden sie den Beweis für Jeans Unschuld niemals finden.

«Und die verschwundenen Goldstücke? Wenn Jean den

Schreiber tatsächlich wegen der Münzen erstochen hat, hätte er die doch in seinen Taschen haben müssen. Wenn die Wachen sie aber nicht gefunden haben, dann muß noch jemand anderes dagewesen sein. Einer, der mit seiner Beute davongelaufen ist.»

«Vielleicht hatte der Schreiber gar keine Goldstücke. Vielleicht hat er sie verloren oder verspielt.»

«Wir müssen die Leute fragen, die an dem Abend in der Schenke waren. Findest du nicht auch, daß Sebastian mal wieder einen Krug Bier trinken muß?»

«Unbedingt. Und Titus braucht eine neue Liebschaft. Köchinnen sind die beste Nachrichtenbörse. Außerdem haben sie alle eine Schwäche für große, dicke Männer.»

Claes hatte gehofft, Augusta werde seine Sorgen als Phantastereien eines Mannes mit überreizten Nerven beiseite wischen. Sie war immer eine kluge Ratgeberin, und in Gesichtern konnte sie lesen wie er in seinen Kontobüchern. Und nun hatte sie es ausgesprochen: Konnte er Martin trauen? Wer wußte schon, was in einem ehrgeizigen jungen Menschen weit fort von zu Hause vorging?

Er griff nach seinem Stock und machte sich auf den Weg zum Hafen. Frische Luft würde ihm jetzt guttun. Die Sonne stand schon tief, und der Wind hatte wieder aufgefrischt. Dicke weiße Wolken jagten sich am Himmel mit grauen Fetzen. Er ging über die Jungfernbrücke und schritt energisch die Straße Bei den Mühren hinunter.

Der Aprilwind war erfrischend, mit jedem Schritt wurde ihm leichter.

Nicht Martin, dachte er. Er hatte ihm immer vertraut, und dabei blieb es. Punktum.

Claes freute sich über Sophies Wahl. Nicht zuletzt, weil sie bewies, daß seine Tochter frei von dem Dünkel einiger ihrer Freundinnen war, für die nur ein Mann aus den ersten Familien in Frage kam. Tief in Gedanken ging Claes über die Hohe Brücke, die Kajen und das Steinhöft hinunter bis zum Baumwall am Ende des Binnenhafens. Hier öffnete sich der Blick weit über die Elbe, die ihre vielen Arme zwischen grünen Inseln hindurchschlängelte. Drüben auf dem kleinen Grasbrook weideten schon Schafe mit ihren Lämmern. Bald war Zeit für die Frühjahrsschur. Am Anleger beim Baumhaus am Ende des Steinhöft hatte gerade der letzte Ewer nach Harburg am südlichen Elbufer abgelegt. Das Segel blähte sich behäbig im Wind und legte das kleine Schiff schräg in die Wellen.

Nirgends war die Aussicht über die Stadt und die weite Elblandschaft so schön wie von der Dachterrasse des Gasthauses auf dem alten Zollgebäude am Hafen. Sophie hatte dort vor einem Jahr in Tränen aufgelöst hinter der *Katharina* hergewinkt, auf der Martin nach seinem letzten Besuch zurück nach Lissabon gesegelt war. Claes fröstelte. Viele seiner Erinnerungen waren mit dem Baumhaus verbunden. Dazu gehörten zwar auch Streitereien um den Wert der einen oder anderen seiner Ladungen mit den Zollprüfern im Anbau an der Wasserseite, das waren Alltäglichkeiten. Vor allem jedoch erinnerte ihn das Baumhaus an heitere Stunden mit Menschen, die er liebte: Konzerte oder Karnevalsbälle mit Maria im oberen Saal, Treffen mit Freunden wie Sonnin, Konig, Reimarus und Joachim auf der Dachterrasse. So hoch über den Dächern der Stadt und dem filigranen Gewimmel der Masten und Rahen im Hafen fühlte er sich immer frei. Wenn er je gegen leichtsinnige Gedanken kämpfen mußte, dann dort oben, wo ihm die engen Regeln und Pflichten der ehrbaren Kaufleute fern und nicht mehr ganz so unausweichlich erschienen. Nur ein paar Wochen noch, dann war es wieder warm genug für eine Partie Karten, für ein paar Gläser Wein mit den Freunden auf dem Altan.

Aber es würde nie mehr so sein wie früher. Er konnte sich nicht vorstellen, daß er in Zukunft durch das Portal gehen würde, ohne daran zu denken, daß Behrmann hier verblutet war. Der Tod seines Schreibers traf ihn härter, als er gedacht hatte.

Claes hielt das Gesicht in den Wind. Er hatte sich nie Gedanken über den Wind gemacht, so nah bei der Küste war er eben immer da. Aber jetzt empfand er ihn wie einen Freund, der ihn wach rüttelte, wenn die Gedanken zu trübe wurden, der ihn sanft schubste, wenn er zu träge wurde. Der Nordost brachte an diesem Abend noch einen letzten Hauch Winterkälte. Aber Claes fror nun nicht mehr. Er straffte die Schultern und schritt kräftig aus. Am Elbufer drängten sich immer noch Menschen, Karren und Fuhrwerke. Bei den Vorsetzen hatte eine Brigg festgemacht. Auf dem schnittigen Zweimaster herrschte noch quirliges Treiben. Gerade schoben vier Matrosen lange Planken vom Deck an Land. Jetzt im April waren die Anleger direkt am Hafenrand noch frei. Bald mußten einlaufende Schiffe weiter draußen in der Elbe festmachen, und der Weg an Land war eine Kletterpartie über die Reihe der davorliegenden Schiffe, wenn man sich die Mühe sparen wollte, an Land zu rudern.

Claes kniff die Augen zusammen, um gegen die tiefstehende Sonne den Namen am Bug zu entziffern: *Anne Victoria*. «Ein schönes Schiff», sagte eine weiche Stimme hinter ihm, und noch bevor Claes sich umdrehte, hatte er den Akzent von Thomas Matthews erkannt.

Er nickte. «Ja, ein besonders schönes Schiff. Aber ziemlich klein.»

«Sicher», antwortete der Engländer. «Eure Barken bringen fast doppelt soviel Fracht. Aber so eine Brigg ist wendig und schnell, unschlagbar in allen Gewässern. Nicht besonders geeignet, um Kohle und Holz von Schweden nach England zu bringen, aber gut für Seide und Gewürze aus Arabien, für Gläser aus Venedig, Pfirsiche, Zitronen und Trauben aus Spanien. Und für ein paar Säcke Kaffee von Martinique oder Hispaniola.» Er lachte leise. «Im Karibischen Meer ist Schnelligkeit das wichtigste. Nicht nur im Kampf mit Kaperern.»

Claes hob unbehaglich die Schultern und sah starr zu dem Segler hinüber. Der Mann, der im Heck an der Reling stand und mit einem der Offiziere sprach, war eindeutig der Kapitän. Er schien einen halben Kopf größer zu sein als alle anderen an Deck, trug keine Perücke, das ungepuderte schwarze Haar war im Nacken über einem weißen, spitzengesäumten Kragen in nachlässiger Eleganz zusammengebunden, die kühne Nase unter einer hohen Stirn beherrschte sein Gesicht.

Ein paar Kinder und Hunde und zwei Mädchen mit prall über den Hüften gerafften Röcken und viel zu großen Ausschnitten drängten sich um die ersten Männer, die mit wiegenden Schritten über die Planken an Land gingen. Der Mann, den Claes für den Kapitän hielt, verschwand in der Kajüte. Als er wieder auftauchte, führte er eine elegante hochgewachsene Dame am Arm. Lachend hob er sie auf und trug sie leichtfüßig über die federnden Planken an Land. Anne St. Roberts stand auf dem Kai, keine dreißig Schritte von Claes entfernt.

«Anne!» rief er, lief mit großen Schritten zum Anleger und schalt sich für die vertrauliche Anrede.

«Mademoiselle St. Roberts. So eine Überraschung. Ich wußte nicht...»

«Monsieur Herrmanns...» Der freudige Schimmer in ihren Augen verlosch so schnell, daß Claes ihn gar nicht wahrnahm. Sie musterte ihn mit höflichem Lächeln und so kühl, daß der Wind von der Elbe zum Eishauch wurde.

Der elegante Mann mit der großen Nase beobachtete die verunglückte Begrüßung mit mokantem Lächeln. «Da es Euch offenbar die Sprache verschlagen hat, muß ich mich wohl selbst vorstellen.»

«Unsinn, Jules», protestierte Anne, legte fest und vertraut die Hand auf den Arm ihres Begleiters und zauberte ein höfliches Lächeln auf ihr Gesicht. «Monsieur Herrmanns, hier bringe ich Euch Captain Braniff, den Ihr bei Eurem unglücklichen Besuch auf Jersey so lange und vergeblich erwartet habt. Er hat viel mit Euch zu besprechen, aber das hat sicher bis morgen Zeit.»

«Natürlich», Claes stotterte immer noch, «ich werde sofort einen Wagen für Euer Gepäck kommen lassen. Zimmer sind in meinem Haus immer für Euch bereit...»

«Macht Euch keine Mühe, Monsieur. Ich werde erwartet, und Jules...», sie schenkte dem schönen Mann an ihrer Seite einen schmelzenden Blick, «zieht es immer vor, im Gasthaus zu wohnen. Ach, da ist ja Thomas», rief sie, «Thomas, wie schön, dich zu sehen.»

Matthews, der einige Schritte entfernt die eigentümliche Begrüßung beobachtet hatte, trat eilig heran und küßte Anne innig beide Hände.

«Wenn es Euch recht ist, werde ich Euch in den nächsten Tagen besuchen», rief Anne über die Schulter, nahm Matthews' Arm und zog ihn energisch zu der Kutsche mit dem schwungvollen «M» an den Schlägen.

Claes sah der davonrollenden Kutsche nach und war nicht sicher, ob er das alles nur geträumt hatte. Wohl kaum. Captain Braniff stand neben ihm und grinste immer noch. Unverschämt, fand Claes.

«O là là, Monsieur Herrmanns. Kann es sein, daß Ihr unsere charmante Freundin irgendwann verärgert habt?»

«Unsinn! Sie hat mein Leben gerettet. Ich schulde ihr tiefsten Dank und allen Respekt. Es würde mir nicht im Traum einfallen, sie zu beleidigen.» Er rieb sich ärgerlich die Hände. «Eher hätte ich Grund, schlecht gelaunt zu sein. Sie hat meine Briefe nicht beantwortet.»

«Briefe?» Barniff runzelte die Stirn. «Wann habt Ihr die geschrieben?»

«Gleich nach meiner Rückkehr von Jersey natürlich. Ich habe ihr als Dank für die wochenlange Pflege auch eine Kamee geschickt. Vielleicht haben ihr die eingeschnittene Rose und der Käfer nicht gefallen. Jedenfalls hat sie nicht geantwortet.»

Jules Braniff sah nachdenklich über die Schiffe und das Wasser. «Eine Rose und ein Käfer. Vielleicht hat sie Eure Post nicht bekommen.»

Claes antwortete nicht. Er ärgerte sich, daß er mit diesem Fremden, den Anne so vertraulich behandelte und sogar beim Vornamen nannte – Jules, was war das überhaupt für ein lächerlicher Name? –, über seine privaten Angelegenheiten gesprochen hatte.

6. KAPITEL

MITTWOCH NACHMITTAG

«Blohm!!!» Das schwere Portal fiel hart hinter Claes ins Schloß. «Blohm!»

«Ich hör noch gut», brummte der Alte, der eilig in die Diele schlurfte.

«Entschuldige, Blohm. Ich weiß selbst nicht, warum ich so schreie. Ist wohl Ostwind heute. Geh wieder in die warme Küche, aber schick Betty mit einer Kanne Salbeitee. Ich bin bei Augusta.»

Blohm nickte. «Tee ist gut. Aber Frau Augusta ist ausgegangen. Sie hat nicht gesagt, wohin.»

«Schick den Tee trotzdem in ihr Wohnzimmer. Ich warte dort auf sie.»

Augustas Salon im ersten Stock war das gemütlichste Zimmer im ganzen Haus. Claes wärmte seine kalten Hände an den holländischen Fayencen des Kachelofens, setzte sich in den grünen Sessel nahe am Fenster und spürte, wie die Vertrautheit des Raumes seine Spannung löste. Er rieb seine klopfenden Schläfen, lehnte sich zurück in das Polster und atmete tief durch.

Der hämmernde Zorn hinter seiner Stirn erschien ihm lächerlich und völlig unbegründet. Irgendeine Lady von einer kleinen englischen Insel mit einem sandigen Hafen hatte ihm die kalte Schulter gezeigt. Na und?

Natürlich war es mehr als unhöflich gewesen, seine Briefe und das Schmuckstück einfach zu ignorieren. Um so mehr, als sie ihm in den Wochen seiner Genesung über die Gastfreundschaft hinaus als so besonders freundlich erschienen war. Sehr besonders, wenn er ehrlich war.

Er wäre dem warmen Blick ihrer verwirrend graugrünen Augen damals gerne mit ebensolcher besonderen Freundlichkeit begegnet. Aber er hatte sie wie einen Freund behandelt. Nicht wie eine Freundin. Er hatte ihren Duft und den sanften Schimmer ihrer Haut einfach ignoriert. Diese Frau, die so ganz anders war als alle, die er kannte, die sich in Laderäumen und Lagerhäusern besser auskannte als mancher Mann, die aber doch beim Tanz wie eine Feder war, sanft nach Jasmin roch und...

«Claes Herrmanns», stöhnte er, «du bist ein Idiot.»

«Aber, lieber Neffe, so schlimm ist es wirklich nicht.»

Augusta stand in der Tür und amüsierte sich.

«Nein, bleib nur sitzen. Du siehst aus, als ob du ein wenig Pflege brauchen könntest.»

Sie stellte das Tablett mit dem Tee, das sie Betty in der Diele abgenommen hatte, auf den Rosenholztisch und setzte sich ihrem Neffen gegenüber.

«Trink von dem Tee, und dann erzähle mir, warum du ein Idiot bist. Das verspricht eine spannende Geschichte.»

«Ach, Augusta. Ein Schutzengel hat dich in mein Haus gebracht. Ein Wort von dir, und schon wird der Himmel heller.»

Claes rührte einen Löffel Honig in seinen Tee und nahm einen großen Schluck. «Warum bist du eigentlich damals zu Sophie und mir gezogen? Du hättest ein ruhiges Leben in einem eigenen Haus haben können. Und Corinna hätte dich mit Freuden in Köln aufgenommen.»

«Damit mir immer jemand hilft, diese scheußlich engen Schuhe auszuziehen. Bitte, Claes.»

Sie steckte ihre Füße unter dem Rock hervor und sah ihren Neffen auffordernd an.

«Ich mag es, wenn du so hilflos bist», grinste er, kniete nieder und erlöste sie von den Schuhen. Sie reckte die befreiten Zehen und lehnte sich mit einem zufriedenen Seufzer zurück.

«Corinna wäre jetzt furchtbar schockiert. Eine Dame zeigt

niemals ihre Füße. Bei deiner Schwester am Rhein ist zwar das Wetter besser als hier im Norden, aber sie ähnelt gar zu sehr eurem Vater. Mein Bruder war mir auch zu vertrocknet und viel zu sicher, daß ihm ein Platz im Himmel gewiß war. Nein, Claes», sie beugte sich vor und strich leicht über seine Hand, «was du ein ruhiges Leben nennst, ist tatsächlich nichts als einsame Langeweile. Ich bin glücklich bei euch. Du behandelst mich nie, als wäre ich schwachsinnig oder zerbrechlich, als müßte man mich von allem, was das Leben spannend macht, fernhalten. Doch bevor wir beide nun in Tränen der Rührung ausbrechen, erkläre mir, warum du ein Idiot bist.»

Während Claes von der Begegnung mit Anne und dem Captain erzählte – seine Erinnerungen an Blicke, Düfte und feige verpaßte Gelegenheiten verschwieg er allerdings –, vergaß er völlig zu fragen, wen Augusta an diesem Nachmittag besucht hatte.

Augusta fand zwar, daß die unglückliche Szene am Hafen kaum für Claes' Selbstanklage ausreichte, aber sie hatte genug gehört, um zu wissen, daß einerseits weitere Fragen jetzt nicht angebracht waren und daß es andererseits höchste Zeit war, Anne St. Roberts kennenzulernen.

Es mußte einen Grund haben, daß Claes rote Ohren bekam wie ein Johanneumschüler beim Schlittschuhlaufen mit seiner ersten Liebe, wenn er von ihr sprach.

MITTWOCH NACHT

Es war kurz nach dem Elfuhrläuten. Der Hafen lag ruhig in der dunklen Nacht, nur das Knarren der Masten und das leichte Plätschern des Wassers an den dicken Schiffsbäuchen waren zu hören, irgendwo jammerte eine Katze, und ab und zu klangen Gelächter und Geschrei aus den Schenken hinter dem Rathaus. Von Nordwesten zogen dicke Wolken auf und schoben sich vor den fast vollen Mond.

Der Mann, der, in einen schwarzen Kapuzenmantel gehüllt,

von der portugiesischen Brigg kletterte, fast lautlos über die Planke lief und an Land sprang, fühlte sich in der Dunkelheit sicher. Das Schiff hatte kurz nach Sonnenuntergang festgemacht, aber er war bis jetzt unter Deck geblieben.

Schnell schlüpfte er hinter einen Karren und wartete einige Minuten. Aber nichts rührte sich. Die Matrosen schliefen erschöpft vom Löschen der Ladung in ihren Hängematten unter Deck oder holten in einer der Schenken nach, was sie in den Wochen auf See vermißt hatten.

Gut, dachte er, niemand wird mich sehen. Trotzdem fühlte er eine unbestimmte Angst. Er war ein ganzes Jahr fort gewesen und hatte in dieser Zeit oft von seiner Rückkehr geträumt. Der triumphierende Heimkehrer, der weitgereiste Mann in Kleidern aus teurem Tuch würde seine glühende Freude nicht zeigen, sondern, wie es sich für einen erfolgreichen Kaufmann gehörte, ruhig und gerade an der Reling stehen. Und dann, wenn er sie dort unten sah, würde er sein klopfendes Herz bezähmen und nur würdig die Hand zum Gruß heben.

Immer wieder hatte er sich die Szene seiner Rückkehr ausgemalt. Würdig wollte er sein, vor allem würdig.

Und nun schlich er an Land wie ein Dieb.

Je weiter das Schiff die Elbe hinaufgesegelt war, um so beklommener hatte er sich gefühlt. Nur der Kapitän wußte, wer er war. Für die Matrosen blieb er irgendein reicher junger Herr, der von einer langen Bildungsreise quer durch Europa heimkehrte. Er lächelte. Selbst wenn er für eine solche Reise Muße gehabt hätte, gab es keine Familie, die sie ihm bezahlen konnte.

Er sah sich noch einmal vorsichtig um, dann machte er sich auf den Weg zum Neuen Wandrahm. Sicher würde Herrmanns noch in seinem Zimmer an dem großen Eichentisch sitzen, und wenn er schon schlief, würde Blohm ihn eben wecken müssen.

Eine kalte Bö fegte von der Elbe herüber. Er wickelte sich fester in seinen Mantel und machte größere Schritte.

War da nicht jemand hinter ihm? Er blieb stehen und lauschte in den auffrischenden Wind. Aber da war nichts. Er hatte nur sein eigenes Echo gehört. Rasch ging er an dem sechsstöckigen Steinhaus der Hannoverschen Poststation vorbei über die Hohe Brücke. Der Klang seiner Stiefel auf den alten Bohlen erschien ihm laut wie Kanonendonner. Er drückte sich in den Schatten des Neuen Krans und hielt den Atem an.

Nur das Wasser gluckste leise am Ufer.

Jetzt war es nicht mehr weit. Nur noch die Mühren hinauf, bei St. Katharinen über die Jungfernbrücke mit ihren gelb glimmenden Rüböl-Laternen, dann konnte er das reiche Portal des Hauses schon sehen.

«Ruhig», flüsterte er, «ganz ruhig. Alles ist gut.»

Die Angst umklammerte ihn wie eine Faust. Er schämte sich dafür. Es gab doch keine Gefahr. Niemand wußte, daß er in Hamburg war, und niemand konnte wissen, was er Claes Herrmanns zu berichten hatte. Noch ein paar Minuten, dann würde Blohm das große Tor öffnen, und er konnte sich wieder sicher fühlen. Dann war er zu Hause.

Aber er hatte sich geirrt. Die Schritte waren nicht das Echo seiner eigenen gewesen. Der Schlag, mit dem der Knüppel ihn traf, fuhr wie ein explodierendes Feuer durch seinen Kopf. Dann spürte er nichts mehr. Er hörte auch nichts von dem kurzen Streit der beiden Männer, ob er nun genug habe oder ob es nicht besser sei, noch einmal zuzuschlagen. Nur das Grölen zweier Betrunkener, die die Straße heraufkamen, ersparte ihm den zweiten Schlag.

«Der hat genug», flüsterte eine rauhe Stimme.

Die schwarze Nacht verschluckte die beiden Gestalten wie Schatten.

Der erste der zwei Matrosen, die kurz darauf um die Ecke bogen, stolperte über die zusammengekrümmte Gestalt am Anfang der Brücke. «He», rief er, «der hat noch mehr gesoffen als wir. Steh auf, Bruder, in der Gosse frierste dir heute nacht den Arsch ab. Steh auf.»

Dann sah er das Blut dick und schwarz unter der Kapuze hervorsickern und erstarrte.

«Komm», zischte der andere, «laß ihn liegen. Was kümmert uns so 'n Schnösel. Oder willste aufs Rad geflochten werden, weil se glauben, wir hätten den erschlagen?»

Erst am nächsten Morgen, als der Nachtwächter seine Sechsuhrrunde machte, wurde Martin Sievers gefunden und in Herrmanns' Haus gebracht.

«Tot», sagte der Nachtwächter, «tot wie 'ne Katze, die unter die Räder gekommen ist.»

«Noch nicht», sagte die Köchin, die zu dieser frühen Stunde das Tor geöffnet hatte, «noch nicht ganz.»

Die Doktoren Eisermann und Kletterich, die Claes schon vor dem Frühstück aus ihren warmen Betten holen ließ, wickelten frische Tücher um Martins Kopf, murmelten ein paar lateinische Sätze und machten sorgenvolle Gesichter. Dann ließen sie den Patienten zur Ader, forderten warme Decken und verboten, das Fenster zu öffnen, damit die frische, kühle Luft ihn nicht noch mehr schwäche. Sie rieten zu Gebeten und Geduld.

Keiner der beiden glaubte, daß dieser bleiche junge Herr je wieder aufwachen würde. Aber beide hofften, daß er noch lange genug lebte, um ihnen ein paar Goldstücke einzubringen.

DONNERSTAG MORGEN

Der Morgen war noch grau, als sich Augusta und Claes zum Frühstück trafen. Keiner von beiden hatte Appetit.

«Warum ist er so heimlich und bei Nacht gekommen?» fragte Augusta. «Sein Schiff muß doch schon bei Tag angelegt haben. Bei Nacht ist der Hafen gesperrt. Wo ist er solange gewesen?»

«Ich weiß es nicht.» Claes strich sich müde über die Stirn. Sein Kopf dröhnte zum Zerspringen. «Ich weiß es wirklich nicht.»

Schon in der ersten Dämmerung war er zum Hafen gegangen und hatte schnell herausgefunden, mit welchem Schiff Martin gestern angekommen war.

«Der Kapitän sagt, Martin hat darauf bestanden, daß niemand

auf dem Schiff erfuhr, wer er ist und wohin er will. In seinem Gepäck war kein Brief, kein Dokument, nichts, was über die Explosion auf der Bark Auskunft geben könnte. Gar nichts.»

«Er hat die Auskünfte in seinem Kopf», seufzte Augusta, «in seinem armen, zerschlagenen Kopf.»

«Herrgott! Er darf nicht sterben! Ich muß wissen, was er mir sagen wollte. Wenn er sich so geheimnisvoll auf den Weg gemacht hat, muß er etwas herausgefunden haben. Er muß wissen, wer hinter allem steckt.»

Claes schob seinen Stuhl zurück und ging, schwer auf den Stock gestützt, zum Fenster.

Augusta sah ihn an. Sie wußte, daß es ihm nicht nur um Martins Geheimnis ging. Claes hatte den Jungen gern. Er bewunderte Martins Tüchtigkeit und kaufmännisches Geschick, und er vertraute ihm wie wenigen, die nicht zu seiner Familie gehörten.

«Und es muß jemand hier in Hamburg sein», sagte Augusta leise, «vor dem er Angst hat. Also jemand, den wir alle kennen.»

Claes nickte, seine Finger trommelten lautlos gegen das Fenster. Er sah hinunter auf die Straße, sah die Karren, die hochbepackt vom Hafen kamen, sah Köchinnen und Mägde mit Körben zum Gemüsemarkt am Meßberg eilen, eine Sänfte wurde vorbeigetragen, und ein Kind trieb ein paar Schweine den Neuen Wandrahm hinauf, obwohl der Rat kürzlich verboten hatte, Schweine in der Stadt frei herumlaufen zu lassen.

Claes war hier zu Hause. Er kannte London und Amsterdam. Er hatte auch Schweden und Dänemark, Portugal, Spanien und Frankreich bereist. Er war sogar im russischen Archangelsk und in St. Petersburg gewesen. Aber keine Stadt war ihm schöner erschienen als Hamburg. Nicht einmal das weiß schimmernde Lissabon auf den Hügeln über dem Tejo unter dem tiefblauen südlichen Himmel.

Venedig vielleicht, auch wenn seine bunten Paläste so ganz anders waren als die hochgiebeligen Häuser aus rotem Backstein oder uraltem Fachwerk, die vor seinem Fenster behäbig in den grauen Himmel ragten. Aber dennoch, vor allem wohl, weil Venedig wie Hamburg eine Stadt im Wasser war. Weil dort die Schritte auf den Brücken über den zahllosen großen und kleinen Kanälen genauso klangen wie hier. Der Nebel, der die Lagunenstadt hinter den Sümpfen immer wieder ganz unvermittelt einhüllte, hatte ihn am meisten an den Norden erinnert.

Auch Hamburg lag in einem Sumpfland, in dem ein Fremder sich leicht verirren konnte. Oder ein achtjähriges Kind. Hätte Blohm ihn nicht gefunden, halbtot von der nassen Kälte und der Angst vor dem Geist des wilden Jägers, der hier umging – das Gebell der Geisterhunde war ja schon ganz nah gewesen –, wäre er nie aus dem Sumpf zurückgekehrt.

Blohm, damals noch Knecht auf einem der großen Höfe in den Marschen, hatte den zitternden Jungen in seinem flachen Boot zurück in die Stadt gestakt. Claes' Vater hatte ihn zum Dank für das Leben seines Sohnes freigekauft, und seit damals war Blohm immer in seiner Nähe. Mit der Halsstarrigkeit der Leute aus den Marschen hatte er sogar durchgesetzt, den jungen Claes in die Lehrjahre nach London zu begleiten.

Claes glaubte schon lange nicht mehr an Gespenster. Er sah hinaus auf die Stadt und spürte zum ersten Mal Fremdheit. Er sah durch das Fenster wie auf das neue Bild eines fremden Künstlers. Das Gefühl der Sicherheit, das ihm hier so selbstverständlich war, daß es ihm nur bewußt wurde, wenn er von einer langen Reise zurückkam, hatte ihn an diesem Morgen verlassen. Er hatte nicht nur Freunde hier, natürlich nicht, es gab Konkurrenten, und früher, als er noch jung war, hatte es Feindschaft um der einen oder anderen Liebe willen gegeben. Es gab Männer, die er nicht mochte, andere, die ihn nicht mochten.

Vielleicht hatte er in den mehr als vierzig Jahren seines Lebens mehr Unmut erregt, als ihm bewußt war. So war das eben, wenn man ein großes Geschäft führte und immer ein waches Auge auf den Rat der Stadt und der Commerz-Deputation hatte. Aber Feinde? Männer, die ihn so sehr haßten oder fürchteten, daß sie einen seiner Vertrauten töteten und eines seiner Schiffe zerstörten?

Claes war plötzlich sehr kalt. Der Schmerz in seinem Bein und seiner Schulter erinnerte ihn an den Unfall auf Jersey. Auch dort hatte er nur freundliche Menschen getroffen. Und doch hatte einer von ihnen vielleicht versucht, ihn zu töten.

Warum?

Er drehte sich abrupt um und ging zum Tisch zurück.

Augusta sah ihn immer noch aufmerksam an. «Du denkst, was ich denke, Claes. Du rechnest all die Unfälle in den letzten Monaten zusammen und weißt, daß es unmöglich ist, in so kurzer Zeit so viel Pech zu haben.»

«Ich würde gerne an einen schwarzen Stern über unserem Haus glauben, aber seit jemand versucht hat, Martin umzubringen, kann ich das nicht mehr. Ich kann auch nicht glauben, daß Gott oder der Teufel das Unglück schicken. Da hat ein ganz Irdischer die Fäden in der Hand.»

Er setzte sich wieder an den Tisch und rührte nachdenklich in seinem Gerstenbrei.

«Hilf mir denken, Augusta.» Er schob energisch seine Schüssel beiseite. «Nur dir kann ich blind vertrauen.»

«Sei nicht bitter, Claes. Tatsächlich gibt es nur einen, dem du nicht vertrauen kannst.»

«Mag sein. Aber solange ich nicht weiß, wer das ist, muß ich vorsichtiger sein, als mir lieb ist. Die Bilanz der letzten Monate ist trübe genug. Zuerst das Unglück auf Jersey.» Er legte seinen Löffel in die Mitte des Tisches. «Das», er schob die Salzschüssel in die Nähe des Löffels, «ist die Explosion in Lissabon. Und der Überfall auf Martin.» Die Butterschale fand Platz gegenüber dem Salz. «Drei Ereignisse, so weit voneinander entfernt, daß sie scheinbar nichts miteinander zu tun haben können.»

Mit dem Zeigefinger zog er unsichtbare Linien zwischen Löffel, Salzschüssel und Butterschale.

«In diesem Dreieck, mittendrin, sitzt einer, der vor gar nichts zurückschreckt.»

«Er muß einen Grund haben.»

«Ich habe die ganze Nacht gegrübelt, Augusta. Seit Martin da unten liegt und um sein Leben kämpft, habe ich nichts anderes getan, als zu überlegen, wer mich so hassen kann.» Er stützte den Kopf in beide Hände und schloß müde die Augen. «Mir ist niemand eingefallen.»

«Bist du ein Heiliger, Claes?»

Er lächelte fast gegen seinen Willen. «Natürlich nicht. Wer ist das schon. Aber ist das Grund genug für einen Mord? Sicher gibt es ein paar Handelshäuser, die bessere Geschäfte machen, wenn es mich nicht mehr gibt. Aber so ein Risiko lohnt sich nicht, um uns zu ruinieren. Wir sind wohl groß in Hamburg, aber klein in der Welt. Wer so viele Anschläge in verschiedenen Ländern plant, muß ja Mitwisser haben, die ihm gefährlich werden. Da gibt es andere Handelshäuser, deren Bankrott mehr Gewinn brächte.»

«Die Welt ist weit, Claes. Du mußt hier anfangen zu suchen.»

Claes nickte ungeduldig. «Ja, natürlich. Aber Martin kann uns jetzt nichts sagen. Er ist der einzige, der weiterhelfen kann.»

«Bist du sicher?»

Claes sah sie fragend an.

«Du hast den Mord an Behrmann vergessen. Oder glaubst du immer noch, daß der ein Zufall war?»

Claes schwieg mit gerunzelter Stirn. «Nein», sagte er dann entschieden, «das kann ich nun wohl nicht mehr.»

Langsam schob er den Milchkrug zu Löffel, Butterschale und Salzschüssel. «Sie haben diesen Komödianten neben Behrmanns Leiche gefunden», murmelte er. «Dieser Hund muß wissen, wer...»

«Vielleicht, Claes. Vielleicht auch nicht. Der, der so beharrlich dein Unglück will, gibt sich viel Mühe. Sein Arm reicht quer durch Europa. Seine Bosheit ist klug, und alle Anschläge waren gut geplant. Ist es nicht unwahrscheinlich, daß so einer ausgerechnet einen Trunkenbold als Mörder dingt? Und daß er dann nicht verhindert, daß der sich direkt neben seinem Opfer schlafen legt, damit die Nachtwächter ihn sofort entdecken? Muß er nicht damit rechnen, daß der Mörder, um die eigene Haut zu retten, den Auftraggeber verrät?»

Claes zuckte die Achseln. «So viel Dummheit konnte er sich wahrscheinlich nicht vorstellen. Und vielleicht hatte er es eilig, vielleicht fand er niemand anderen.»

Augusta schwieg, aber ihre Miene verriet, daß sie mit dieser Erklärung nicht zufrieden war.

«Vielleicht ist Behrmanns Tod gerade jetzt aber doch ein Zufall», fuhr Claes fort. «Daß mich jemand töten will, um unser Handelshaus zu treffen, daß jemand eines meiner größten Schiffe zerstört, um mir zu schaden, ja. Aber warum Behrmann? Behrmann kannte alle meine Geschäfte, er war meine rechte Hand und die Hälfte meines Kopfes. Sein Tod ist ein großes Unglück, aber vor allem für die Menschen, die ihn schätzten. Es klingt hart, aber meine Geschäfte gehen auch ohne Behrmann weiter. Es gibt ein paar Turbulenzen, ein wenig mehr Mühe im Kontor, vielleicht auch Verluste. Doch an denen gehen wir nicht kaputt, und in ein paar Wochen wird jemand anderes seine Arbeit genausogut beherrschen. Tonbrinck ist zwar noch ein wenig jung...»

Er stockte und wurde blaß.

«Nein, Claes. Tonbrinck ist ehrgeizig. Aber er ist auch freundlich. Und in einigen Jahren wird er nach Lüneburg zurückkehren und einen guten Platz im Handelshaus seiner Familie einnehmen. Warum sollte er Behrmann töten? Nur um für ein oder zwei Jahre der erste in deinem Kontor zu sein?»

Claes seufzte. «Du hast recht, Augusta, ich muß achtgeben, nicht in jedem, der mit meinen Geschäften zu tun hat, einen Verschwörer zu sehen.»

«Könnte es nicht sein, daß der Überfall auf Martin ein Zufall war? Ein Räuber, der sich in der dunklen Nacht sicher fühlen konnte, der einen Fremden erschlägt, weil er hoffte, in dessen Taschen ein paar Münzen zu finden?»

«Das ist ein netter Gedanke, Augusta. Aber wir wissen beide, daß er nichts bedeutet als ein bißchen Hoffnung, daß unsere Welt immer noch in Ordnung ist. Martin hatte fünf Goldstücke in seinem Mantel, und auch den Ring an seiner rechten Hand hätte kein Räuber übersehen. Nein, nur Martin kann weiterhelfen. Wir sollten nach Struensee in Altona schicken. Der hat mein Bein kuriert, als Eisermann und Kletterich mich schon zum alten Eisen werfen wollten. Martin muß wieder aufwachen, und zwar schnell.»

«Das ist eine gute Idee. Schick Blohm nach dem jungen Doktor. Der scheint mir ein bißchen verrückt, aber wenn er damit die Menschen kuriert, soll er so verrückt sein, wie er mag.»

Claes erhob sich, froh, endlich etwas tun zu können. «Blohm soll besser den Pferdejungen schicken, der ist schneller.»

Der Alte würde murren, weil er einen so wichtigen Auftrag nicht selbst ausführen sollte, aber der Tag war naß und kalt, Claes wollte nicht, daß er seine Gicht spürte.

«Warte, Claes.» Augusta zögerte einen Moment. «Nehmen wir einmal an, der Komödiant ist doch ein gedungener Mörder. Dann hätten wir nicht nur Martin.»

Claes runzelte ungeduldig die Stirn. Er wußte, was sie sagen würde, aber er wollte es jetzt nicht mehr hören.

«Dann hätten wir auch den Komödianten. Du hast es gerade selbst gesagt. Falls er Behrmann tasächlich nicht nur um ein paar Goldstücke erstochen hat, sondern um dir zu schaden, muß er einen Auftraggeber haben. Das weißt du so gut wie ich. Warum sollte dir ein Komödiant schaden wollen? Der reist ständig herum und hat wahrscheinlich noch nie von Claes Herrmanns gehört. Wenn er wirklich ein gedungener Mörder ist, muß ihn also jemand dafür bezahlt haben. Entweder hier in Hamburg oder aber in einer der anderen Städte, in denen er in den letzten Monaten seine Komödien gezeigt hat. Geh zu ihm, versprich ihm ein Goldstück oder was immer er fordert, wenn er dir verrät, wer ihm den Auftrag gegeben hat...»

«Niemals, Augusta! Von mir aus soll der Kerl verfaulen. Und

wenn diese beiden Damen, seine Tanzmamsellen, glauben, ich würde jemals mit ihnen sprechen, so hoffen sie vergeblich, absolut vergeblich. Egal, wie ordentlich sie sich herausgeputzt hatten, als sie hier vor der Tür standen...»

«Halt, Claes! Welche beiden Damen oder – wie sagtest du? – Tanzmamsellen?»

«Zwei dieser Komödiantinnen. Sie waren hier und wollten mit mir sprechen. Ich habe sie gleich von Blohm hinauswerfen lassen. Wir sind schließlich nicht in Bremen, wo die Bürger ganze Schauspielersippen in ihre Salons einladen, obwohl die Geistlichkeit angeordnet hat, daß sie als Verfemte zu behandeln sind...»

«Eigentlich schade. Manche spielen doch recht schöne Stücke. In meiner Jugend waren die Komödien ja alle ziemlich derb, aber heute scheint mir, daß sich die Theaterkunst recht ernsthaft wandelt. Vielleicht sind wir einfach ein bißchen altmodisch, Claes. Und vielleicht auch ein wenig zu stolz und borniert.»

«Augusta, ich muß doch sehr bitten. Wir sind nicht – altmodisch, wie du es nennst. Wir leben unsere Tradition. Die ist das Fundament unserer Lebensart, vergiß das bitte nicht.»

«Und du vergiß bitte nicht, daß ich kein Kind bin, sondern deine alte Tante, der du Respekt schuldest.»

«Verzeih mir, Augusta. Ich bin so unbeherrscht in diesen Tagen. Aber manchmal», ein kleines Lächeln schlich sich in seine Mundwinkel, «erscheinst du mir jünger und unvernünftiger als Sophie.»

«Ach, mein Lieber, das ist ein nettes Kompliment für eine alte Frau, findest du nicht? Ohne ein bißchen Unvernunft wird das Herz kalt und der Verstand zu einem Kontobuch.»

Claes lachte. «Du bist eine heimliche Poetin, Augusta.»

Er verbeugte sich mit einer entschuldigenden Geste und küßte galant ihre Fingerspitzen. «Selbst ohne Schuhe. Aber was den Komödianten angeht, bleibe ich bei meiner Meinung. Es hat sowieso keinen Zweck, mit dem Kerl zu reden. Er behauptet stur, daß er unschuldig ist und sich an nichts erinnert. Wahrscheinlich war er so betrunken, daß er tatsächlich nicht mehr weiß, was er getan hat. Dieses Lumpenpack bringt nur Unglück. In ein paar Tagen wird ihm der Prozeß gemacht, auf der Streckbank wird er schon reden. Wenn er was zu reden hat.»

«Auf der Streckbank reden die Menschen viel, aber nur selten die Wahrheit, sondern vielmehr das, was ihnen das Entsetzen eingibt. Der Streckbank kannst du genausowenig trauen wie Irrlichtern im Moor.»

Claes fühlte Ärger in sich aufsteigen, der Hammer in seinem Kopf begann, heftiger zu schlagen. «Mag sein. Aber auch für Geld erzählen Menschen alles, was du hören möchtest. Ich denke nicht daran, zu dem dreckigen Lumpen in den Kerker zu steigen. Und ich wünsche nicht, daß irgendein anderes Mitglied meiner Familie das tut.» Zornig wandte er sich ab und ging hinaus. Die Tür fiel krachend hinter ihm ins Schloß.

Es sind die Männer, dachte Augusta verblüfft, die manchmal recht unvernünftig sind. Nicht die Frauen. Aber vielleicht hatten Männer und Frauen einfach nur ganz verschiedene Vorstellungen von dem, was vernünftig oder unvernünftig war.

Sie nippte an dem Salbeitee. Er war kalt geworden.

«Wie langweilig», murmelte sie und wußte nicht genau, ob sie den Tee oder die Traditionen meinte. Und dann beschloß sie, trotz des kalten Wetters zwei Besuche zu machen.

Christoph Gottlieb Holländer fror und schwitzte zugleich. Es hatte schon in der Nacht begonnen. Er hatte seine Frau geweckt und eine zweite Decke befohlen, aber die hatte nicht viel genützt. Zwar war er irgendwann wieder eingeschlafen, aber am Morgen schmerzte sein Kopf, die Gelenke waren steif, und der Gedanke an ein gutes Frühstück mit Gerstensuppe und gebratenen Eiern auf Speck bereitete ihm Übelkeit.

Die Influenza, dachte er und sagte seiner Frau, er habe eben zu viel gearbeitet. Sie würde nur nach dem Arzt schreien, den fürchtete er mehr als den Zahnreißer.

Gegen Mittag gab er auf. Doktor Kletterich ließ ihn zur Ader, das Messer war natürlich wieder nicht ordentlich geschärft, verordnete strenge Bettruhe, kalte Wickel und viel Schlaf. Er legte ein Säckchen mit Kräutern auf den Tisch, aus denen die Köchin einen starken Tee für den Kranken bereiten sollte.

«Wie lange?» fragte der und klapperte im Schüttelfrost grimmig mit den Zähnen.

«Das weiß Gott allein. Haltet Euch warm, laßt die Fenster fest verschlossen und betet. Wenn das Fieber steigt, laßt Euch ein feuchtes Tuch auf die Stirn legen, aber nicht zu lange. Das wird schon helfen, Gott ist gerecht.»

Kletterich war ein frommer Mann.

Christoph Gottlieb Holländer betete für gewöhnlich nur am Sonntagmorgen, wenn er mit seiner Frau und den sieben Kindern in die Kirche ging. Sonst hielt er es mehr mit der irdischen Gerechtigkeit. Er war erster Richter am Niederngericht, ein strenger Mann, und gerade in diesen Tagen wurde er für einen großen Prozeß gebraucht. Andere Prozesse mochten wichtiger sein, aber kaum einer würde so viel Aufsehen erregen.

Seit Tagen stellte er sich die gierige Menge vor, die darauf wartete, daß er, Christoph Gottlieb Hollander, Recht sprach und den Komödianten zum Tode am Galgen verurteilte.

Was für ein Spektakel! Zu Tausenden würden die Leute in Lumpen oder in Seide, auf Holzpantinen oder in gut gepolsterten Kutschen durch das Steintor hinaus zum Galgenfeld bei der Vorstadt St. Georg drängen. Wie immer, wenn einer gehenkt wurde, hatten die Schulkinder frei und fanden Platz in der ersten Reihe, damit sie erlebten, wohin ruchlose Taten führten.

Vielleicht würde er den Halunken auch aufs Rad flechten lassen. Das würde die Menge verdoppeln.

Der Mann in der Fronerei war schuldig. Er würde ihn schon zum Reden bringen, diesen schmierigen Komödianten. Im vergangenen Jahr hatte er ihn in der Komödienbude über die Bretter springen sehen. Nicht daß es ihm Vergnügen bereitet hatte, aber er, der oberste Richter, mußte wissen, worüber sich das Volk amüsierte. Dreimal hatte er dieser schweren Pflicht entsprochen, und wenn er ein wenig enttäuscht war, weil das Spiel auf der Bühne nicht halb so unzüchtig war, wie man ihm zugeflüstert hatte, so sprach er nicht darüber. Sodom und Gomorrha, hatte er seiner Frau berichtet und streng verboten, daß sie, wie einige ihrer würdelosen Freundinnen, die Komödienbude besuchte. Auch wenn das Theater neuerdings in einigen Kreisen als sittliches Amüsement galt – er schätzte keine neuen Moden.

Das Volk hatte zwar die Verse des Prinzipals nicht so beklatscht wie die derben Späße des dicken Hanswursts und die Beine der Balletteusen in fleischfarbenen Strümpfen, aber wenn der Komödiant vor seinem Richterstuhl stand, würde es ihnen egal sein, ob er Teufel, König oder griechischer Gott gewesen war. Das Gericht war Holländers Bühne, hier war er König. Der Komödiant hatte jetzt nur noch eine Rolle, die des Büßers. Es würde seine letzte sein.

Und nun lag er, Holländer, mit der Influenza im Bett wie ein altes zahnloses Weib, mit diesem Fieber, das in den letzten Wochen in den Höfen und Buden um St. Michaelis und St. Jakobi dem Tod kräftig zugearbeitet hatte. Was suchte die Influenza in seinem Haus? Gott war gerecht? Gott konnte sich auch einmal irren.

Christoph Gottlieb Holländer war wütend. Er schwor sich, daß er, egal, wie hoch das Fieber stieg, nicht zulassen würde, daß ein anderer Richter diesen schönen Prozeß, dieses größte Spektakel seit langem, an sich reißen würde.

Der Prozeß gegen den Mörder von Herrmanns' Schreiber mußte warten, bis er wieder gesund war. Und wenn es Wochen dauerte.

«Linde!»

Die Frau des Richters stellte seufzend ihre Kaffeetasse auf den Tisch. Sie hatte gehofft, daß er endlich schlief und sie und ihren Haushalt für eine kleine Stunde in Ruhe ließ. Sie prüfte in dem Spiegel über der Konsole den Sitz ihrer Haube und ging zu ihrem kranken, nörgelnden Mann.

Das Fieber mußte ihn verwirrt haben. Er trug ihr auf, dem Komödianten einen frischen Strohsack und zwei warme Decken in die Fronfeste bringen zu lassen. Und jeden Tag eine fette, warme Suppe, ein ordentliches Stück Brot und einen Becher Bier.

Der Richter wußte genau, was er befahl. Er wollte seinen Prozeß und das Galgenspektakel. Der mörderische Komödiant durfte nicht vorher sterben.

7. KAPITEL

DONNERSTAG VORMITTAG

Gleich nach dem Frühstück hatten Helena, Rosina und Gesine Streit. Sie waren allein. Rudolf ließ sich nur noch zum Essen und Schlafen aus der Komödienbude locken, Titus, Sebastian und Muto holten mit dem großen Wagen das Holz für die Reparaturen. Wo Lies steckte, wußte niemand. Sie ging immer ihre eigenen Wege.

Rosina hatte am vergangenen Abend die große Kiste mit den Texten aufgeklappt und drei Schauspiele für die ersten Aufführungen herausgesucht. Gesine war empört.

«Das sind ja nur diese dummen Schäferstücke! Kein einziges lehrreiches Drama. Bloß damit du wieder deine Beine zeigen kannst...»

«Meine Beine sind mir völlig egal.» Rosina sprang ärgerlich von der Bank auf, und Helena konnte gerade noch den umstürzenden Milchkrug auffangen.

«Wenn du essen willst, mußt du den Leuten Spaß bieten. Lehrreiches hören sie von der Kanzel. Aber von mir aus kannst du die Stücke aussuchen. Ich habe genug anderes zu tun.»

Gesine saß zornrot auf ihrem Hocker, doch bevor sie antworten konnte, schlug Helena mit der flachen Hand auf den Tisch.

«Hört auf, ihr beiden! Wir spielen ein Schäferstück und ein Ballett. Wie immer. Und wir spielen ein englisches oder deutsches Drama. Wie immer. Erst das Schäferstück, dann die Kunst, zum Schluß das Ballett. Rosina, setz dich wieder hin.»

Gesine schluckte. «Es tut mir leid, Rosina.» Um des lieben Friedens willen war sie immer schnell bereit, klein beizugeben. «Das mit deinen Beinen habe ich nicht so gemeint.»

«Du hast ja recht», Rosina, so schnell versöhnt wie erbost, lachte schon wieder. «Ich zeige sie wirklich gerne.»

Die anschließende Auseinandersetzung beschränkte sich auf sachliche Fragen, zum Beispiel, ob das Drama von Herrn Lessing, «Miß Sara Sampson», sich für die Hamburger eigne.

Danach murrte Helena über Rosinas unleserliche Schrift, nur um gleich darauf anzuerkennen, daß Rosina die Abschreiberei ja bei nächtlichem Kerzenschein und in Eile erledigen mußte.

Schließlich fand Rosina, daß es heute wohl wenig Sinn mache, an den Texten zu arbeiten. «Wir sind alle drei nervös und kratzbürstig. Ich gehe in die Stadt und höre, was die Leute sagen.»

«Paß auf dich auf, Rosina. Sei nicht wieder so leichtsinnig.»

Aber Rosina hörte sie schon nicht mehr, und Gesine wunderte sich, warum Helena plötzlich so besorgt um Rosina war.

Rosina hatte sich wieder in Friedrich Reichenbach verwandelt und war unbemerkt aus der hinteren Tür geschlüpft. Nur Sebastian, Titus und Helena wußten von ihrem Doppelspiel. Den anderen wollte sie nicht noch mehr Grund zur Sorge geben. Wenn sie in den schönen grauen Herrenrock schlüpfte, den Dreispitz unter dem Arm spürte und die Freiheit von ihrem Schnürkorsett genoß, vergaß sie manchmal selbst, daß sie eigentlich Rosina hieß. Dann war sie ganz und gar Friedrich Reichenbach, ein Freund der Komödianten.

Sie stand in der Gasse hinter dem Gänsemarkt und sah den Arbeitern zu, die die Reste des alten Opernhauses abtrugen. Sie waren fast fertig, die Wände waren schon verschwunden, und die Bretter, die für das neue Theater noch gebraucht werden konnten, lagen aufgestapelt in einer Ecke der Baustelle. Es waren nicht viele. Das Haus war alt gewesen, fast hundert Jahre, und das neue Gebäude sollte viel größer werden und brauchte stabileres Holz.

Noch in diesem Sommer sollte das Theater, das der berühmte Prinzipal Ackermann auf eigene Kosten bauen ließ, fertig sein. Ein mutiges Unternehmen, es war kaum vorstellbar, daß die Hamburger die Schauspiele genug liebten, um Ackermann und seiner großen Gesellschaft von mehr als 20 Personen ein Auskommen zu sichern. Aber Hamburg würde ein richtiges Theater haben. Ob es dann noch genug Zuschauer gab, um auch die Wanderkomödianten satt zu machen, war ungewiß.

Reichenbach unterdrückte einen Seufzer und schlenderte weiter. Es gab Tage, da verließ einen der Mut. Man mußte sie durchstehen und etwas tun, woran man glaubte.

Auf dem Jungfernstieg herrschte die Geschäftigkeit eines ganz normalen Arbeitstages. In Hamburg schienen immer alle Straßen voll zu sein. Es lebten einfach zu viele Menschen in den engen Mauern. Von ferne sah Reichenbach Claes Herrmanns mit großen Schritten auf das Rathaus zugehen. Er blieb kurz vor einer Vierländer Blumenfrau stehen, sah unentschlossen in ihre Körbe und eilte weiter.

Aus einem schön geschnitzten, hölzernen Portal eines der breiten Fachwerkhäuser, die diese Straße direkt am Wasser säumten, trat Thomas Matthews. Eine grazile Frau mit aufgetürmtem aschblondem Haar, eleganter als die meisten Hamburgerinnen und beweglich wie eine Libelle, folgte ihm. Reichenbach grinste. Eine ungewöhnlich frühe Stunde für einen Mann und eine Frau, die nicht die gleiche Adresse hatten, gemeinsam aus einem Haus zu treten. Die Frau war schlecht gelaunt. Sie fächelte sich mit kurzen, heftigen Schlägen, obwohl der Wind empfindlich frisch von der Alster wehte.

Reichenbach glitt hinter einen Karren und lauschte.

«Eure Cousine! Das mag ja sein. Obwohl Ihr nie von dieser Verwandtschaft auf Jersey erzählt habt. Aber sie ist eine Freundin von Herrmanns. Vergeßt das nicht.»

Matthews' Antwort war schon nicht mehr zu verstehen. Das Rattern des Wagens, in dem das Paar davonfuhr, übertönte jedes Wort.

Reichenbach mußte unbedingt herausfinden, wer diese Frau war und was sie so ärgerte.

Und Rosina mußte unbedingt herausfinden, was diese Frau mit Claes Herrmanns verband.

«Hier seid ihr alle!»

Gesine stand in der Stalltür und sah ärgerlich auf Helena, Rosina und Rudolf hinunter, die auf einem Heuhaufen hockten. Die Pferde der Komödianten und das dicke Lastpony der Krögerin scharrten unruhig mit den Hufen.

«Wieso versteckt ihr euch im Stall?»

«Mach die Tür zu, und setz dich zu uns.» Helena rückte ein wenig beiseite und klopfte mit der flachen Hand neben sich auf das Heu. «In der Komödienbude ist es viel zu kalt, und im Haus hat die Krögerin überall ihre großen Ohren.»

Gesine setzte sich neben Helena.

«Habt ihr mit Jean gesprochen?»

«Noch nicht», Rosina wickelte sich fröstelnd fester in ihr Wolltuch. «Die Fronknechte denken nicht daran, uns auch nur in die Wachstube zu lassen. In den Kerker dürfen wahrscheinlich nur der Richter und der liebe Gott persönlich. Und vor dem Fensterloch hockt eine Zwiebelverkäuferin. Der ganze Platz vor der Fronerei war am Vormittag voller Menschen. Es war wie auf dem Jahrmarkt.»

«Heute abend», fuhr Helena fort, «wenn alle bei ihrer Suppe sitzen, versuchen wir es noch einmal. Auch wenn wir nicht mit ihm reden können, so kann ich versuchen, ihm einen Brief durch das Mauerloch zu werfen. Dann weiß er immerhin, daß wir da sind und ihn rausholen werden. Auch wenn uns keiner dabei helfen will.»

Rosina war nach ihrer Begegnung mit Thomas Matthews und der schlechtgelaunten Dame auf dem Jungfernstieg zurück zum Krögerschen Haus gelaufen. Sie hatte es plötzlich satt, die Spionin zu spielen.

In der Dachkammer, die sie mit Helena teilte, war sie in ihr bestes Kleid geschlüpft. Sie hatte das burgunderrote Samttuch, das sonst nur aus der Kiste geholt wurde, wenn Helena eine Königin spielte, um die Schultern geschlungen und sich wieder auf den Weg gemacht. Auch der zweite Versuch, mit Herrmanns zu reden, war fehlgeschlagen. Der Diener hatte ihr gleich die Tür vor der Nase zugeschlagen. Aber es gab andere, die nicht so engstirnig waren. Bürger, die im letzten Jahr begeistert ihre Schauspiele beklatscht hatten, die von der neuen Zeit sprachen und Komödianten nicht als hergelaufenes Pack, sondern wie Menschen behandelten. Vor allem Jacques Klappmeyer, ein reicher Privatier, von dem es hieß, ihm gehöre die halbe Neustadt. Ein wirklich kunstsinniger Mensch und Jünger der neuen Geistesrichtung, ein Verehrer der Vernunft, die Menschen nicht nach ihrem Stand, sondern nach ihren Gaben und Verdiensten beurteilte.

Vielleicht hatte er seine Hände ein wenig zu gern in Rosinas Nähe gehabt. Aber wirklich nur ein wenig, und jetzt war nicht die richtige Zeit für Empfindlichkeiten. Rosina brauchte Hilfe, und Jacques Klappmeyer mußte als reicher Bürger Einfluß in der Stadt haben.

Wann immer sie ihn brauche, hatte er im letzten Jahr versichert und ihr innig die Hand geküßt, er werde dasein. Er hatte ein Fäßchen mit rotem französischem Wein geschickt und ein selbstgereimtes, sehr langes Gedicht dazugelegt. Der Wein war ausgezeichnet gewesen.

Rosina klopfte an die Tür des Klappmeyerschen Hauses in der Gröningerstraße. Niemand öffnete, doch irgend jemand mußte zu Hause sein, ein Diener oder die Köchin, zumindest ein Küchenjunge. Sie klopfte kräftiger. Schließlich wurde die schwere Tür einen Spaltbreit geöffnet. Klappmeyers Diener – sie erkannte ihn sofort, denn er hatte das Weinfäßchen gebracht und mit eifrigen Kratzfüßen überreicht – steckte die Nase durch den Spalt.

«Der Herr ist nicht da», flüsterte er und blickte mit flinken Augen nach links und nach rechts die Straße entlang.

«Dann laß mich hinein, damit ich ihm eine Nachricht schreiben kann.» Rosina wollte die Tür aufschieben, aber der Diener hielt sie fest. «Du weißt doch, wer ich bin, Putow. Dein Herr...»

«Mein Herr ist nicht da. Er ist auf Reisen. Für lange Zeit. Geh weg!» Mit beiden Händen machte er eine eilig flatternde Bewegung, als wollte er eine lästige Fliege verscheuchen. Dann fiel die schwere Tür ins Schloß. Rosina konnte gerade noch rechtzeitig ihre Röcke zur Seite raffen.

Sie trat zurück auf die Straße und sah an dem hohen Giebel hinauf. Hinter einem Fenster im ersten Stock erkannte sie einen Mann, der nervös an seinen Spitzenmanschetten zupfte. Als er ihren Blick bemerkte, trat er hastig in den Schatten des Zimmers zurück.

Jacques Klappmeyers Versprechen hielten offenbar nicht länger als eine Saison.

Bei Astrid Bellrich erging es ihr ähnlich. Auch sie hatte sich im vergangenen Jahr als begeisterte Verehrerin der Musen gezeigt. Die trüben Kaufleute, hatte sie gespottet, die nichts von der Kunst verstanden, nichts von der Empfindsamkeit einer künstlerischen Seele, sie seien ihr so einerlei. Sie liebe das Theater und ehre die Schauspieler, denn die Kunst könne nur von Gott kommen. Ganz gleich, was die Pastoren von der Kanzel predigten, die alten Männer seien ja bis tief in ihre Seelen völlig verstaubt.

Und nun ließ sie ihre Zofe an der Tür ausrichten, sie fühle sich nicht wohl. Und Madame, hatte das Mädchen mit einem herablassenden Blick hinzugefügt, interessiere sich in diesem Jahr nur für die Blumenzucht und für die Malerei. Die Komödianten seien ihr nicht gelehrt genug.

Wieder fiel eine Tür ins Schloß.

«Nicht gelehrt genug», schimpfte Gesine. «Diese dumme Gans. Wißt ihr noch, wie sie sich einen Lorbeerkranz auf ihr Haar legte und Molière deklamierte? Und überhaupt nicht merkte, daß die Verse von Racine waren? Wie eine rostige Leier hat sie deklamiert, eine Schande für die Kunst!»

Rosina, Helena und Rudolf starrten sie verblüfft an.

«Gesine!» Rudolf grinste breit. «Wie schön du schimpfen kannst!»

«Und wie laut», sagte Sebastian, der in diesem Moment die Stalltür öffnete, «man hört dich über den ganzen Hof. Warum sitzt ihr alle hier bei den Pferden? Lest ihr ihnen Verse vor?»

«Damit die Krögerin uns nicht belauscht», kicherte Helena. «Wo warst du, Sebastian? Wir haben dich gesucht. Wenn uns nicht schnell einfällt, wie wir den Messerstecher finden, kommt jede Hilfe für Jean zu spät.»

«Ich war...»

«Ja, ja», unterbrach ihn Rosina unwirsch. Sie wollte gar nicht wissen, an welcher Brücke er geträumt hatte. «Du warst am Wasser spazieren. Jetzt wach auf, setz dich hin und hilf uns denken.»

«So höre doch...»

«Nein, jetzt hörst du. Wir haben keine Zeit.»

Sebastian zuckte gleichmütig mit den Schultern und setzte sich auf eine Tonne. Muto, der hinter ihm durch die Tür geschlüpft war, hockte sich neben ihm auf den Boden.

Rosina schritt nervös auf und ab.

«Steh still. Du machst die Pferde wild.»

Sie warf Sebastian einen ärgerlichen Blick zu und lehnte sich unruhig gegen einen Pfosten.

«Laßt uns überlegen, was wir bisher unternommen haben und was nun zu tun ist. Wir haben versucht, mit Claes Herrmanns zu sprechen. Er hat uns gleich hinauswerfen lassen. Wir haben versucht, mit Jean zu sprechen, die Fronknechte waren noch unverschämter als der Kaufmann. Ich habe versucht, unsere einflußreichen Kunstfreunde um Hilfe zu bitten. Wir wissen nun, daß sie keine Freunde sind. Wenn ein wenig Courage gefordert ist, lassen sie uns und die Kunst mitsamt allen Musen freudig untergehen.»

«Warst du auch bei den Jacobs?» fragte Helena.

Rosina schüttelte den Kopf. «Die waren doch im letzten Frühjahr nur ein paarmal im Theater.»

«Sie haben einen Korb mit Pfirsichen geschickt.»

«Aber sie haben niemals gesagt, wir könnten auf sie zählen. Es hat mir genügt, zweimal abgewiesen zu werden wie eine schwindsüchtige Bettlerin. Wir können uns nur auf uns selbst verlassen.»

«Das ist doch eine ganze Menge», brummte Rudolf. «Da wissen wir wenigstens, woran wir sind.»

«Vielleicht ist Jean auch ohne fremde Hilfe bald frei.» Sebastian strich Muto über das Haar, der sich schläfrig gegen seine Knie gelehnt hatte.

«Wenn Rosina mir nun erlauben würde zu sprechen...»

«So rede doch. Hat man den Mörder etwa gefunden?»

«Nein, das nicht. Aber er hat wieder zugeschlagen.»

«Ist Herrmanns tot?» rief Rosina.

«Nein, nicht Herrmanns. Der Kaufmann, der in Lissabon seine Geschäfte führt, ist hier im Hafen beinahe totgeschlagen worden. Gestern in der Nacht. Vielleicht ist er inzwischen auch schon ganz tot. Die Leute auf den Straßen sind sich noch nicht einig. Und ich fand es nicht sehr passend, den Kaufmann selbst zu fragen.»

«Aber das beweist doch, daß Jean unschuldig ist. Wenn der Mörder wieder jemanden erstochen hat...»

«Diesmal hat er kein Messer genommen, sondern einen Knüppel», unterbrach Sebastian die aufgeregte Helena.

«Die ganze Geschichte ist ziemlich geheimnisvoll. Er kam gestern nachmittag auf einer portugiesischen Brigg an, und die Leute sagen, daß er sich auf dem Schiff verborgen hat, bis es ganz dunkel und still war. Einige glauben, weil er Angst hatte, andere, weil eine ansteckende Krankheit sein Gesicht entstellt hat. Das Mädchen, bei dem die Köchin von Doktor Kletterich Fisch kauft, sagt, Sievers liegt im Herrmannsschen Haus, rührt sich nicht und kämpft mit dem Tod. Aber der Doktor meint, er wird wohl kaum wieder aufwachen.»

«Und woher kennst du das Fischmädchen?» fragte Rosina spitz.

«Auf den Brücken kommt man leicht ins Gespräch.»

Rosina sah ihn streng an. Sie hatte sich nie viel Gedanken über Sebastian gemacht, aber jetzt sah sie, daß er sich in den zwölf Monaten, die er nun mit der Beckerschen Gesellschaft lebte, verändert hatte. Während der langen Wanderungen kreuz und quer durch das Land war aus dem schmächtigen, blassen Studenten ein schlanker junger Mann geworden. Trotz seiner Schweigsamkeit war er nicht mehr die graue Gestalt, die alle übersahen. In seinen Augen lagen nun Neugier, Anteilnahme und Energie, seine Schultern waren breiter, sein einst gebeugter Rücken gerade. Er bewegte sich leicht und kraftvoll.

Er war kein guter Schauspieler. Auf der Bühne gerieten seine Sprache hölzern, seine Gesten steif. Das Pathetische lag ihm nicht, und immer wieder brachte er die Verse durcheinander. Aber zur Überraschung aller erwies er sich bald als kühner Akrobat. Hinter der Bühne und unterwegs tat er, was getan werden mußte, keine Kiste war ihm zu schwer, keine Arbeit zu schmutzig, und die Pferde waren seine Brüder. Wie Muto, dieses eigentümliche, stumme Kind, das nie von Sebastians Seite wich.

Und nun fängt er mit Fischmädchen an, dachte Rosina und rümpfte ärgerlich die Nase. Er wird wohl erwachsen. Dabei übersah sie großzügig, daß Sebastian ein ganzes Jahr älter war als sie selbst.

«Gut gemacht, Sebastian», lobte Helena. «Wußte sie, wer du bist?»

«Dann hätte sie kaum mit mir gesprochen. Ich habe in den Straßen nicht gerade Gutes über die Komödianten gehört. Aber die Leute hier erkennen mich nicht. Ich war ja erst einmal in dieser Stadt, und», er grinste vergnügt, «meine Schauspielkunst hat sicher wenig Eindruck hinterlassen.»

«Und du denkst, weil noch ein anderer Mann aus Herrmanns' Haus überfallen worden ist, werden die Pfeffersäcke Jean freilassen? Warum?»

«Weil doch kaum gleich zwei Mörder hier herumlaufen, die es auf Herrmanns und seine Leute abgesehen haben. Jean saß gestern nacht im Kerker. Er konnte niemandem einen Knüppel auf den Kopf schlagen. Es war also ein anderer. Sicher derselbe, der auch den Schreiber erstochen hat.»

Helena faltete mit einem kleinen Seufzer die Hände im Schoß. «Ich glaube nicht, daß hier irgend jemand so vernünftig denken wird.»

Diese Stadt war groß und voller Menschen, die einander nicht kannten. Hunger und Armut gab es überall, und sicher mehr als zwei, die einem Mann für ein paar Münzen den Kopf einschlugen oder ein Messer ins Herz stießen.

«Das ist Hamburg, nicht Wittenberg oder Celle.»

«Trotzdem.» Rosina nahm wieder ihre unruhige Wanderung durch den Stall auf, zwei Schritte hin, zwei Schritte her, mehr Platz gab es nicht.

«Trotzdem», sagte sie noch einmal und blieb stehen. «Es ist doch ein Hinweis. Irgend jemand will dem Kaufmann schaden. Das muß mittlerweile auch ein Blinder erkennen. Das Schiffsunglück, der Schreiber, nun der Mann aus Lissabon. War das Schiffsunglück nicht auch in Lissabon?»

Alle nickten.

«Du siehst aus, als würde dir die ganze Geschichte Spaß machen.»

«Spaß? Nein, Helena. Aber ist es nicht tatsächlich besser als jede Tragödie in Versen? Der Komödiant und der Kaufmann, die Suche nach dem Mörder.»

Sie begleitete ihre Worte mit einer kleinen, eiligen Scharade, verzog ihr Gesicht zur Narrenfratze, mimte den herablassenden Bürger und den mordlustigen Gauner. «Ach», rief sie schließlich und breitete lachend die Arme aus, «vielleicht ist dieses Unglück am Ende doch ein Glück. Es schadet Jean gar nichts, wenn er mal ein paar ungemütliche Tage abbrummen muß. Und wir machen eine wunderbare Komödie daraus, wenn das alles vorbei ist. Die Menschen werden sich um die Plätze schlagen. Sie werden jeden Preis bezahlen...»

«Du versündigst dich, Rosina», rief Gesine. «Hier geht es

nicht um Verse, sondern um Menschen. Um Gottes Geschöpfe», fügte sie hinzu und schlug für einen Moment fromm die Augen nieder. «Und um uns. Ihr habt etwas vergessen. Haben die Leute nicht gesagt, Jean hätte einen Helfer gehabt, der die Goldstücke des Schreibers fortschaffte? Werden sie jetzt nicht sagen, dieser Helfer hat den Mann aus Lissabon überfallen? Und werden sie ihn nicht zuerst bei uns suchen?»

«Heilige Thalia», flüsterte Rosina, «daran habe ich nicht gedacht.»

Die glückliche Hoffnung auf ein schnelles und gutes Ende der unseligen Geschichte war davongeweht wie ein trockener Strohhalm im Wind.

«Wo sind eigentlich Lies und Titus?» fragte Sebastian in die düstere Stille.

Lies saß bei der Krögerin am Ofen, wie Rudolf zu berichten wußte. Sie besprach einige Warzen, die im Winter am Hals der Wirtsfrau gewachsen waren, und las ihr aus dem Satz ihres Mittagskaffees die Zukunft.

Wo Titus steckte, wußte niemand.

Elsbeth lebte schon fast ihr ganzes Leben lang im Hause Herrmanns. Als sie acht Jahre alt war, vielleicht neun, genau erinnerte sie sich nicht mehr, wurde sie vom Waisenhaus in den Neuen Wandrahm geschickt. Ein großes Glück für ein Kind, das niemandem gehörte.

Zitternd trat sie durch die Seitentür des großen Hauses in die Küche. Im Waisenhaus erzählte man schreckliche Geschichten von Kindern, die in den reichen Familien zu Tode geschunden wurden. Aber auch wunderbare von Zimmern, in denen es immer warm war, von eigenen Kleidern und Bergen von Milchklößen mit Zimt und Honig.

Doch ihre Angst mischte sich mit Hoffnung. Elsbeth war gewöhnt, hart zu arbeiten, und auch der Hunger, ihr ständiger Gefährte in der Nacht, konnte kaum schlimmer werden. Das Leben in einem so schönen Haus würde sicher nicht bitterer sein als in den verlausten Schlaf- und Arbeitssälen der tausend Waisenkinder nahe dem Schaartor.

Sie hatte Glück. Auch ihr neues Leben war nicht gerade ein Paradies. Aber sie mußte nun nie wieder hungern. Sie hatte einen warmen Platz am Feuer, immer ein reines Kleid, und niemand schlug sie.

Die Köchin, die hagere, wortkarge Gerda, merkte schnell, daß dieses Kind, von dem niemand wußte, wer seine Eltern waren, einen wachen Verstand und ein Talent für die Küche hatte. Nach einem halben Jahr schickte sie nach einem anderen Kind, das auf die Feuer achten und den Schmutz hinaustragen mußte. Elsbeth, kaum groß genug, um über den Küchentisch zu gukken, rührte nun die Soßen, lernte feine Kuchen zu backen, und der Kräutergarten gedieh unter ihren kleinen Händen wie nie zuvor.

Die Köchin lehrte das Kind alles, was sie selbst konnte. Als Elsbeth achtzehn war, starb Gerda in einem besonders nassen Winter am Fieber, und Elsbeth nahm ganz selbstverständlich ihren Platz ein. Sie trauerte lange um die strenge Frau, die ihr einen warmen Platz in der Welt gegeben hatte.

Elsbeth vergaß ihre hungrigen Waisenhausjahre nie. Sie erinnerte sich an die vielen Jungen und Mädchen, die in den stickigen Sälen immer blasser und magerer wurden, bis sie an der Schwindsucht, am Fieber, an der Cholera, an Masern und Diphtherie oder einfach an Mutlosigkeit starben. Nur die Zähesten überlebten, und sie wußte nicht, ob sie dazugehört hätte.

Das war mehr als dreißig Jahre her, aber Elsbeth, die absolute Herrscherin über Küche, Garten und Keller im Herrmannsschen Haus, vergaß nie, woher sie gekommen war. Immer noch schickte das Waisenhaus magere Kinder zur Arbeit, und jedes von ihnen fand auch in dieser Köchin eine strenge, aber freundliche Herrin.

Manchmal, wenn die Nacht Sturm oder Gewitter brachte, träumte sie von dem elenden Schmutz, von dem röchelnden Husten der Kinder in der Nacht, von dem Jucken der Haut voller Krätze. Wenn sie dann erwachte, schreckensstarr und schweißgebadet, kroch sie aus ihrem warmen Bett, zündete eine Kerze an und dankte Gott für die Gnade, die sie in dieses Haus geführt hatte. Elsbeth glaubte an einen milden und gütigen Gott, und sie bemühte sich, ihm nachzueifern, auch wenn es ihr nicht leichtfiel, denn ihr Temperament war nicht weniger aufbrausend, ihre Zunge nicht weniger spitz als die ihrer Lehrmeisterin. Ein paar böse Mäuler behaupteten, das sei gewiß kein Zufall. Schließlich müsse auch ein Waisenkind von einer Frau geboren worden sein.

Elsbeth zog ihr Tuch fester um die molligen Schultern. Ein frischer Wind wehte um die Katharinenkirche. Es war wirklich zu kalt für April. Kein Wunder, wenn Blohm wieder an der Gicht litt. Sie sah in ihren Korb, und eine kleine Falte stieg über ihrer Nasenwurzel auf. Ein paar Wochen noch, dann würde es wärmer sein, und die Vierländer Bäuerinnen, die ihre flachen Boote an der Trostbrücke festmachten, würden wieder mehr bieten als Zwiebeln, Kohl, schrumpelige Rüben und getrocknete Bohnen.

In ihrer Küche köchelte ein fettes Huhn über dem Feuer. Hühnerbrühe war immer noch das Beste für einen Kranken. Martins Geist schien unerreichbar. Aber es war Elsbeth gelungen, ihm ein paar Löffel Brühe einzuflößen. Solange er schluckte, wollte er leben.

Hauptsache, Kletterich brachte ihn nicht um.

Sie pikte mit dem Finger in den Schellfisch, den sie, in ein sauberes Tuch gewickelt, auf das Gemüse gelegt hatte. Auch nicht gerade ein Prachtstück, dachte sie, aber mit einer ordentlichen Prise getrocknetem Dill, ein wenig Rahm oder Butter würde er schon delikat werden.

Elsbeth mochte den April nicht. Der Keller war fast leer, die Kräuter hatten nur noch wenig Aroma, und die Sehnsucht nach der wärmenden Sonne war fast so groß wie die nach dem Geschmack von jungen Karotten, Lauchzwiebeln und frischer Petersilie. Überhaupt mochte Elsbeth das Gefühl von Sehnsucht nicht. Es machte unruhig und unentschieden, störte den Gleichmut des Herzens und den ruhigen Schlaf.

«Verflixt, du Lausebengel, so paß doch auf...»

Ein heftiger Stoß hatte Elsbeth aus ihren Gedanken gerissen. Der Fisch war mitsamt dem Tuch aus dem Korb gehüpft, als wäre er noch lebendig, und lag nun im Schmutz der Straße.

«Sofort hebst du den Fisch auf und entschuldigst dich, du Tölpel!»

Ein großer Mann mit dickem gelbem Haar hatte den Jungen, der sich eilig davonmachen wollte, am Ohr erwischt und zog ihn heran. Jammernd griff das Kind, kräusellockig und pausbäckig wie ein Cupido, nach dem Fisch, warf ihn zurück in den Korb und rannte mit großen Sprüngen davon.

«Ich hoffe, Euch ist nichts geschehen.» Der Fremde sah Elsbeth besorgt an. «Ihr seid ganz blaß. Nicht, daß Euch die Blässe nicht kleiden würde, alles kleidet Euch, darauf will ich jederzeit schwören. Aber bevor der wilde Kerl Euch umrannte, war Euer schönes Gesicht doch rosig wie ein Sonnenaufgang im Mai. Gebt mir Euren Korb und nehmt meinen Arm. Ich werde Euch nach Hause begleiten. Nein, keine Widerrede, so ein Schrecken ist ganz ungesund. Er macht das Blut dick und die Füße schwach. Ihr braucht jetzt einen starken Arm...»

So ließ sich Elsbeth, in deren rotwangigem rundem Gesicht bis zu diesem Morgen noch niemand eine kleidsame Blässe entdeckt hatte, am starken Arm eines dicken Herrn bis in ihre Küche begleiten. Und weil sie wußte, daß Dankbarkeit eine Tugend ist, lud sie ihn zu einem stärkenden Frühstück ein. Sie ließ nie Fremde in ihre Küche, aber schließlich hatte er sie gerettet – wer weiß, ob sie nicht doch auf dem Heimweg einen Anfall von Schwäche erlitten hätte –, und daß er ein guter Mensch war, hatte sie gleich gesehen.

Jules Braniff hatte ausgezeichnet geschlafen. Das Hotel zum Kaisershof am Neß war erstklassig. Es bot saubere Betten, honorige Gäste und einen wirklich bemerkenswerten Weinkeller.

Matthews hatte ihm in männlichem Einverständnis zugezwinkert, als er die Gastfreundschaft des Engländers höflich ausschlug, weil er einfach lieber in Gasthäusern wohnte. Aber Matthews' Vermutung war falsch. Nicht die Mädchen und der Wein machten die Nächte in bezahlten Betten für den Captain so angenehm. Er fühlte sich dort einfach wohler als in einem Bürgerhaus mit seinen Regeln und strengen Ritualen.

Die Vermutung seiner Schwester, er meide den längeren Aufenthalt bei ordentlichen Menschen aus Furcht, doch noch auf den Geschmack am Familienleben zu kommen, war natürlich absurd.

Braniff hatte Hamburg erst einmal angelaufen, und das war viele Jahre her. Seine Häfen in Europa waren London und Bristol, Santander, Bordeaux und vor allem seine Heimatstadt St. Aubin auf Jersey. Und ab und zu Lissabon. Aber am wohlsten fühlte er sich an den Küsten der Inseln im Karibischen Meer. Irgendwann würde er sich dort niederlassen, auf Martinique vielleicht oder auf Hispaniola, der blühendsten aller Inseln.

Die Küsten von Virginia und Maryland gefielen ihm noch besser, und in einigen Jahren würde dort viel Geld zu verdienen sein. Aber diese puritanischen Neuengländer verdrängten immer mehr von der alten französischen Lebensart. Sie schienen ihm nicht die richtige Gesellschaft für ein angenehmes Leben.

Er schlenderte über die Brodschrangen, blieb auf der Zollenbrücke stehen und sah den Führern von zwei schwerbeladenen Schuten zu, die versuchten, ihre flachen Kähne aneinander vorbeizustaken. Die Flut hatte die Fleete gefüllt. Mit der nächsten Ebbe wurden die kleineren Fleete wieder zu seicht, und die Schutenführer beeilten sich, ihre Waren von den Schiffen im Hafen zu den Speichern zu bringen.

Braniff hörte dem Geschrei der Männer eine Weile zu. Er verstand Deutsch und Holländisch, und auch wenn ihr Dialekt ein wenig nach beidem klang, konnte er nicht heraushören, ob sich die beiden beschimpften oder sich gegenseitig bei ihrem Manöver halfen.

Als der Captain Herrmanns' Haus am Neuen Wandrahm erreichte, pfiff er leise durch die Zähne. Gar nicht so übel. Er hatte sich eines dieser schmalen, hohen Häuser vorgestellt, in denen sich Familie und Geschäft auf engem Raum drängten, Wohnstuben und Lager kaum voneinander zu trennen waren und das offene Feuer in der Diele jedem Besucher das Aroma einer alten Schinkenwurst mit auf den Weg gab.

Aber die meisten Häuser in dieser Straße waren anders. In solidem Stein gebaut, verputzt und doppelt so breit wie die älteren Fachwerkhäuser in den engen Straßen zwischen dem Dom und St. Nikolai, zeugten sie vom Reichtum ihrer Besitzer. Das steinerne Portal und die doppelflügelige Tür des Herrmannsschen Hauses waren reich mit Weinlaubgirlanden, Muschelschnitzereien und Blumenornamenten verziert. Über allem wachte eine Putte und sah einladend auf die Gäste dieses Hauses herunter.

Braniff kniff die Augen zusammen, der Hausspruch über dem Portal war schon ein wenig verwittert: ‹Facilis est repraehendere quam imitari.› Er kramte mühsam in seinen verschütteten Lateinkenntnissen: ‹Es ist leichter, zu tadeln, als nachzumachen.› Oder so ähnlich.

«Gefällt Euch mein Haus? Mein Großvater muß aus irgendeinem Grund ein schlechtes Gewissen gehabt haben.»

Mißmutig betrachtete Claes den Hausspruch seiner Familie. «Habt Ihr schon auf mich gewartet? Bis um zwei ist in Hamburg immer Börsenzeit.»

Jules hatte sich nicht um die Zeit gekümmert. Auf See wußte er immer, wie spät es war, aber an Land versagte sein Zeitgefühl völlig. «Ich hoffe, es geht Eurem Mann aus Lissabon besser.»

«Ihr seid bemerkenswert gut informiert, Captain.»

«Nichts läuft so flink wie eine schlechte Nachricht.»

Claes nickte und öffnete die Tür.

Im Kontor herrschte große Unruhe. Tonbrinck, der nun Behrmanns Platz als erster Schreiber eingenommen hatte, stand mit den fünf anderen Schreibern am Kachelofen. Als Claes und Braniff eintraten, verstummten ihre aufgeregten Stimmen.

«Egal, was ihr gehört habt», schnauzte Claes, «Martin lebt. Es geht ihm nicht gut, aber ich bin sicher, er wird wieder ganz gesund. Und jetzt an die Arbeit. Oder habt ihr nichts zu tun?»

Grimmig schritt er durch das Zimmer der Schreiber und betrat sein Kontor. «Was ist das?»

Neben dem Schreibtisch stand ein Faß.

Bevor Tonbrinck erklären konnte, daß zwei Männer das Faß früh am Morgen geliefert hatten, schloß Braniff energisch die Tür. «Das ist ein Gruß von mir.» Mit beiden Händen strich er zärtlich über die dicken hölzernen Rundungen. «Unser gemeinsamer Freund Paul bat mich, Euch einige Fässer dieser Art zu bringen. Dieser besonderen Art. Als Probelieferung. Wenn sie Euch gefällt, können wir ins Geschäft kommen. Denn das war ja wohl der Grund für Euren letzten Besuch auf Jersey. Als mein Schiff vor St. Aubin vor Anker lag, lagt Ihr leider in tiefem Schlaf und sorgtet für dunkle Ringe unter den Augen unserer schönen Anne. Hier», er reichte Claes ein kleines Stemmeisen, «macht auf.»

«Habt Ihr immer so ein Werkzeug in der Tasche?»

Braniff schüttelte lachend den Kopf.

«Nur wenn es gebraucht wird. Macht auf.»

«Zucker», rief Claes, als er das Deckelbrett endlich gelöst hatte. Skeptisch leckte er an einem groben dunkelbraunen Klumpen. «Nicht gerade die edelste Sorte. Und, verzeiht, aber Zucker war nicht der Grund für meinen Besuch auf der Insel.»

«Stimmt, und das hier ist auch noch der billigste von San Domingo.»

Braniff griff nach dem elfenbeinernen Lineal auf Claes' Schreibtisch, stocherte in den klebrigen Kristallen und nickte zufrieden. «Bitte», er reichte Claes das Lineal. «Versucht selbst.»

Mißtrauisch schob Claes das Lineal in den Zucker und spürte schnell einen Widerstand.

«In jedem Faß ist Zucker», erklärte der Captain, «und in jedem Faß versteckt sich darin ein Sack aus Ölzeug. Den Zucker solltet Ihr einem Feind andrehen oder in einen Eurer Fleete schütten, um die Lachse zu mästen. Aber mit den Säcken macht Ihr gute Geschäfte. Kaffeebohnen, mein Freund.» Braniff lachte vergnügt. «Direkt von den Plantagen und ganz frei von diesen lästigen Abgaben an irgendeinen König.»

DONNERSTAG NACHMITTAG

St. Katharinen schlug schon drei, als sich die Sonne durch die grauen Wolken drängte. Elsbeth öffnete den Riegel und schob das hölzerne Gatter beiseite. Der Garten, den Herrmanns vor dem Steintor gepachtet hatte, war nur klein. Aber er war allein Elsbeths Reich, ihr ganzer Stolz und das Geheimnis ihrer Kochkunst.

Allerdings nur noch bis zum Juni. Dann sollte das Haus auf dem großen, neuen Gartengrundstück in Hamm fertig sein, und die Familie würde die Sommer nicht mehr in der stickigen, viel zu eng gewordenen Stadt verbringen.

Das alte Grundstück in den Horner Auen hatte Claes nach Maria Herrmanns' schrecklichem Tod in dem hölzernen Gartenhaus verkauft. Zu einem schlechten Preis, niemand in der Stadt wollte einen Sommersitz auf der Asche des Hauses bauen, in dem Maria verbrannt war.

Seit jener Tragödie hatte Claes keinen der Gärten vor der Stadt betreten. Selbst die Sommerfeste, das Vergnügen der reichen Hamburger Bürger, mied er seither.

Erst im letzten Herbst, als die späte Hitze wie eine erstickende Decke wochenlang über der Stadt lag und der Gestank aus den Fleeten und Höfen unerträglich wurde, hatte er einen neuen Garten vor den Toren gekauft. Der frühere Besitzer, ein holländischer Gesandter, wollte nach Amsterdam zurückkehren. Sein

Sommerhaus war eine hübsche Villa aus massivem Backstein. Die Handwerker hatten schon begonnen, sie zu renovieren und neu einzurichten.

Elsbeth wollte auch dort einen Kräutergarten anlegen, aber sie konnte sich nicht vorstellen, daß der Hammer Sand ihren Kräutern dasselbe köstliche Aroma geben würde wie die saftige Marscherde vor dem Steintor. Veränderungen hatten Elsbeth immer beunruhigt.

Sie schob vorsichtig ein wenig von dem Stroh beiseite, das die Kräuterbeete vor dem Winter geschützt hatte. Bald konnte es auf den Misthaufen. Für manche Menschen fing der Frühling am Ostersonntag an, für andere mit dem ersten Huflattich oder dem Gesang der Amseln. Für Elsbeth begann der Frühling mit dem Tag, an dem sie den Garten von seinem vermoderten Winterpelz befreite.

Sie spürte wohlig die Aprilsonne auf ihrem Rücken und hob behutsam das nasse, fast verrottete Stroh von den Petersilien- und Selleriepflanzen. Zwischen abgestorbenem altem Kraut zeigten sich erste grüne Spitzen.

«Für euch beide ist es wohl schon warm genug», murmelte sie und schob noch mehr Stroh beiseite.

Ihre Finger spürten einen Stein und zogen ihn aus der Erde. Als sie ihn gerade auf den Weg werfen wollte, fühlte sie, daß es kein gewöhnlicher Stein war. Sie rieb ihren Fund vorsichtig mit einem Schürzenzipfel ab, und er begann rot zu schimmern. Durch den Schmutz hindurch erkannte sie eine goldgefaßte Kamee. Ein Meister der Goldschmiedekunst hatte eine halbgeöffnete Rosenblüte und einen winzigen Käfer in den roten Stein geschnitten. Die Fassung glänzte nun in der Sonne, und Elsbeth betrachtete das Kleinod von allen Seiten.

Die Kamee konnte weder Sophie noch Frau Augusta gehören. Beide kamen nie hierher. Sophie hatte keinen Sinn für die Gärtnerei, und ihrer Großtante war der Weg vor das Tor zu weit. Sie zog ihre Hyazinthen an einem der großen Vorderfenster am Neuen Wandrahm.

Elsbeth war ganz sicher. Sie hatte die Kamee nie zuvor gesehen. Schließlich steckte sie das Schmuckstück in ihre Schürzentasche, nahm einen kleinen Dreizack aus dem Korb und begann, die feuchte schwarze Erde um die erwachenden Petersilien- und Selleriepflanzen herum aufzulockern.

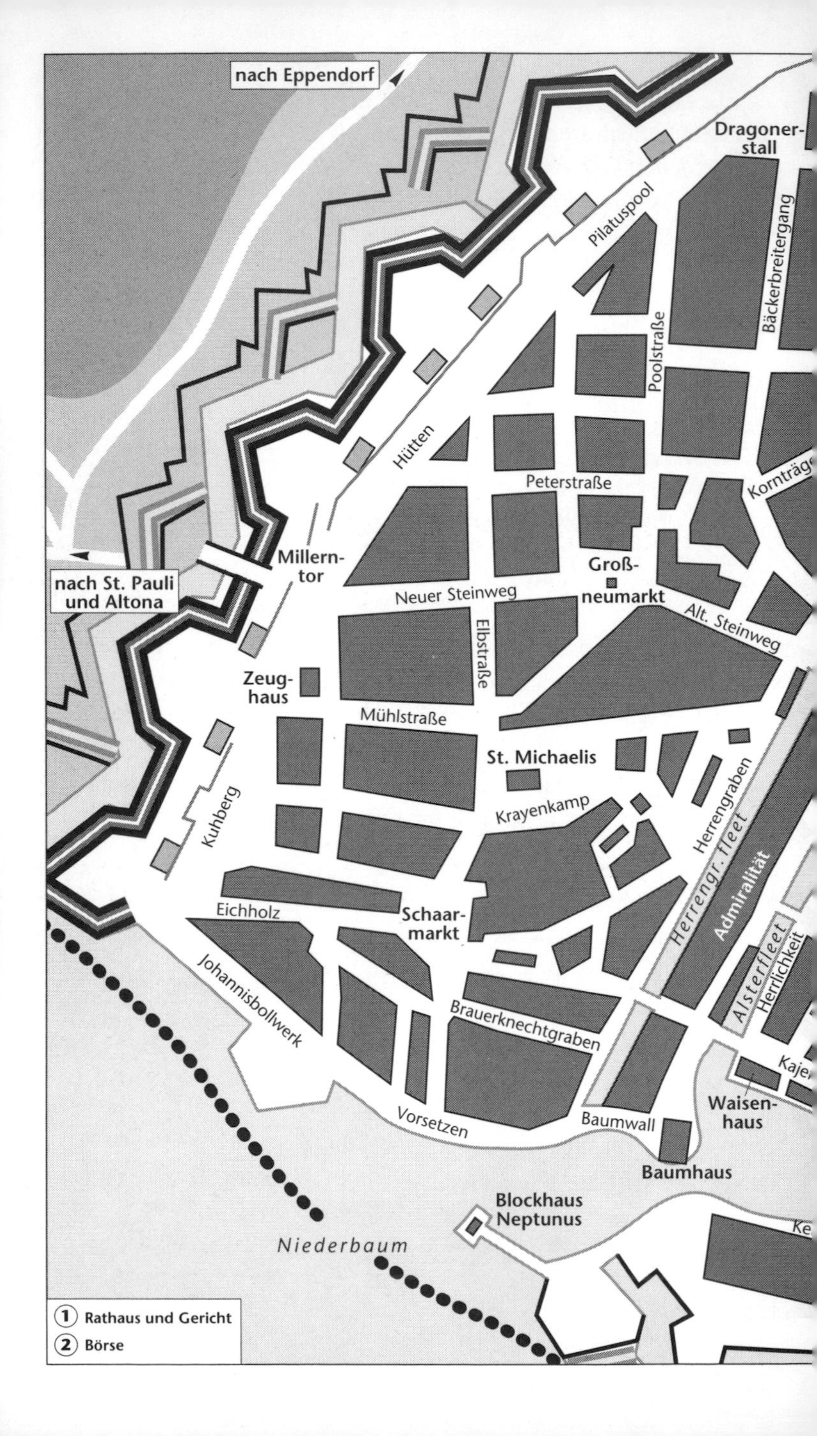
nach Eppendorf
Dragoner-stall
Pilatuspool
Bäckerbreitergang
Poolstraße
Hütten
Peterstraße
Kornträge
Millern-tor
Groß-neumarkt
nach St. Pauli und Altona
Neuer Steinweg
Alt. Steinweg
Elbstraße
Zeug-haus
Mühlstraße
St. Michaelis
Kuhberg
Krayenkamp
Herrengraben
Herrengr. fleet
Admiralität
Eichholz
Schaar-markt
Alsterfleet
Herrlichkeit
Johannisbollwerk
Brauerknechtgraben
Vorsetzen
Baumwall
Waisen-haus
Baumhaus
Blockhaus Neptunus
Niederbaum
1 Rathaus und Gericht
2 Börse

nskamp
Dammtorstraße
Caffamacher Reihe
Gänse-
markt
Opernhof
ABC-Straße
Binnenalster
Jungfernstieg
Hinter d. Bleichen
Drillhaus
Holzdamm
Gr. Bleichen
Werk- und
Zuchthaus
Spinnhaus
zur Vorstadt
St. Georg
Raboisen
fleet
Bleichen-
wiete
Rosenstraße
Alstertor
Neuer Wall
Kleine Alster
Johannis-
kloster
Marktstraße
Dreckwall
Pferde-
markt
St.
Jakobi
Berg
St.
Petri
Monkedamm
Speersort
Steinstraße
Fronerei
Zum Steintor
Stift
Burstah
Dom
Springeltwiete
Neß
Gr. Reichenstraße
Fisch-
markt
Niedernstraße
St.
Nikolai
Kl. Reichenstraße
Deichstraße
Neue Burg
Brandstwiete
Meß-
berg
fleet
Gröninger Straße
Grimm
Katharinenstraße
Cremon
Zippelhaus
Dovenfleet
St.
Katha-
rinen
Katharinenfleet
Neuer Kran
Neuer Wandrahm
Alter Wandrahm
Bei den Mühren
Holl. Reihe
Holländ. Brook

8. KAPITEL

DONNERSTAG NACHMITTAG

Es war ganz unmöglich. Claes strich mit den Fingerspitzen über die Rose und den kleinen Käfer. Es gab keinen Zweifel. Das Schmuckstück in seiner Hand war die Kamee.

Wann hatte er sie ihr geschickt? Vor acht Wochen? Neun? Wie kam der Stein, den er mißachtet in Anne St. Roberts' Schatulle auf Jersey vermutete, hierher?

«Unter dem Winterstroh im Kräutergarten?»

«Bei den Petersilienbüschen.» Die Köchin nickte. «Ich habe sie geputzt, sie war voller Gartenerde.»

Claes betrachtete die Kamee noch einmal genauer im Nachmittagslicht, das durch das große Vorderfenster in die Diele fiel.

«Danke, Elsbeth», sagte er dann. «Ich weiß, wem sie gehört. Wann hast du dich zuletzt um deine Petersilie gekümmert?»

«Ich weiß nicht genau. Im Winter ist im Kräutergarten nichts zu tun. Ich war nach dem letzten Schnee dort und habe nachgesehen, ob das Stroh noch dicht genug liegt. Aber es war viel zu früh, um es beiseite zu schieben. Da hätte einer einen ganzen Schatz verstecken können, ich hätte es nicht gemerkt.»

Claes steckte die Kamee in seinen Rock und schickte Elsbeth zurück in ihre Küche. Er wollte Augusta bitten, ein Geschenk für sie auszusuchen.

Claes war plötzlich sehr müde. Er hatte längst genug von mysteriösen Unfällen und Geheimnissen. Wie kam das Schmuckstück in das Petersilienbeet? Wer wußte, daß seine Köchin ihren

Garten da draußen hatte? Und wer wußte, welcher der kleinen umzäunten Äcker der richtige war?

Vielleicht war alles nur ein verrückter Zufall, und der Goldschmied hatte gelogen, als er beteuerte, daß es dieses Stück nur einmal gab. Denn selbst wenn Anne es scheußlich gefunden und ihrem Stubenmädchen geschenkt hatte, wenn es an einen Pretiosenhändler auf Jersey weiterverkauft worden war – wie kam es zurück nach Hamburg? Und wann? Und warum ausgerechnet in seinen Garten? Es mußte wochenlang im nassen Stroh gelegen haben.

Anfang Januar, bald nach seiner Heimkehr, hatte er die Kamee nach Jersey geschickt. Behrmann hatte wie immer die Post zum Hafen gebracht, und er hatte ihn gebeten, auf dieses Päckchen besonders gut aufzupassen.

Und dann? Hatte er Anne, ohne es zu wissen, so verärgert, daß sie jemanden beauftragt hatte, sein Geschenk in seinen Garten zu werfen, damit es dort irgendwann wie Abfall gefunden wurde?

Absurder Gedanke. Für solche Kindereien war Anne viel zu vernünftig.

Kannte er sie wirklich so gut? Warum hatte sie ihn bei ihrer Ankunft so kalt behandelt? Und warum nahm sie bei Matthews Quartier anstatt bei ihm, einem alten Freund ihres Bruders? Warum hatte sie ihm auf Jersey nicht erzählt, daß sie Thomas Matthews so gut kannte?

Vielleicht war es kein Zufall, daß Anne und ihr Captain, von dem niemand wußte, in welchem Gasthaus er logierte, nur wenige Stunden vor dem Anschlag auf Martin in Hamburg angekommen waren?

Unsinn, schalt er sich, woher sollten die beiden wissen, daß Martin in der Stadt war? Niemand hatte es gewußt.

Nur der portugiesische Kapitän.

Kannten sich nicht alle Kapitäne?

Der Unfall auf Jersey, der Anschlag auf Martin – immer war Anne in der Nähe gewesen. Es hätte ihn überhaupt nicht gewundert, wenn sich herausgestellt hätte, daß Braniffs Schiff zum Zeitpunkt der Explosion der Bark im Lissaboner Hafen lag. Er seufzte. Wenigstens waren beide weit weg gewesen, als Behrmann ermordet wurde.

Aber war nicht Matthews, der Mann, in dessen Haus Anne nun wohnte, immer in Hamburg gewesen?

Tausend Fragen. Für nur eine Antwort hätte er viel gegeben.

Claes ging die Treppe hinauf und öffnete leise die Tür zu Martins Krankenzimmer.

Martin schlief noch immer seinen tiefen, todesähnlichen Schlaf. Aber er atmete nun gleichmäßig und schluckte ein paar Löffel der Brühe, die Sophie oder Elsbeth ihm einflößte. Claes spürte Zuversicht. Martin war jung und stark. Er würde wieder aufwachen und gesund werden. Und reden. Claes hatte von Männern gehört, die nach einem schweren Schlag auf den Kopf alle Erinnerung verloren hatten, selbst an ihren eigenen Namen. Er hoffte, daß Martin das nicht widerfahren war.

Die Sitzung der Commerz Deputation war heute nur kurz gewesen. Es ging wieder einmal um den alten Streit mit der Dänischen Krone, die Hamburg immer noch als Teil ihres Reiches beanspruchte und nicht als freie deutsche Reichsstadt akzeptierte. Seit Jahren wurde verhandelt. Es würde wohl nichts anderes übrigbleiben, als den Dänenkönig, ständig in peinlicher Geldnot, teuer abzufinden.

Niemandem war aufgefallen, daß Claes nicht bei der Sache war.

«Ihr seht grämlich aus, Freund Herrmanns. Ist wieder einer der treuen, abergläubischen Bürger auf die andere Straßenseite gegangen, als Ihr entgegenkamt?» Baumeister Sonnin tippte grüßend mit zwei Fingern an den Rand seines Dreispitzes. Der Staub auf seinem burgunderroten Samtrock und seinen grauen Kniehosen verriet, daß er direkt von der Baustelle am Dom kam. Aber vielleicht hatte er auch nur zu viel Puder auf sein Haar gestäubt. Sonnin war nicht verheiratet, und seine Haushälterin hatte schlechte Augen.

Mit einem resignierten Lächeln gab Claes dem Baumeister die Hand. Endlich einer, der aussprach, was er sich nur einzubilden geglaubt hatte: Es gab Leute, die ihm aus dem Weg gingen, weil sie fürchteten, sein Unglück könnte auf sie abfärben.

«So schlimm ist es nicht, Sonnin. Aber ein paar meiner alten Freunde sind in den letzten Tagen tatsächlich recht zurückhaltend mit ihrer Freundschaft.»

«Pfeift drauf! So sind die Leute. Erst letzte Woche hat mir wieder irgendein dummer Mensch ein Traktätchen in mein Arbeitszimmer beim Dom gelegt. Er wisse, daß ich mit dem Teufel im Bunde sei, und Gott werde mich strafen. Natürlich hat er vergessen, seinen Namen darunter zu malen. Solange er sich nicht zu Gottes Werkzeug macht, soll's mir recht sein. Der Gott, an den ich glaube, freut sich, daß ich die Türme seiner Kirchen wieder gerademache. Die Menschen verstehen nichts von der Mathematik der Baukunst, und was sie für unmöglich halten, wird gar zu gern zum Teufelswerk erklärt.» Sonnin, wie immer außerordentlich gesprächig, lachte vergnügt und verrieb ein wenig von dem Staub auf seinem Ärmel.

«Es ist auch für viele von Eurer Zunft ein Wunder, was Ihr an den Türmen vollbringt.» Claes war froh, über etwas reden zu können, das mit keiner seiner Sorgen auch nur das geringste zu tun hatte. «Wie lange braucht Ihr noch für den Dom? Unser Katharinen-Turm neigt sich auch bedrohlich. Nicht ganze drei Meter wie der des Doms, aber genug, daß wir um seine Standfestigkeit fürchten. Was denkt Ihr, könnt Ihr ihn als nächstes geradernachen?»

«Ach, immer die Kirchtürme. Ich bin die ständige Zankerei mit den Pfaffen nun wirklich leid. Schade, daß Ihr Grothues' Gartenhaus gekauft habt. Ich hätte Euch gerne eine hübsche kleine Villa gebaut. Aber wenn Ihr dafür sorgt, daß Goeze und seine Kirchenältesten einverstanden sind und gut zahlen, will ich darüber nachdenken. Mit dem Dom bin ich fast fertig. Was haltet Ihr von einem Täßchen Kaffee und einer Partie Billard? Es wird mich den Staub und die Zahlen und Euch die Sorgen vergessen lassen.»

Zwei Stunden nach Börsenschluß war der große Trubel in Jensens Kaffeehaus vorbei. An den Tischen bei den vorderen Fenstern saßen einige Gäste und ließen den Dampf ihrer Pfeifen hinter großen Zeitungsseiten aufsteigen. Aus den hinteren Räumen drang das kurze, harte Klicken von aufeinandertreffenden Billardkugeln.

Sonnin bestellte Kaffee, für Claes mit Kardamom und für sich selbst mit zerstoßenem Zucker, einer Prise Nelkenpfeffer und viel Milch, und die beiden Männer setzten sich an einen freien Tisch.

Claes hatte Sonnin, den er seit Jahren als Freund und als klugen und gewitzten Gesprächspartner hochschätzte, lange nicht getroffen. Der Baumeister war in der Stadt so gefragt wie umstritten. In den letzten Monaten hatte er sich gemeinsam mit Vater und Sohn Reimarus, Büsch und einigen anderen Bürgern der Gründung der Hamburgischen Gesellschaft zur Beförderung der Manufacturen, Künste und nützlichen Gewerbe gewidmet. Die konstituierende Versammlung war für die nächste Woche, den 11. April, im Börsensaal angekündigt.

Ein helles Lachen drang aus dem Billardraum herüber.

«Voilà, gewonnen.»

«Ihr seid ein verteufelt guter Spieler für Eure Jahre, Reichenbach.»

Claes erkannte Joachims Stimme. Sie klang ihm fremd. Kalt und gepreßt vor unterdrücktem Zorn.

Der kleine Sachse spielte also mit Joachim Billard und gewann. Claes gelang das selten. Er war hart und ehrgeizig in seinen Geschäften, aber er hatte wenig Sinn für Kampf im Spiel. Wenn er spielte, wollte er sich ausruhen und plaudern. Deshalb spielte er am liebsten mit Sonnin. Daß der immer gewann, störte ihn nicht.

Als Friedrich Reichenbach und Joachim aus dem Billardzimmer in den Schankraum traten, steckte der kleine Sachse etwas in seine Rocktasche, es klimperte leise. Joachim war immer ein stolzer Spieler und schlechter Verlierer gewesen, er und Daniel hatten ihn in ihrer Kinderzeit deswegen oft gehänselt. Inzwischen gewann Joachim fast immer. Von so einem Jungen besiegt zu werden konnte ihm nicht schaden.

Die beiden Spieler kamen an ihren Tisch, und Claes und Sonnin rückten ein wenig zusammen, um genug Platz für zwei weitere Stühle zu machen.

Claes betrachtete Reichenbach nachdenklich. Ein hübscher Junge, temperamentvoll, gebildet und mit gutem Witz, aber trotz der Narbe auf der Wange ein bißchen weibisch. Reichenbach griff nach seiner Kaffeetasse und trank. Wohl doch nicht, dachte Claes. Hände verraten viel vom Charakter eines Mannes. Und Reichenbachs Hände waren breit und kräftig. Man sah ihnen an, daß er lieber selbst die Zügel in die Hand nahm, als sich kutschieren zu lassen.

«Wie geht es Eurem zukünftigen Schwiegersohn? Habt Ihr Hoffnung, daß er die Attacke übersteht?»

Die Augen des jungen Sachsen verrieten echtes Interesse und Mitgefühl. Obwohl Claes die Fragen nach Martin heute ein wenig ungeduldig machten – es wäre schön gewesen, wenn sich einmal jemand erkundigt hätte, wie es ihm selbst ging –, tat Reichenbachs Anteilnahme ihm ebenso wohl wie vorher Sonnins freudige Begrüßung auf der Straße.

«Wir sind sehr zuversichtlich. Besonders seit unsere Köchin ihre alte Tante ins Haus gebracht hat. Die Alte tut zwar alles, was Kletterich nicht täte, aber er hat gottlob selbst die Influenza, und ihre Behandlung hilft Martin. Jedenfalls sieht es so aus.»

Bei seinen letzten Worten klopfte er behutsam Reichenbachs Rücken. Der Junge hatte sich heftig verschluckt. Er erholte sich schnell, und nur Joachim bemerkte und argwöhnte, daß er sich allzu interessiert nach Claes' Geschäften und Familie erkundigte. Aber die Sachsen, dachte er, sind schon immer ein neugieriges Volk gewesen.

Claes verließ das Kaffeehaus gut gelaunt. So eine heitere Stunde war belebend und ein gutes Mittel gegen zu viel Trübsinn. Die wollte er sich nun öfter gönnen.

Der junge Reichenbach, fand er, war eine äußerst angenehme Gesellschaft. Ein bißchen von seinem Esprit und Charme würden Martin guttun. Er wollte ihn, bevor er nach London weiterreiste, zu einem kleinen Essen in sein Haus einladen. Augusta würde von seinen respektlosen Plaudereien über die Literatur und die Literaten hingerissen sein. Aber dann dachte er an Emily und ihre brennende, aber völlig unpassende Liebe zu jenem Maler und entschied, mit solchen Einladungen zu warten, bis Sophie und Martin verheiratet waren.

Das Abendessen, das ihn morgen erwartete, oder besser gesagt, die Gäste, dämpften seine gute Laune ein wenig. Ein Abend mit Anne St. Roberts und Jules Braniff erschien ihm wenig verlockend.

FREITAG NACHMITTAG

«Amen», flüsterte Hilfspastor Voschering mit heiliger Inbrunst, und dann nieste er kräftig. Gewöhnlich nieste er nur, wenn er frischem Stroh zu nahe kam. Das Stroh, das auf dem Boden des Kerkers lag, war klumpig, feucht und uralt. Mein Herr und Gott, flehte er still, wenn du mich mit der Influenza züchtigen willst, so will ich als dein braver Diener mein Schicksal geduldig tragen. Aber vielleicht wartest du noch ein wenig. Nur fünf Tage, bis Pastor Goeze aus dem Dänischen zurück ist.

Er seufzte ergeben, schneuzte sich vorsichtig und blickte den Gefangenen Jean Becker streng an.

«Nun, mein Sohn, unser Gebet wird Gottes Ohr für dich öffnen. Aber Gott hilft vor allem denen, die sich selbst helfen. Also sei nicht verstockt, sondern bereue und beichte mir deine Sünden.»

Voschering war mit sich zurfrieden. Er hatte den richtigen Ton getroffen. Streng und doch väterlich. Er rückte seinen Stuhl, den die Wachen für ihn in die Zelle getragen hatten, ein wenig näher zu Jean und fingerte in seiner Rocktasche nach dem parfümierten Schnupftuch.

Jean roch noch schlechter als der alte Strohsack, auf dem er hockte.

«Ich höre», murmelte Voschering durch das Tuch. «Aber sprich leise. Die Wachen müssen nicht wissen, was du mir anvertraust.»

Jean sah den jungen Geistlichen mit dem pickeligen Kindergesicht zweifelnd an.

«Was soll ich Euch erzählen? Ich weiß doch nur, daß ich mitten in der Nacht im Straßendreck neben dem Schreiber aufgewacht bin. Der war tot, und dann kam die Wache. Seitdem bin ich hier und friere und darbe...»

«Du hast ihn nicht erstochen?»

«Nein.»

«Ich denke, du erinnerst dich an nichts.»

«Daran würde ich mich bestimmt erinnern.»

Voschering schwieg. Er hatte keine Erfahrung mit Menschen, die nicht wußten, was sie ihm erzählen sollten. Die Männer und Frauen in der Gemeinde überschütteten ihn stets mit Geschwätz und Gejammer. Fragt ihn nach jeder Minute dieser Nacht, hatte Frau Augusta ihm aufgetragen. Und ihm blieb nichts anderes übrig, als das zu tun. Er schuldete ihr Dank, denn ohne Frau Augusta hätte er niemals die Stelle als Hilfspfarrer an St. Katharinen bekommen. Er seufzte noch einmal tief und machte einen neuen Anfang.

In der folgenden Stunde erfuhr der junge Pastor, der niemals eine Frau ohne Kleider gesehen und niemals mehr als ein Glas Wein oder Bier getrunken hatte, von den sündigen Freuden des wahren Lebens.

«Abgründe», murmelte er, als er endlich wieder auf der Straße stand. Abgründe. Und doch. Ein guter Seelenhirte sollte wissen, wie ein Sünder lebte, und wieder einmal dankte er dem Herrn für die Prüfungen, die Er ihm auferlegte. Frau Augusta würde zufrieden sein. Jean erinnerte sich zwar immer noch nicht an das, was auf der Straße geschehen war. Aber er erinnerte sich an das Würfelspiel mit dem Schreiber.

Behrmann hatte, wie der Komödiant, viel zuviel Bier und Branntwein getrunken, und je mehr er trank, um so trauriger wurde er. Er faselte viel von Sünde und von dem Unrecht, das er einem Bruder getan hatte. Und mit seinen Eltern stimmte auch irgend etwas nicht.

Jean hatte nicht so genau zugehört. Für ihn gab es zwei Sorten von Branntweintrinkern. Die einen wurden mit jedem Glas fröhlicher – zu denen gehörte Jean. Den anderen öffnete der Branntwein den Kummerkasten in ihrer Seele, sie begannen, zu klagen und zu jammern, und versprachen, ab morgen bessere Menschen zu werden. Zu denen gehörte der Schreiber.

Es lohnte einfach nicht, zuzuhören. Sobald das Kopfweh am nächsten Tag verging, blieben sie doch die alten.

Aber, so hatte Jean dem Pastor versprochen, er wolle nun mit großer Anstrengung nachdenken. Wenn der Herr Pastor morgen wiederkommen könne? Sicher sei ihm dann noch mehr eingefallen. Und es lasse sich viel besser denken, wenn man eine wärmere Decke habe und vielleicht eine dicke Suppe mit einem ordentlichen Stück Fleisch.

Und eine kleine Prise Schnupftabak.

Voschering ging mit großen Schritten am Rathaus vorbei und durch die engen Gassen hinunter nach St. Katharinen. Wenn er sich beeilte, könnte er Frau Augusta gerade bei einem späten Nachmittagskaffee antreffen. Im Pfarrhaus gab es diese gute Gottesgabe nur an Sonntagen. Und der Pastorenmamsell gelangen niemals so köstliche Milchbrötchen wie der Herrmannsschen Köchin.

Frau Augusta würde zufrieden sein. Und morgen, gleich nach dem Frühgottesdienst, wollte er wieder in die Fronerei. Die Lösung des Geheimnisses war nah, und das war ganz allein sein, Hilfspastor Voscherings, Verdienst.

Voschering war viel zu sehr mit Milchbrötchen und dem zu

erwartenden Lob beschäftigt, um zu bemerken, daß ihm zwei hagere, ganz in Schwarz gekleidete Männer in einigem Abstand folgten. Als er über die Katharinenbrücke eilte, bog einer der beiden Männer schattengleich in das Dovenfleet ab und verschwand in dem engen Gang neben dem Speicher, den Claes Herrmanns vor einigen Wochen neu gepachtet hatte. Der andere folgte Voschering zum Neuen Wandrahm.

SAMSTAG ABEND

Von St. Katharinen wehte der Wind sechs dünne Glockenschläge herüber, und in der Schenke Zum Bremer Schlüssel hockten erst wenige Gäste bei einem abendlichen Krug Bier. Als Titus und Sebastian die Gaststube betraten, verstummten die Gespräche über das Wetter, die neuen Preise für Osterlämmer oder das Pech, das Herrmanns in letzter Zeit verfolgte, abrupt.

«Titus, alter Hanswurst», rief der Mann, der am Schanktisch stand und braunes Bier aus einem Faß in Krüge laufen ließ. Er wischte sich die Hände, Pranken, die ein Faß wie einen Eierkorb stemmten, an der Lederschürze ab und klopfte den beiden Komödianten freudig auf die Schultern.

«Und ihr», schnauzte er seine Gäste an, «kümmert euch um euer Bier und euer Geschwätz. Wem meine Freunde nicht passen, der kann rüber in den Gotländer gehen und da ein für allemal bleiben.»

Niemand in der Fuhlentwiete konnte sich erinnern, daß das Parterre des Hauses neben dem Krögerschen Hof jemals etwas anderes als die Schenke beherbergt hatte. Nur ein paar Gäste wußten noch, daß der alte Wirt bei der letzten Pest vor einem halben Jahrhundert gestorben war und Jakob Jakobsens Vater, Sohn eines Gasthausbesitzers aus Husum, die Schenke übernommen hatte. Auch der war schon lange tot, und obwohl sein Sohn seit mehr als dreißig Jahren hinter der Theke des Bremer Schlüssels stand und längst Großvater war, wurde er in der Neustadt immer noch der junge Jakobsen genannt.

Jakobsen war ein guter Wirt. Er würfelte und trank mit seinen Gästen, aber er war nie betrunken, bevor die letzte Zeche kassiert war. Er wußte genau, wem er Kredit geben konnte, und hatte nichts dagegen, wenn sich zwei prügeln mußten, aber sobald das erste Blut floß, machte er, ein Mann wie ein Bär, dem Spektakel rigoros ein Ende. Nur in ganz schlechten Zeiten oder wenn kurz vor der Sperrstunde die letzten Gäste allzu betrunken waren, verlängerte er den Branntwein mit kaltem Eichenrindentee.

Fremde, selbst Matrosen, verirrten sich nur selten bis in diese Ecke der Fuhlentwiete. Jakobsen kannte fast alle seine Gäste seit vielen Jahren. Mit den meisten war er als Kind durch die Gänge, wie hier die engen Gassen genannt wurden, und über die Höfe der Neustadt getobt, und weiter über die Graskellerbrücke, den Rödingsmarkt hinunter bis zum Hafen. Sie hatten am Wasser gesessen, an den Kajen, beim Baumwall oder am Neuen Kran bei der Hohen Brücke, hatten vergeblich versucht, die Masten und gerefften Segel zu zählen und die Matrosen um einen Haifischzahn oder ein Stück Schnur mit einem Seemannsknoten angebettelt. Ein paar Jahre noch, dann wollten sie zu denen gehören, die mit wiegenden Schritten und grob gestutzten Bärten von den Schiffen kamen und von der weiten Welt, von den Korsaren auf See und den Wilden an fremden Küsten erzählten. Von Weibern mit dicken Brüsten, Rum bis zum Umfallen und vergrabenen Schatzkisten auf entlegenen Inseln.

Die meisten waren an Land geblieben und hatten ihre Träume vergessen. Jakobsen hatte nichts vergessen, und weil in seinem weiten Herzen immer noch ein Rest der alten Sehnsucht steckte, mochte er Menschen, die sich jenseits der sicheren Stadtmauern durchschlugen. Besonders mochte Jakobsen Titus, der immer, wenn die Beckersche Truppe in Hamburg spielte, im Bremer Schlüssel sein Bier trank.

Wenn dann beide betrunken waren, schlugen sie einander auf die breiten Schultern, nannten sich unter Tränen Bruder und beneideten heimlich einer den anderen. Vor Jahren hätte Jakobsen Titus gerne mit seiner Schwester verheiratet, aber Titus wollte sein Wanderleben nicht aufgeben, und Jakobsens Schwester gab einem Komödianten nicht mal die Hand. Sie hatte auch sonst niemandem die Hand gegeben, aber sie war eine fröhliche alte Jungfer geworden. Nun regierte sie in der Küche hinter der Schenke, und Jakobsen war überzeugt, daß Gott es eben so gewollt hatte. Der Bremer Schlüssel war die einzige Schenke in der Stadt, in der die Beckerschen Komödianten auch in diesen unheilvollen Apriltagen freudig begrüßt wurden.

Sebastian und Titus setzten sich an einen der hinteren Tische, und die Schankmagd brachte ihnen Bier. Bevor sie den Krug auf den Tisch stellte, beugte sie sich weit vor und schob mit ausholenden Bewegungen einen feuchten Lumpen über das Holz.

Titus grinste. «Der Tisch ist ganz sauber, Lineken. Aber wenn du Sebastian noch mehr Aussicht auf deinen Busen gönnst, fällt der Junge schon unter den Tisch, bevor er nur einen Schluck von dem Bier getrunken hat.»

Sebastian wurde feuerrot.

Lineken stopfte das Brusttuch wieder in ihrem Ausschnitt fest, zog schnippisch die Schultern hoch und verschwand in der Küche.

Jakobsen hinter dem Tresen lachte sein heiseres Lachen. «Laß dem Mädchen doch seinen Spaß, alter Freund. Sie trifft hier selten so hübsche Kerle wie euren Akrobaten. Wollt ihr Branntwein?»

«Aber nur einen», rief Titus. Sebastian schüttelte den Kopf. Titus sah sich in der Schenke um, als wäre er zum ersten Mal hier. Es war eine gute Schenke, der Boden wurde am Morgen gefegt, jeder Gast bekam einen sauberen Becher, durch die Fenster fiel um Mittag ein wenig Sonne, und die Suppen, die Jakobsens Schwester kochte, waren frisch, fett und gut gewürzt. Die Gäste – Titus stützte traurig seinen Kopf in beide Hände.

Sie paßte einfach nicht hierher. Diese Schenke gehörte zu seiner Welt, wie die Plätze, die Bretterbühne und die Wagen. Auch sein Vater war Hanswurst gewesen. Titus hatte seine Kunst von ihm gelernt und der wiederum von seinem Vater, einem venezianischen Arlecchino, der vor vielen Jahren über die Alpen nach Norden gewandert war. Titus wußte es nicht, aber er war sicher, daß auch sein italienischer Großvater bei seinem Vater in die Lehre gegangen war.

Nun war Titus über die Vierzig, und er hatte keinen Sohn, der seine Tradition weiterführte. Er hatte nie dran gedacht, seßhaft zu werden. Aber dazu war es noch nicht zu spät. Ein gutes Gasthaus, in dem vornehme Gäste verkehrten. Mit Elsbeths delikater Küche.

Er schalt sich einen Träumer und alten Gecken und leerte entschlossen seinen Becher.

Als er ihr gestern morgen bei seinem zweiten Besuch gesagt hatte, wer er war, hatte sie ihn nur lange prüfend angesehen. Sprecht weiter, sagte sie schließlich und hörte still zu, anstatt ihn sofort hinauszuwerfen. Sie gab ihm eine Schüssel Milchklöße mit Zimt und Honig und erschien ihm wie ein Engel. Aber ob ein Engel mit einem Spaßmacher leben konnte?

Langsam füllte sich die Schenke. Auch wenn niemand wagte, Jakobsens alten Freund Titus verächtlich zu behandeln, blieben die Komödianten an ihrem Tisch doch allein.

Bis Vandenfelde kam. An jedem Samstagabend spülte sich der Metzger auf seinem Heimweg vom Schlachthaus an der Heiliggeistbrücke zu seinem Bett in einer Hinterhofbude in der Knochenhauertwiete den Blutgeschmack aus dem Hals.

«Bind deine gräßliche Schürze ab, Vandenfelde», schimpfte Jakobsens Schwester, die gerade aus der Küche kam, um einen Krug Bier für die Abendsuppe zu holen.

Der Metzger setzte sich zu Titus und Sebastian und löste grinsend das Band seiner blutigen Schürze. Das blau-weiß gestreifte Hemd, das er darunter trug, sah allerdings nicht besser aus.

«Na?» polterte er, «haben sie den Galgen für euren Prinzipal schon aufgeputzt?»

Titus zog Sebastian, der zornig aufsprang, zurück auf seinen Stuhl. «Ruhig, Junge. Der Metzger macht immer solche schlechten Scherze. Er sollte als Hanswurst zu den Komödianten gehen.»

«Schlechte Scherze? Egal, wer's getan hat, wenn 'n Komödiant neben einem gefunden wird, der 'n Messer zwischen den Rippen hat, dann ist er fällig. Lineken, bring mir Branntwein.»

Er nahm einen großen Schluck, als wäre reines Wasser in dem Becher, wischte sich mit dem Handrücken über die Lippen und rülpste erleichtert. Vandenfelde mochte seine Arbeit im Schlachthaus. Ein Tier schnell und sauber zu töten war für ihn eine Kunst. Er beherrschte sie perfekt, und das machte ihn zufrieden. Aber die stickige Luft, der Gestank von Blut und Kot, das Angstgebrüll der Tiere ließen seinen Magen an jedem Tag zu einem harten Klumpen schrumpfen.

«Nichts für ungut, Junge.» Er sah Sebastian mit zusammengekniffenen Augen an. «Ich glaub auch nicht, daß dein Prinzipal den Schreiber totgemacht hat. Der kann ja nicht mal 'n Lamm abstechen. Letztes Frühjahr hab ich ihm eins gegeben, für 'n paar Verse für meine Mechthild, schöne Verse und 'n schönes Lamm, alles hatte seine Ordnung. Aber wenn eure alte Lies nicht wär, würd das Vieh immer noch leben. Trink», sagte er und schob seinen Becher über den Tisch. «Noch zu grün für Schnaps? Dann trink ich selber.»

Er leerte den Becher, knallte ihn auf den Tisch und beugte sich zu Titus. «Da gibt's andere, denen der Behrmann im Weg war, das sag ich dir. Ganz andere. Aber das sind solche, die nie an den Galgen kommen. Ich weiß, was ich weiß, aber wer ruhig leben will, hält sein Maul.»

Es kostete Titus noch drei Becher von Jakobsens bestem Branntwein, bis Vandenfelde endlich begann, seine Geschichte zu erzählen. Es war keine besonders spannende Geschichte. Und eine ganz alltägliche.

Behrmanns Mutter, so hatte Vandenfelde gehört, war als junges Ding Küchenmädchen in einem reichen Hamburger Haus. Nicht mal besonders hübsch, aber doch mit schönen Grübchen und mit Augen, die viel wollten.

Dann kam, was oft kommt und keiner wissen will: Das Mädchen wurde blaß und dick. Eines Tages war es verschwunden und keiner wußte, wohin. Nur die Köchin. Die hat gesagt, der Herr hätte das Mädchen wieder zu seiner Tante nach Eppendorf geschickt, wo es vor einem Jahr hergekommen war. Eltern hatte es nicht mehr, und für die Tante war es deshalb schon lange ihr Kind.

Die Stadtluft hätte sie krank gemacht, sagte die Köchin, aber außer dem Herrn und der Köchin hatte das bis dahin nie einer bemerkt.

«Aber kommt ja drauf an», sagte Vandenfelde und grinste bis zu den Ohren, «was einer mit krank meint.»

Jedenfalls war sie da oben in Eppendorf bei ihrer Tante ein halbes Jahr später wieder dünn und hatte ein Kind. Aber es ging ihr nicht schlecht. Sie hatte ihrer Tante nämlich nicht nur den dicken Bauch mitgebracht, sondern auch genug Geld für eine Kuh und ein größeres Stück Land. So sei es gewesen.

«Und was glaubt ihr, von wem ein Küchenmädchen für 'n dikken Bauch auch noch Geld für 'n Stück Land kriegt und genug, um ihren Jungen auf die Schule zu schicken? Nicht vom Pferdeknecht.»

«Und? Sag schon, Vandenfelde. Wer war's? In welchem Haus war sie Küchenmädchen?»

Das wußte Vandenfelde nicht.

«Aber man hört so dies und das, wenn die Bauern ihr Vieh bringen, und ich sag dir, was ich glaube, Titus. Der alte Herrmanns war's, der Vater von Claes. Der ist es gewesen.»

«Vandenfelde, du spinnst!» Ärgerlich knallte Jakobsen seinen Becher auf den Tisch und tippte sich mit drei Fingern heftig an die Stirn. «Ausgerechnet der alte Herrmanns! Der hat schon zu Lebzeiten 'nen Heiligenschein mit sich geschleppt. Wenn der 'ner anderen als seiner Ehefrau Kinder gemacht hat, freß ich 'nen Besen.»

«Lineken», brüllte Vandenfelde, «bring deinen Besen. Jakobsen will einen fressen.»

Die Männer, die längst von ihren Bänken aufgestanden waren und sich um den Tisch drängten, damit ihnen das Neueste über den Mord an Behrmann nicht entging, lachten grölend. Und am lautesten lachte Jakobsen, der Wirt.

9. KAPITEL

SAMSTAG ABEND

Anne und Jules waren ein schönes Paar. Sie schritten durch die Diele des hanseatischen Kaufmannshauses wie durch einen Ballsaal. Ihre vornehme Eleganz gab Claes das Gefühl, den falschen Rock angezogen zu haben. Annes Begrüßung erschien ihm fremd und von gezwungener Fröhlichkeit. Braniff war wie stets der höfliche, verhalten amüsierte Beobachter.

Die halbe Stunde im Salon, bis Blohm zum Essen rief, erschien Claes wie eine Ewigkeit. Augusta hingegen war entzückt von Braniffs Charme und ließ sich von seinen kühnen Abenteuern in Surinam und im Karibischen Meer begeistern.

Anne saß in ihrem Sessel wie eine lächelnde Statue.

Sophie begrüßte die Gäste mit gebührender Höflichkeit und ungebührlicher Neugier. Aber sie entschuldigte sich nach wenigen Minuten. Martin brauche sie.

«Geht es ihm immer noch nicht besser?» fragte Anne, als sich die Tür hinter Claes' Tochter geschlossen hatte.

«Ihr seid sehr bekümmert», antwortete er spröde, «obwohl Ihr den Jungen nicht kennt. Das ist wirklich freundlich.»

Augusta seufzte. Daß Claes sich selbst einen Idioten gescholten hatte, war vielleicht doch nicht ganz falsch.

«Natürlich bin ich bekümmert. Er gehört zu Eurer Familie. Und was ihm geschehen ist, erinnert mich an einen anderen Kranken, um den ich mich wochenlang gesorgt habe.»

«Er ist immer noch nicht aufgewacht», sagte Augusta in den Moment peinlicher Stille.

«Aber wir sind hoffnungsvoll. Er schläft ruhiger, und heute abend hat er kein Fieber mehr. Wie mein Neffe im letzten Herbst», sie warf ihm einen strengen Blick zu, «wird auch Martin aufopferungsvoll gepflegt. Und wie mein Neffe wird auch Martin zu uns zurückkehren.»

Blohm trat in den Salon und meldete, es könne nun aufgetragen werden, und weil Anne den Arm, den Claes ihr bot, übersah und sich von Augusta in den Speisesaal führen ließ, blieb ihm nichts anderes übrig, als Braniff zu Tisch zu begleiten.

Elsbeth hatte Sophie ein Tablett mit ihren Lieblingsleckereien in das Krankenzimmer gebracht. Sie müsse essen, hatte die Köchin gesagt, wer solle Martin gesund pflegen, wenn auch sie krank werde? Also hatte Sophie gegessen, und Elsbeth war zufrieden in die Küche zurückgekehrt.

Sooft sie konnte, ging sie auf einen kurzen Besuch in Martins Zimmer. Krank und blaß, erinnerte er sie wieder an den schüchternen Jungen, der sich in Herrmanns' Kontor gewagt hatte. Sie mochte ihn schon damals. Der Erfolg machte ihn ein wenig steif, und wahrscheinlich wurde er einmal ein besserer Pfeffersack als alle, die dazu geboren waren. Aber die quecksilbrige, respektlose Sophie würde schon aufpassen, daß er sich nicht an seinem eigenen Stolz verschluckte.

Es gab noch einen anderen Grund für Elsbeths Sorge. Sie war schuld, wenn Martin doch noch starb. Sie ganz allein. Aber wenn Martin erwachte und gesund wurde, und daran glaubte sie fest, würde sie immer wissen, daß er ohne ihre Lüge gestorben wäre. Das war den Einsatz wert.

Sie hatte Kletterichs Kuren und Blutzapfereien nie getraut. Die waren gegen die Natur, davon konnte kein Mensch gesund werden. Martin wurde davon nur schwächer.

Dr. Struensee war nicht gekommen. Ihm vertraute Elsbeth wie keinem anderen, seit es ihm gelungen war, die Waisenkinder von der Krätze zu heilen. Aber er war im Pinnebergischen unterwegs und prüfte die Arzneien der Landapotheken.

Die Heilerin, die Titus gestern in ihre Küche brachte, sah ein bißchen unheimlich aus, aber Elsbeth hatte an ihr Kräfte gespürt, die Kletterich nie haben würde.

Die Alte sah sich in der Küche um und strich über die kupfernen Töpfe, als sei sie nach einer langen Reise heimgekehrt. Sie sprach nicht viel, aber schließlich fragte sie, ob Elsbeth auch Ingwer in das Holunderkonfekt knete wie ihre alte Freundin Gerda.

Elsbeth konnte sich nicht vorstellen, wie eine, die seit Jahrzehnten mit den Komödianten durchs Land zog, zur Vertrauten einer Herrmannschen Köchin geworden war. Aber wer Gerdas Holunderkonfekt-Rezept kannte, mußte ihr sehr vertraut gewesen sein. Und wem Elsbeths strenge Ziehmutter ihre Rezepte verriet, der konnte kein böser Mensch sein.

Elsbeth hatte nicht gedacht, daß es so leicht sein würde, Frau Augusta zu überzeugen, die Alte an Martins Bett zu lassen.

«Wenn du ihr vertraust und genau achtgibst, was sie tut», hatte Augusta gesagt, «soll sie ihre Kunst versuchen. Wir haben nicht viel zu verlieren. Und laß sie mittags kommen, wenn mein Neffe an der Börse ist.»

Elsbeth hoffte, Augusta würde nie erfahren, daß Lies, so hieß die Kräuterfrau, eine Fremde und nicht die Tante einer Freundin war. Auch Frau Augusta mußte nicht alles wissen.

Elsbeth hatte schnell begriffen, daß die Komödianten Martin genauso dringend lebend brauchten wie Herrmanns. Nach einer langen, schlaflosen Nacht entschloß sie sich, Augusta um die Erlaubnis zu fragen, und bald darauf stand Lies an Martins Bett.

Sie sah ihn lange an. «Öffne das Fenster, Mädchen», sagte sie zu Sophie, «draußen scheint die Sonne, und hier riecht es wie in einem Kaninchenstall.»

Sie deckte den Kranken gut zu und wickelte ihm behutsam ein warmes Tuch gegen die Zugluft um den Kopf. Elsbeth verstand nicht, was Lies dann tat. Sie legte sanft ihre Hände auf sein verquollenes Gesicht und murmelte leise unverständliche Worte. Es hörte sich nicht wie ein Gebet an, aber Martins Atem ging bald ruhiger, er löste seine ständig verkrampften Fäuste, und es schien, als sei er nicht mehr so totenblaß.

Elsbeth schwitzte, faltete die Hände vor der Brust und erinnerte sich daran, daß es Hexen und Schwarze Magie schon lange nicht mehr gab.

Lies strich über Martins Hände, hob die Decke und betrachtete und befühlte seine Füße. «Mach das Fenster wieder zu», murmelte sie, «sonst wird es zu kalt. Und hol reine Laken und eine große Schüssel mit warmem Wasser. Niemand mag aufwachen, wenn ihm der eigene kranke Gestank so faulig in die Nase steigt.»

Sie erklärte der Köchin, welche Kräuter und Wurzeln sie brauche, um einen heilenden Tee zu kochen, und welche, um sie morgens, mittags und abends in einer Räucherpfanne zu verbrennen.

«Nur wenig Rauch, er soll nicht husten, aber genug, um die giftigen Fieberdämpfe zu vertreiben.»

Elsbeth hörte auf zu schwitzen. Sie kannte alle befohlenen Kräuter, die meisten hingen fein gebündelt an ihren Küchenbalken. Gewiß konnte keines Martin schaden.

«Liebt er dich?» Lies sah Sophie streng an.

Sophie nickte zögernd. Warum fragte sie das? Die Alte verwirrte sie. Sie schien arm zu sein, aber sie wirkte wie eine, die gewohnt war, daß man ihr überall gehorcht.

Von da an wurden Sophies Krankenwachen leichter.

«Wenn er dich liebt, will er dich hören», sagte Lies und trug ihr auf, zu Martin zu sprechen.

«Erzähl ihm, was du willst, nur keine Sorgen. Zum Jammern ist Zeit, wenn ihr verheiratet seid, jetzt nicht. Sing ihm Liebeslieder, sprich von allem, was er gerne hört.»

«Aber er hört mich doch nicht.»

«Woher weißt du das? Er steht an dem dunklen Fluß in die andere Welt. Da sind viele Stimmen, die ihn über das Ufer locken. Wenn du ihn nicht zurückrufst, werden sie gewinnen.»

Und so wurde Martin Sievers, der nie etwas anderes als Kontobücher, Börsenanschläge und ab und zu die Bibel gelesen hatte, in die Welt der Romane und Schäferlieder eingeführt.

Während im unteren Stockwerk der vierte Gang serviert wurde, Rinderbraten auf ungarisch, reichlich gewürzt mit Äpfeln, Wacholderbeeren, Pfeffer, Ingwer, Muskat, Kümmel und Safran, las Sophie Martin aus dem neuen Roman «Die Abenteuer des Don Sylvio von Rosalva oder Der Sieg der Natur über die Schwärmerei» vor.

Das Buch war ein Geschenk von Augusta und handelte von amüsanten und äußerst frivolen Liebesverwicklungen. Sophie las es schon zum zweiten Mal. Natürlich waren die berühmten Abenteuer des Robinson Crusoe als Lektüre für einen kranken Verlobten weitaus passender als der Roman von diesem unbekannten Herrn Wieland. Aber sie befürchtete, das schwere Schicksal und die lebensbedrohlichen Abenteuer des Schiffbrüchigen könnten Martin endgültig über den dunklen Fluß treiben.

Um diese Zeit hatte sich die Stimmung im Eßzimmer endlich etwas gelöst. Augusta tat, was sie konnte, um aus ihrem stocksteifen Neffen wieder einen lebendigen Menschen zu machen. Mit geringem Erfolg, aber es reichte für ein anregendes Gespräch.

Braniff, fand Claes nach einer Weile, war vielleicht doch nicht so übel.

Der Captain genoß das Essen und den reifen Burgunder, plauderte leicht und unaufdringlich, drängte nie seine Weltläufigkeit in den Vordergrund und zeigte sich als kluger Gesprächspartner in Fragen der Politik und des Handels.

Bis zum vierten Gang. Dann wurde er auf eine Weise privat, die Claes doch sehr unpassend fand.

«Anne, laß uns doch über das Geheimnis um die Post zwischen Hamburg und Jersey reden.»

Eine zarte Röte stieg in ihr Gesicht, und sie blickte Braniff stirnrunzelnd an. «Ich weiß nicht, was du meinst. Ich weiß von keinem Geheimnis.»

«Dann laß mich reden. Auch wenn es mich natürlich überhaupt nichts angeht.» Er sah Claes wieder mit seinem spöttischen Blinzeln an, trank einen Schluck Burgunder und erzählte ihr frech, was ihm Claes bei ihrer Ankunft im Hafen voller Ärger verraten hatte. Er erzählte von den Briefen, die sie nicht beantwortet, von der Kamee, für die sie sich nie bedankt hatte.

Claes hätte nichts dagegen gehabt, ganz plötzlich unsichtbar zu werden.

«Aber ich habe Eure Post nie bekommen», rief Anne und sah Claes zum erstenmal an diesem Abend offen an.

«Und meine Briefe? Habt Ihr vielleicht meine Briefe auch nicht bekommen? Ich war sehr verletzt, weil Ihr nie geantwortet habt. Nur ein kleiner Gruß. Das wäre ja schon genug gewesen. Aber so gar keine Zeile nach den langen gemeinsamen Wochen...»

Claes hatte tatsächlich niemals einen Brief von Anne bekommen. Und genau in diesem Moment fiel Augusta ein, daß sie Braniff unbedingt ihre Hyazinthenzucht zeigen mußte.

«Captain», sagte sie, «gebt mir Euren Arm. Ich weiß, daß Ihr Hyazinthen liebt. Nein, sagt nichts, es macht mir wirklich keine Mühe. Bereitet einer alten Gärtnerin die Freude, ihre Zöglinge zu bewundern.»

Herrmanns und Anne erhoben sich sofort, um der Schrulle einer alten Dame höflich zu folgen, auch wenn sie wie aus heiterem Himmel mitten in ein so brennend wichtiges Gespräch platzte.

«O nein», rief Augusta, «ich sehe Euch an, liebe Anne, daß Ihr den schweren Duft der Blüten nicht vertragt. Ihr bleibt hier, und mein Neffe wird Euch Gesellschaft leisten. Er findet Blumen nicht besonders interessant. Captain, Euren Arm!»

Braniff beeilte sich, ihrem Wunsch zu folgen, und sagte mit großem Ernst und ganz eigentümlich gepreßter Stimme: «Euer Takt ist bewundernswert, Frau Augusta. In der Tat erlitt Mademoiselle Anne erst kürzlich nur beim Anblick der Zeichnung einer Hyazinthe einen Anfall von Schwäche. Sie ist eine so zarte Seele...»

Damit fiel die Tür hinter Augusta und dem Captain ins Schloß.

Als sie nach einer halben Stunde zurückkehrten, von einem Glas Rosmarin-Branntwein aus Augustas Schrank besonders wohlgestimmt, erwartete sie ein hübscher Anblick. Anne und Claes saßen gar nicht mehr feindlich, sondern in schönster, tatsächlich in innigster Eintracht auf der gepolsterten Bank. Auf Annes Busen leuchtete die Kamee, die nun endlich den ihr zugedachten Platz bekommen hatte. Daß die Farbe des Steins so gar nicht zu Annes resedagrünem Kleid paßte, fiel nur Braniff auf. Und der war mit sich und Augusta so zufrieden, daß ihn gar nichts störte.

Titus holte tief Luft und ließ sich auf die Bank im Krögerschen Hof fallen.

«Vandenfelde stinkt wie ein Gerber. Hoffentlich haben wir kein Fleisch aus seinen Mulden in unserer Suppe.»

Sebastian setzte sich neben Titus und sah zu den dunklen Fenstern der Schlafkammern hinauf. Alle schliefen. Rosina hatte zwar ein bißchen zu gerne recht, aber mit ihrem klaren Geist und ihren freien Gedanken würde es leichter sein, Vandenfeldes Geschichte abzuwägen. Und sie würde wissen, was nun zu tun war.

«Sie träumt schon», murmelte Titus, der Sebastians Blick gefolgt war, schläfrig. «Was hältst du von der Geschichte?»

«Sie könnte stimmen.» Titus tauchte die Hände in die Regentonne und kühlte sein branntweinrotes Gesicht. «Könnte! Aber warum sollte einer Behrmann nach so vielen Jahren umbringen, nur weil sein Vater ein Pfeffersack war?»

«Einer? Vandenfelde glaubt doch, daß es Herrmanns selbst war. Vielleicht wollte der Schreiber sein Erbe.»

«Erbe?» Titus lachte. «So einer kriegt kein Erbe. Wenn die Geschichte stimmt, war seine Mutter glücklich, daß sie nicht im Spinnhaus am Alstertor und ihr Kind im Waisenhaus verrottet ist. Das sind die Orte für gefallene Küchenmädchen und ihre Brut.

Die reine Hölle. Ein Stück Land und ein paar Taler sind eine ungewöhnlich fürstliche Buße für eine lose Moral.»

«Und wenn er die Geschichte bekanntmachen wollte? Wenn er Herrmanns erpreßt hat?»

«Junge, du kennst die Welt immer noch nicht. Was hätte er davon gehabt? Er wäre seinen schönen, weichen Schreibersessel und seine ordentliche Herkunft los gewesen. Von der Zukunft wollen wir nun gar nicht mehr reden. Aber ob der alte Herrmanns einen oder zehn Bastarde gezeugt hat, interessiert hier niemand.» Titus gähnte. «Ich geh schlafen. Erzähl die Geschichte morgen Lies. Die kannte die Stadt schon, als du noch nicht geboren warst. Vielleicht weiß sie was.»

Sebastian glaubte nicht, daß Herrmanns der Ruf seines Vaters egal war, gerade jetzt, wo seine Ernennung zum Ratsmitglied bevorstand. Natürlich konnte ein reicher Bürger so viele Küchenmädchen und Schankdirnen schwängern, wie er wollte. Aber es durfte nicht darüber geredet werden. Nicht in dieser Stadt, in der vielen schon eine rote Seidenweste als erster Schritt auf dem Weg zur Hölle galt.

Trotzdem machte das alles keinen Sinn. Hatte Behrmann überhaupt gewußt, wer sein Vater war? Wieso hätte er sich ausgerechnet seinen Halbbruder zum Herrn wählen sollen? Es mußte eine Qual gewesen sein, alle Tage einem zu dienen, der den gleichen Vater hatte und soviel mehr besaß und galt, nur weil eine Mutter einen Ring getragen hatte und die andere nicht.

Aber vielleicht kannte Herrmanns die Geschichte, und der Posten als erster Schreiber war der Lohn für Behrmanns Schweigen gewesen. Es hieß ja, daß kein Schreiber so guten Lohn bekommen hatte wie Behrmann. Vielleicht – aber da schlief Sebastian ein.

Im Bremer Schlüssel herrschte immer noch Lärm. Jakobsen hatte den Besen nicht gefressen, aber dafür eine Runde Branntwein für alle spendiert. Jetzt saßen die Männer an den Tischen, schlugen sich auf die Schenkel und knallten ihre Becher immer lauter auf das Holz. Obwohl Vandenfelde, reichlich belohnt für seine gute Geschichte, längst mit dem Gesicht auf dem Tisch schnarchte, wurde das Geheimnis um Behrmanns Geburt immer bunter geredet. Es wurde immer größer, schöner und unanständiger, und die Zahl der Kaufleute, die als Vater in Frage kamen, wuchs rasch.

Als Jakobsen kurz vor der Sperrstunde seinen letzten Gast auf die Twiete schob, waren auch zwei Hauptpastoren und der Musikus Telemann in die Reihe der Verdächtigen aufgenommen. Herrmanns' Vater, der alte, langweilige Herrmanns, war darüber beinahe vergessen.

Aber das war nicht wichtig. Die Hauptsache war, daß der Metzger eine seiner schönsten Geschichten erzählt und daß der Hanswurst sie geglaubt hatte.

10. KAPITEL

SAMSTAG NACHT

Der Mond stand fast voll am Himmel, sein weißes Licht fiel schräg durch das Fenster in die Kammer im zweiten Stock des Krögerschen Hauses. Die Glocke von St. Petri begann die Stunden zu schlagen, und weil Rosina schon zum zweitenmal mitzählte, wußte sie, daß es diesmal zwölf Schläge sein würden. Niemand schläft bei Vollmond gut, dachte sie und lauschte unwillig auf Helenas tiefe, ruhige Atemzüge.

Leise glitt sie aus dem Bett und schlüpfte in Kniehosen, Hemd und Wolljacke. Sie band ihr dickes Haar im Nacken zu einem Zopf und schlich vorsichtig die Treppe hinunter. Die Stadt lag längst in tiefem Schlaf. Irgendwo in den verwinkelten Gassen und Höfen der Neustadt jammerte eine Katze, und ab und zu drang aus Titus' und Sebastians Zimmer krächzendes Schnarchen. Sonst war alles still. Die Sperrstunde hatte auch dem Grölen der Männer im Bremer Schlüssel ein Ende gemacht.

Rosina setzte sich auf einen Holzklotz an der Hauswand und lehnte sich an das rauhe Fachwerk. Der Wind hatte gedreht und von Südwesten laue Frühlingsluft herangeweht. Selbst jetzt in der Nacht war sie noch sanft wie ein Seidentuch. Der Rosenstrauch, der an der Wand emporrankte, trug schon dicke Blattknospen. Noch ein paar Tage warmes Wetter, und die ersten grünen Blättchen würden sich entfalten.

Wie konnte Helena nur so ruhig schlafen? Am Nachmittag war es ihr endlich gelungen, unbemerkt einen Gruß durch das vergitterte Fensterloch des Kerkers zu werfen. Jean wußte jetzt, daß sie da waren und versuchten, den Mörder des Schreibers zu finden. Allerdings stand nicht auf dem Zettel, daß Helena und Rosina eine unerwartete Verbündete gefunden hatten. Die Dame, die vorgestern plötzlich im Krögerschen Hof aufgetaucht war, hatte sie davon überzeugt, daß es besser sei, ihren Besuch vorerst noch geheimzuhalten. Rosina traute dieser Frau in den feinen Kleidern nicht. Helena hatte recht. Sie konnten sich nicht leisten, das Angebot auszuschlagen. Aber Rosina war auf der Hut.

Ob Jean auch schlief? Sie würde nie den Tag vergessen, an dem er sie auf der Straße nach Leipzig aufgelesen hatte, naß, hungrig und vor lauter Angst kratzbürstig wie eine Wildkatze. Er hatte sie für einen Jungen gehalten, einen entlaufenen Pagen vom Altenburger Schloß oder einem der großen Herrenhäuser.

Das war fünf Jahre her, seitdem reiste sie mit den Komödianten und hieß Rosina. Auch wenn sie sich noch so sehr bemüht hatte, ihren richtigen Namen und ihren Vater zu vergessen, die Narbe auf ihrer linken Wange machte das unmöglich.

Rosina wurde schläfrig, und gerade als sie die Haustür öffnete, um wieder zurück ins Bett zu gehen, hörte sie ein Geräusch. Sie blieb stehen und lauschte. Da, wieder hörte sie ein Kratzen und Schurren. Sie lief rasch und fast geräuschlos über den Hof und lauschte an der Stalltür.

Bei den Pferden war alles ruhig. Die Geräusche kamen aus der Komödienbude hinter dem Stall. Das mußte Mira sein. Die dicke rote Katze der Krögerin war seit gestern verschwunden. Vielleicht war sie durch ein Loch in den morschen Bodenbrettern gefallen und fand nicht mehr heraus.

Und wenn es nicht die Katze war?

«Mira», rief sie leise, «Mira?»

Nun war es wieder still.

Entschlossen öffnete sie die Budentür und erstarrte. In dem Durcheinander von alten und neuen Brettern saß ein Mann in einem schwarzen Rock mit weißem Kragen. Er lehnte mit dem Rücken gegen eine umgestürzte Bank, und das Mondlicht, das nun hell auf sein Gesicht fiel, beleuchtete einen vor Entsetzen verzerrten Mund und verquollene, halbgeöffnete Augen.

Bevor der Schrei hervorbrach, der in Rosinas Kehle kroch, legte sich ein kräftiger Arm um ihre Brust, und eine Hand preßte sich fest auf ihren Mund. Sie spürte, wie ihre Knie nachgaben, dann versank sie in einem schwarzen Abgrund. Rosina, die vor nichts Angst hatte, war zum erstenmal in ihrem Leben in Ohnmacht gefallen.

Claes fühlte sich viel zu unruhig, um schon zu schlafen. Anne und Braniff hatten das Haus in der sicheren Begleitung von zwei Laternenträgern verlassen. Wie hatte er je denken können, daß Anne in dieses mörderische Komplott verwickelt war? Er vertraute auf sein Gefühl für Menschen, aber seit der Sache mit Agnes war er unsicher.

Doch Anne war anders. Anne. Er sah wieder ihr Gesicht vor sich, den warmen Glanz in ihren Augen, als er ihr die Kamee gab. Er fühlte ihre schmale Hand auf seinem Arm und atmete diesen sanften Duft von Jasmin. Als er sie im vergangenen Herbst kennenlernte, war sie ihm spröde erschienen. Er war blind und taub gewesen.

Claes griff nach den Briefen, die sie ihm von Jersey mitgebracht hatte, legte Emilys lächelnd zurück auf den Tisch und erbrach zuerst Pauls Siegel.

Der gute alte Paul. In seiner schönen runden Schrift plauderte er von den Belanglosigkeiten seiner heiteren Tage. Er schien sich nie um seine Geschäfte zu sorgen. Claes beneidete ihn um sein leichtes Gemüt und seine Fähigkeit, in allem einen guten Kern zu finden.

Selbst Emilys Verlobung mit ihrem geliebten Maler war inzwischen für ihn zum Glück geworden. David sei ein prächtiger Mensch. Und ein so geduldiger Zuhörer. Es sei ihm nicht nur gelungen, Madame Maynor, die argwöhnische Gattin des Arztes, für sich einzunehmen. Auch Frederik, der doch jeden, der um seinen Liebling Emily warb, mit grimmiger Kälte behandelte, die selbst einem sehr alten Butler nicht zustand, habe David sein Herz geöffnet.

Und es sei wunderbar, einen Portraitisten in der Familie zu haben. *Wenn Emily im Sommer mein Haus verläßt, kann ich doch jeden Tag ihr Bild betrachten. David hat es mit dem Auge der Liebe wirklich vortrefflich gemalt.*

Annes Portrait sei leider nicht fertig geworden, weil seine eigensinnige Schwester darauf bestand, so plötzlich und ohne die wochenlange Vorbereitung, die Frauen doch sonst für eine so weite Reise brauchen, mit Braniff nach Hamburg zu segeln.

Ich bitte Dich, mein Freund, schrieb Paul, *habe ein wachsames Auge auf sie und Matthews. Er ist zwar um unzählige Ecken herum irgendwie mit uns verwandt, dennoch hätte ich es lieber gesehen, wenn sie in Deinem Haus gewohnt hätte. Aber Du kennst meine Schwester, sie hat ihren eigenen Kopf, und an Matthews scheint sie einen Narren gefressen zu haben. Dabei geht in London das Gerücht, er sei ein windiger Kerl. Was spricht man in Hamburg über ihn?*

Braniff hingegen, schrieb Paul noch, gebärde sich wie ein Windhund, sei aber tüchtig, zuverlässig und ein kluger Kopf. Claes erinnerte sich gut an den falschen Erfinder, dem Paul während ihrer gemeinsamen Jugendjahre in London für irgendeine mechanische Revolution ein kleines Vermögen anvertraut hatte. Und verloren. Den hatte er auch für einen zuverlässigen, klugen Kopf gehalten.

Die Kerzen waren fast heruntergebrannt und flackerten unruhig. Claes steckte neue auf den Leuchter.

Blohm hatte einen Vorrat für die Nacht auf dem Tisch bereitgelegt. Er wußte, daß Claes in diesen Tagen schlecht schlief und vor dem Zubettgehen gern noch eine Stunde für sich allein in seinem Zimmer saß, bis der Lauf seiner Gedanken sich beruhigte.

Matthews. Was sprach man über ihn in Hamburg?

Zum erstenmal bedauerte Claes, daß er sich nie um den

Klatsch an der Börse, in den Kontoren und Salons der Stadt kümmerte. Er mochte Thomas Matthews nicht, auch wenn er nicht benennen konnte, warum. Der junge Kaufmann war ihm zu glatt, zu geschmeidig. Hinter seinem ständig lächelnden Gesicht argwöhnte Claes nichts als den Versuch, sich bei den wichtigen Leuten beliebt zu machen.

Jeder wußte, daß Matthews hart kämpfen mußte, aber es schien ihn nicht zu bedrücken. Seine Londoner Familie war mit dem Brasilienhandel über die portugiesischen Häfen reich geworden. Der ganze portugiesische Handel war seit Jahrzehnten fest in englischer Hand. Das brasilianische Gold und die reiche Ausbeute aus den Diamantenminen flossen in englische Kassen, und die Weine aus Porto, das einzige, was der karge westiberische Boden für den Handel hergab, wurden fast ausnahmslos an eine Londoner Handelsgesellschaft verkauft.

Auch der Port, mit dem in Hamburg gehandelt wurde, machte nicht portugiesische, sondern englische Händler reicher. Wenn es französischen, holländischen oder deutschen Kaufleuten gelang, ein paar Fässer direkt von portugiesischen Händlern zu kaufen, waren es immer nur Weine schlechter Qualität. Der erstklassige Port in den Fässern, die mit der Bark auf dem Grund des Tejo lagen, waren, wenn man es genau nahm, Schmuggelware.

Portugal! Warum hatte er nicht gleich daran gedacht? Matthews mußte in Lissabon die besten Verbindungen haben. Und die Stadt am Tejo war berüchtigt. Der portugiesische König und seine Vasallen galten als die reichsten Fürsten in ganz Europa, ihre Paläste waren prächtig wie die des französischen Adels.

Das Volk hingegen hungerte wie kaum ein anderes auf dem Kontinent. In den Hüttendörfern, stinkenden Pestbeulen am Rand der reichen Hauptstadt, war das Leben noch elender als in den Slums von London. Überfälle und Einbrüche, Diebstähle und Morde waren an der Tagesordnung. Diese Auswüchse der Armut rund um das herrschaftliche Lissabon waren der einzige Grund, warum Claes sich Sorgen um Sophies Ehe mit Martin machte.

Für jemanden mit Matthews Verbindungen mußte es leicht sein, in Lissabon ein Schiff versenken zu lassen.

Er wollte Joachim fragen. Gewiß wurde auch an den Billardtischen in Jensens Kaffeehaus über Matthews geredet.

Es war schade, daß Joachim heute abend abgesagt hatte. Gerade in der ersten mühsamen Stunde des Abends hätte seine heitere Gegenwart Claes geholfen. Aber wenn es um Duchess ging, wenn sie gar wie heute eine Kolik hatte, war Joachim alles andere egal. Er hatte die kostbare schwarze Stute aus London mitgebracht und liebte sie wie ein Knabe sein erstes Pony. Jeden Tag ritt er sie gleich nach Sonnenaufgang vor den Wällen. Claes verstand diese Verehrung für ein Tier nicht, aber sie berührte ihn.

Joachim konnte er trauen. Claes fröstelte. Konnte er das wirklich? Auch nach dem, was Braniff aus London berichtet hatte?

Claes hatte Joachim seit dem Tag, an dem er aus London heimkehrte, um nach Daniels Tod das Handelshaus van Stetten zu leiten, blind vertraut. Es war tröstlich gewesen, die brüderliche Freundschaft zu Daniel van Stetten einfach auf den jüngeren Bruder zu übertragen. Joachim galt zwar – wie Matthews – in seiner Jugend als Leichtfuß, und auch wenn er ihm in so vielem glich, war er doch nicht Daniel. Aber Joachim hatte sich in den Jahren fern von Hamburg verändert. Er war ruhiger geworden, ein zuverlässiger Kaufmann. Und ein treuer Freund. Das hatte er ganz besonders in den schweren Monaten nach Marias Tod immer wieder bewiesen.

Ihm zu mißtrauen war ein Treubruch. Nur weil Captain Braniff, den er noch keine vier Tage kannte, abenteuerliche Geschichten aus London erzählte, mußten sie nicht wahr sein. Immerhin war der Engländer ein ehemaliger Freibeuter, und auch jetzt noch, zwei Jahre nach dem Ende der großen europäischen Kriege, machte er Geschäfte mit dem Schmuggel. Nicht weil ihn die Not dazu zwang, sondern ganz offensichtlich, weil es ihm Spaß machte.

Braniff konnte sich auch einfach nur geirrt haben. So wie er, Claes, sich mit seinem Verdacht gegen Anne geirrt haben mußte.

Und was ging es ihn überhaupt an, wenn Joachim in London tatsächlich falsch gespielt hatte? Das war nicht gerade ehrenhaft, aber deswegen war er noch kein schlechter Mensch, es gab keinen Grund, an seiner Freundschaft zu zweifeln.

Wahrscheinlich war er an der Themse in üble Gesellschaft geraten. Aber hier, zu Hause in Hamburg, hielt sich Joachim an seinesgleichen und kümmerte sich nur um seine Geschäfte.

Oder etwa nicht?

Claes stöhnte und suchte in seiner Rocktasche nach dem Fläschchen, das Sophie ihm heute nachmittag gegeben hatte. Er betrachtete es zweifelnd, zog vorsichtig den Stopfen heraus und hielt es an die Nase. Nicht schlecht. Sophie wußte nicht, welche Essenzen die alte Heilerin gegen seine Kopfschmerzen zusammengemischt hatte, aber es roch gut. Er verrieb einen Tropfen der öligen Flüssigkeit zwischen den Fingern und sog den frischen Duft tief ein. Minze, vielleicht auch Thymian. Es konnte wohl kaum schaden.

Er lehnte sich zurück und schloß die Augen.

Das war ihm alles viel zu kompliziert. Sein Leben war immer einfach und klar gewesen. Bis zu dieser unglückseligen Reise nach Jersey. Damit hatte alles angefangen. Doch sicher wäre seine Bark auch explodiert, wenn er nicht nach Jersey gefahren wäre.

Auch Behrmanns Tod hatte mit dieser Reise nichts zu tun. Aber irgendwie mußte alles zusammenhängen. Es mußte eine Klammer geben, die alles verband. Behrmann mußte gewußt haben, was sich abspielte. Der treue, fleißige Behrmann.

Erst jetzt bemerkte Claes, wie wenig er über ihn wußte. Er kam aus einem der Dörfer nördlich der Wälle, aus welchem, hatte er vergessen, und war bei einem Lübecker Händler in die Lehre gegangen. Es schien, als habe es für ihn in den letzten Jahren nichts gegeben als das Herrmannssche Handelshaus.

Claes mochte ihn, auf eine gewisse Weise war Behrmann ihm von Anfang an vertraut gewesen. Aber das Kontor war das Kontor. Privates hatte da keinen Platz.

Ob er auf Martin eifersüchtig gewesen war?

Claes war nie auf den Gedanken gekommen, zu fragen, ob Behrmann den Posten in Lissabon wollte. Nicht, weil er es ihm nicht zugetraut hätte, aber Behrmann gehörte in sein Kontor wie Tintenfaß und Börsennachrichten. Er war ihm unersetzlich erschienen. Er hätte ihm das einmal sagen sollen. Martins schneller Aufstieg mußte ihn gekränkt haben.

Und die Verlobung mit Sophie? Hatte Behrmann auf eine Ehe mit Sophie spekuliert? Sicher nicht. Claes lächelte. Er konnte sich Behrmann nicht als Liebhaber oder Ehemann vorstellen. Doch wer weiß, welche Leidenschaften sich hinter der korrekten, immer ein wenig papierenen Fassade verborgen hatten.

Claes verrieb noch einen Tropfen des Öls auf den Schläfen. Es besänftigte den bohrenden Schmerz tatsächlich. Wenn die Mixtur ihm doch auch helfen würde, klarer zu denken. Da war etwas, an das er sich erinnern wollte, irgendein Satz, ein Gedanke, ein Wort.

Ein Bild?

Vielleicht sollte er auf Augusta hören und mit dem Komödianten in der Fronerei reden. Es konnte nicht schaden. Und wenn er sich zusammenriß und zuhörte, anstatt gleich loszubrüllen, wenn der Kerl ihm nicht paßte, erlebte er womöglich eine Überraschung und erfuhr, was er wissen wollte.

Er goß sich noch einen Port ein, ganz bestimmt den letzten heute abend, und öffnete das Fenster. Die Nachtluft war milde, der Frühling war nun wirklich da. Mondlicht glänzte auf dem Fleet, und am Ende der Straße flackerte der Lichtschein der Laternen auf der Jungfernbrücke herüber. Schwer vorstellbar, daß Martin hier, nur wenige Meter von seinem sicheren Haus entfernt, fast erschlagen worden war.

«Vater!» Sophie stand aufgeregt in der Tür. «Gott sei Dank, du schläfst noch nicht. Komm schnell zu Martin.»

Das Wolltuch rutschte von ihren Schultern, aber sie beachtete es nicht.

«Er spricht, und ich kann ihn einfach nicht verstehen. So komm doch! Schnell!» Schon war sie wieder aus der Tür und lief eilig die Treppe hinauf zurück in Martins Zimmer.

Martin lag mit geschlossenen Augen in dem breiten Bett. Obwohl die sechs Kerzen den Raum nur spärlich beleuchteten, bemerkte Claes, daß ein Hauch von Leben in sein bleiches Gesicht zurückgekehrt war.

Aber Martin sprach nicht. Er atmete ruhig und blieb stumm.

Sophie starrte ihn flehentlich an. «Eben hat er geredet. Er war ganz aufgeregt, irgend etwas von den Färöern und von einem Gamben-Hans. Verstehst du das? Warum denkt er jetzt an die Färöer Inseln? Treiben wir mit denen Handel? O Vater, glaubst du, es geht ihm besser? Wenn er spricht, muß es ihm doch bessergehen.»

«Sicher geht es ihm besser, Sophie. Das liegt an deiner guten Pflege.» Claes legte beruhigend seinen Arm um die zitternden Schultern seiner Tochter.

«Die Färöer, sagst du? Das macht keinen Sinn. Aber wenn Kranke phantasieren, erscheint das oft ohne Sinn. Wer weiß, wovon er gerade träumt?»

Claes hatte damals auf Jersey auch phantasiert. Von Jasmin, hatte Anne ihm später berichtet, immer wieder von Jasmin. Das hatte auch keinen Sinn gemacht. An diesem Abend verstand er endlich.

Martin stöhnte und drehte unruhig seinen Kopf auf dem Kissen. Für einen Moment öffnete er die Augen, aber sein Blick blieb leer und hielt nichts fest. Und dann sprach er wieder, hastig und unruhig Gemurmeltes, wirre Satzfetzen, die kaum zu verstehen waren.

«Bitte, Martin», flehte Sophie, «wach auf, Liebster. Sprich mit mir. Bitte.»

Aber Martin seufzte nur. Sein Atem wurde ruhiger und zeigte, daß er wieder in tiefem Schlaf versunken war.

Sophie hatte ihn auch jetzt nicht verstanden. Claes zuckte bedauernd die Schultern.

«Mach dir keine Sorgen, Kind. Es kann nur ein gutes Zeichen sein. Mir scheint auch, daß er nicht mehr ganz so weit fort ist.» Er strich ihr über die heiße Wange. «Solltest du nicht auch schlafen?»

«Bald, Vater. Elsbeth löst mich um Mitternacht ab. Wir wollen nicht, daß er allein ist, wenn er aufwacht.»

Claes nickte und erinnerte sich daran, wie er damals auf Jersey zum erstenmal aus seiner tagelangen Bewußtlosigkeit erwacht war. Er hatte sich nicht erinnern können, wo oder wer er war, hatte Schmerzen gespürt und die Angst, die ihn durch die Fieberträume gejagt hatte. Doch als er Annes Gesicht im Schein der Kerze sah, war alles gut, und die Angst verging.

An der Tür drehte er sich noch einmal um. Sophie hielt Martins Hand, betrachtete ihn aufmerksam und murmelte beruhigende Worte. Sie warb um seine Rückkehr von den Ufern der Dunkelheit in ihre helle Welt.

In den letzten Tagen war aus dem quirligen Mädchen eine starke junge Frau geworden. Eine liebende Frau. Sophie war erwachsen. Sicher nicht erst seit den letzten Tagen, er hatte es bisher nur nicht bemerkt.

«Sophie.»

«Ja, Vater?»

Sie drehte sich zu ihm um, voller Anmut, trotz ihrer Müdigkeit. Ihr stilles Lächeln und ihr aufmerksamer Blick erreichten eine Kammer seiner Seele, die er vor drei Jahren fest verschlossen hatte.

«Du bist deiner Mutter sehr ähnlich. Ich bin stolz auf dich.» Dann schloß er leise die Tür.

Färöer und Gamben-Hans. Claes runzelte die Stirn, griff nach Feder und Tinte und schrieb die Worte auf einen Bogen Papier. Eigentlich war das nicht nötig. Er hatte nur wenig von dem verstanden, was Martin gemurmelt hatte, auch den Sinn hatte er nicht begriffen. Aber diese beiden Worte waren ganz klar gewesen.

Sophie konnte sie nicht verstehen, weil sie in ihrer Welt nicht vorkamen. Das hoffte Claes jedenfalls. Martin träumte nicht von den Färöern und irgendeinem Gamben-Hans. Er hatte von Pharo und vom Gambling House gesprochen.

In allen Städten, in denen die Engländer zu Hause waren, gab es Spielhöllen, in denen Pharo gespielt wurde. Das Glücksspiel konnte einen unbeherrschten Spieler in einer Nacht um seinen ganzen Besitz bringen.

Das berühmteste war das Gambling House in London. Es war über einen unauffälligen, schmutzigen Hof am Rande der Slums zu erreichen. Grimmige Diener bewachten die unscheinbare Tür. Nur wen sie für würdig, und das hieß für reich genug befanden, ließen sie in das mit rotem Samt tapezierte Foyer treten. Goldgerahmte Spiegel und der Glanz von zahllosen Kerzen auf Kristallüstern, das gedämpfte Lachen der Kokotten aus den Spielzimmern und Séparées, schwerer Moschusduft und das Klingen von Gläsern und Geigen wirkten wie der Rauch aus den Wasserpfeifen in orientalischen Basaren. Alles schien möglich. Unmöglich schien nur, in diesem Paradies zu verlieren.

Claes hatte Glück gehabt, damals.

Was wußte Martin von diesem Haus? Oder war er in Lissabon selbst in die Fänge der Berufsspieler geraten? War er etwa nur so heimlich nach Hamburg gekommen, weil er auf der Flucht vor seinen Gläubigern war?

Martin war jung und unerfahren. Wer konnte wissen, welchen Verlockungen er in der Hitze des Südens erlegen war?

Aber der Brief, den er mit dem Geheimkurier vorausgeschickt hatte, war eindeutig. Egal, welche Spielhölle seine Träume verdüsterte, Martin wußte, auf welche Weise und in wessen Auftrag die *Katharina* untergegangen war. Und nur das war jetzt wichtig.

Claes warf einen letzten Blick auf den Lichtschein von der Jungfernbrücke und schloß das Fenster. Martin brauchte mehr als Sophies Pflege. Martin mußte beschützt werden. Niemand, der nicht zur Familie gehörte, durfte in sein Zimmer. Auch Braniff nicht. Und Anne? Nein, auch Anne nicht. Alle Eingänge des Hauses mußten ständig bewacht werden, und Augusta und Sophie durften das Haus nicht mehr ohne Begleitung verlassen.

Es war genug gemordet worden.

«Wach auf», zischte eine aufgeregte Stimme, «so wach doch bitte wieder auf.»

Eine lästige, kühle Hand schlug ihr leicht immer abwechselnd auf beide Wangen. Rosina blieb nichts anderes übrig, als die Augen zu öffnen. Sie hatte also nicht geträumt. Sie war in der Komödienbude, und der Mann im schwarzen Rock lehnte immer noch an der umgestürzten Bank. Aber er starrte sie nicht mehr so entsetzlich an, jemand hatte ein Tuch über seinen Kopf gelegt.

«Dem Himmel sei Dank», flüsterte die Stimme, «für einen Moment dachte ich, dir sei die Luft endgültig weggeblieben. Geht's wieder besser?»

Sebastians Gesicht tauchte aus dem Dunkel auf. Er strich ihr vorsichtig das zerzauste Haar aus der Stirn.

«Wer ist das?» Rosina schob seine Hand fort und zeigte auf den Mann. «Ist er tot?»

«Pssst! Sei doch leise. Willst du, daß man uns direkt neben einer Leiche findet? Dann geh doch gleich in den Kerker.»

Sie sah ihn erschrocken an, sein Gesicht war kaum zu erkennen. Er hatte die Tür geschlossen, und durch die Ritzen der Bretterbude fiel nur wenig Mondlicht. Sie versuchte klar zu denken, aber in ihrem Kopf war nichts klar. Sie erinnerte sich nur an diesen Mann mit dem entsetzlich verzerrten Gesicht und an die feste Hand auf ihrem Mund. «Du hast mich fast erstickt!»

«Ich wußte ja nicht, wer da zur Tür hereinschlich. Warum läufst du auch in Männerkleidern herum? Bei deinem ersten Schrei hätte sich innerhalb von Minuten die halbe Stadt hier versammelt. Wenn du so einen Lärm gemacht hättest wie die arme, verfolgte Melusine im «Götterfest von Thrakien», wäre wahrscheinlich sogar der Mörder wieder zurückgekommen.»

Rosina wurde wieder schwindelig.

«Oder glaubst du, daß dieser Mann an der Influenza gestorben ist? Ich habe ihn nicht umgebracht, aber irgendwer muß es getan haben. Was tust du überhaupt hier, mitten in der Nacht?»

Rosina antwortete nicht. Sie beugte sich zu dem Toten und sah vorsichtig unter das Tuch. «Kennst du ihn?»

«Fall bloß nicht wieder in Ohnmacht», flüsterte Sebastian. «Ich habe keine Ahnung, wer das ist. Aber sieh dir seine Kleidung an. Sieht er nicht aus wie ein Pastor?»

Rosina nickte und ließ das Tuch wieder über das bläuliche Gesicht gleiten.

«Wann hast du ihn gefunden?»

«Nicht lange bevor es Mitternacht schlug.»

Sebastian hatte sich nach dem Ausflug in den Bremer Schlüssel im Stall ein Bett gemacht. Wenn Titus den Bauch voll Bier und Branntwein hatte, war sein Schnarchen fürchterlich.

Er wußte nicht, was ihn geweckt hatte, aber die Unruhe der Pferde und ein unbestimmtes Gefühl von Gefahr machten ihn sofort hellwach. Dann hörte er Bretter knarren und leise Schritte, die sich schnell entfernten.

«Ich bin aus dem Heu gekrochen und habe ihn gefunden.»

«Du hättest zuerst Hilfe holen sollen. Wenn er noch dagewesen wäre ...»

«... hätte ich mit ihm genau das gleiche wie mit dir gemacht.» Sebastian grinste. «Sicher wäre der Mörder auch in Ohnmacht gefallen.»

Rosina hätte ihn gerne böse angesehen, aber es gelang ihr nicht. Sie war plötzlich sehr froh, daß er da war.

«Du frierst», sagte er leise, zog seine Jacke aus und legte sie um ihre Schultern.

Rosina schmiegte sich an das warme Loden, atmete seinen Geruch nach Heu und Pferden und hatte ausnahmsweise nichts dagegen, daß er ganz nahe heranrückte und den Arm um sie legte, um sie zu wärmen.

«Wir müssen ihn schnell loswerden.»

Sebastian nickte.

«Wenn er hier gefunden wird, können wir im Gänsemarsch zum Galgen marschieren.»

«Hat er geblutet?»

«Nein, zum Glück ist er nicht erstochen worden.»

Sebastian drehte sich um, hob das Tuch und murmelte: «Erwürgt. Ich habe zwar noch nie einen Erwürgten gesehen, aber schau selbst.»

«Ich glaube dir auch so.» Rosina kroch noch tiefer in die warme Jacke.

«Und was machen wir mit ihm? Wir können ihn doch nicht einfach durch die Stadt schleppen und in ein Fleet werfen. Da laufen Wächter herum, und die Nacht ist immer noch hell...»

«Aber nicht mehr lange. Der Wind bringt schon Wolken.»

Sebastian und Rosina erstarrten. Wie aus dem Erdboden gewachsen, stand eine dunkel verhüllte Gestalt vor ihnen. Sie schlug das Tuch zurück und kicherte leise. Lautlos glitt sie aus dem Schatten und beugte sich über den Mann.

«Lies! Wo kommst du so plötzlich her?»

«Nach Mitternacht ist Geisterstunde, Rosina. Weißt du das nicht?»

Sie hob das Tuch und betrachtete das Gesicht des Toten. Ihre dünnen Finger tasteten von den Schläfen hinunter zum Hals, verharrten unterhalb der Ohren, glitten unter den Kragen und über die Schultermuskeln.

«Tot», flüsterte sie, «aber noch nicht lange. Ich weiß einen schönen Platz für dich», murmelte sie und tätschelte dem Toten freundlich die Schulter. «Wir warten, bis der Mond verschwunden ist. Betet, daß, wer immer das getan hat, die Stadtwache erst morgen schickt.»

11. KAPITEL

SONNTAG VORMITTAG

Das helle Sonnenlicht blendete Claes, als er mit Augusta die Katharinenkirche verließ. In der Kirche mit ihren alten Buntglasfenstern war es schummrig, und sosehr er sich bemüht hatte, der Predigt zu folgen, er war doch immer wieder eingenickt. Er hatte nach den Aufregungen der letzten Nacht schlecht und zuwenig geschlafen, und Pastor Meiser predigte zu langweilig, um ihn an diesem Morgen wach zu halten. Jedesmal wenn sein Kopf nach vorne sank, hatte Augusta ihn sanft geschubst. Es hatte wenig genützt.

Hoffentlich kam Goeze bald von seinem Besuch im dänischen Schleswig zurück. Der Hauptpastor war ein strenger und humorloser Mann, doch ein gewaltiger Redner, und seine Predigten, oft ein hartes Gericht gegen die Unsittlichkeit der Künste, waren wenigstens nie langweilig. Claes teilte Goezes Zorn auf weltliche Vergnügen nicht. Aber Meisers Salbaderei war gegen den Donner des Hauptpastors nichts als dünne Luft.

Goeze sorgte immer wieder für Aufregung. Was war das für ein Spektakel gewesen, als er den Rat dazu gebracht hatte, Dreyers Büchlein mit Spottgedichten zu beschlagnahmen und vom Henker auf der Trostbrücke verbrennen zu lassen. Zwar hatten die Bürger dafür gesorgt, daß die Stadtwache von den gedruckten tausend nur noch wenige Exemplare in den Buchhandlungen fanden, aber Dreyer mußte sich von Goezes Kanzel als Satansapostel beschimpfen lassen und die Stadt verlassen. Wochenlang hatte das Debakel in den Salons Staub aufgewirbelt und das öde Einerlei aus Klatsch, Geschäften und Kartenspiel aufgemischt. Es hieß, daß Dreyer bald zurückkehren werde, und die ganze Stadt wartete gespannt auf den nächsten Akt des komischen Dramas zwischen Kunst und Kirche.

Claes seufzte. War es erst eine Woche her, daß er sich mit Joachim, Baumeister Sonnin, Telemann und dem jungen Reimarus im Kaffeehaus über das Recht auf die freie Rede, das Für und Wider der Zensur und die Macht der Kirche gestritten hatte? Wie vergnüglich war ihm in seinem Alltagstrott der ewige Zank zwischen Dreyer und Goeze erschienen. Was würde er jetzt darum geben, in diesen Trott zurückkehren zu können!

«Komm, Claes.» Augusta nahm seinen Arm. «Auf dem Jungfernstieg werden die ersten Veilchen angeboten. Ihr Frühlingsduft wird Martin guttun, und wir beide brauchen Luft und Sonne.»

Auf der breiten Promenade am Ufer der Binnenalster herrschte reges Treiben. Unter den Linden spazierten ganze Familien im Sonntagsstaat, junge Mädchen führten kleine Hunde und ihre neuen Frühlingshüte spazieren, Jungen rannten am Wasser entlang und drehten ihre Reifen, Hökerinnen hockten auf runden Ufersteinen, verkauften Mandeln, Zimtbrezeln und getrocknete Pflaumen. Am Anfang der Lindenallee standen zwei Vierländerinnen in ihren bunten Trachten mit den breitrandig gewölbten Strohhüten. Ihre Körbe waren fast leer. Augusta war froh, die letzten vier Veilchensträuße zu ergattern.

Claes sah zwei jungen Männern nach, Söhnen von Kroogstedt und Wagner, die auf ihren glänzenden Füchsen langsam durch die Menge ritten. Er sah ihre geschmeidigen Bewegungen, den galanten Schwung ihrer Arme, wenn sie, von den sonntäglich aufgezäumten Pferden herab ihren Dreispitz schwenkend, in die Menge grüßten, ihre vom Wind geröteten, selbstbewußten Gesichter.

Augusta, die immer seinen Gedanken folgen konnte, lächelte.

«Du solltest auch wieder reiten, Claes. Manchmal», sie strich entschuldigend über seinen Arm, «gebärdest du dich weitaus älter, als du bist.»

Claes nickte. Er hatte auch schon daran gedacht. Joachim behauptete immer, das Reiten halte ihn gesund und bei Laune. Tatsächlich wirkte er, obwohl nur wenige Jahre später geboren, weitaus jünger und kraftvoller als Claes.

Augusta hatte mal wieder recht. In den letzten Jahren war er eingerostet. Zumindest wollte er den Stock zu Hause lassen, er brauchte ihn wirklich nicht mehr.

Aber eigentlich kümmerte ihn seine Gesundheit an diesem Vormittag weniger denn je. Die Gedanken schwirrten in seinem Kopf wie kanarische Vögel in einer zu engen Voliere. Das merkwürdige Verschwinden der Post zwischen Jersey und Hamburg hatte ihn fast Annes Freundschaft gekostet. Die anonymen Briefe, in denen er als gottloser Förderer der Sklaverei angeklagt und mit göttlicher Strafe bedroht wurde, waren nicht minder merkwürdig. Ein dritter hatte heute morgen auf seiner Kirchenbank gelegen. Er würde ihn später lesen, er wußte ja, was darin stand.

Zwei Worte drängten sich in dem Durcheinander in seinem Kopf immer wieder in den Vordergrund: Pharo und Gambling House.

Er war heute ein schlechter Gesellschafter und froh, als die struppige Perücke Telemanns aus der Menge auftauchte. Der Wagen des Musikers wartete nahe St. Petri. Augusta nahm sein Angebot, sie nach Hause zu fahren, freudig an. Telemann würde mit ihr ein ausgiebiges Frühstück nehmen.

Claes sah den beiden lächelnd nach. Augusta, immer noch kerzengerade und elegant in der schweren grauen Seide am Arm des steifbeinigen, etwas krummen Telemann. Plaudernd und kichernd wirkten sie aus der Entfernung wie ein junges Paar. Zwischen ihnen gab es keine Zweifel, keine schwarzen Wolken. Im Bewußtsein der Kostbarkeit jeden Tages schlenderten sie durch die Frühlingssonne, als gebe es nichts zu fürchten als den nächsten Regenschauer.

Der alte Moses, zwei Schritte hinter seinem Herrn, wie es sich gehörte, mit besorgtem Gesicht, wie es seine Art war, würde zwar kaum dafür sorgen können, daß die beiden Alten unversehrt im Neuen Wandrahm ankamen. Aber Telemanns Kutscher, ein rotgesichtiger Junge aus Horn, hatte für den Notfall kräftige Fäuste.

Claes ging über die Promenade, grüßte höflich nach links und nach rechts, aber anders als sonst blieb er nicht stehen, wenn er Bekannte traf.

Er war in Gedanken, und als er Agnes entdeckte, war es beinahe schon zu spät.

Seit sie im Februar zurückgekehrt war, vermied er, ihr zu begegnen. Er wußte, daß sie die Wintermonate nicht zum Vergnügen in London verbracht hatte, sondern auf der Flucht vor dem Klatsch.

Als sie beim Großen Festmahl der Ratsherren im letzten August an seiner Seite saß, schien ihre Hochzeit nur noch eine Frage der Zeit. Niemand hatte verstanden, warum er sich plötzlich von ihr zurückgezogen hatte. Selbst aus den Küchen der Häuser Herrmanns und Josten drangen nur vage Vermutungen.

Nun kam sie ihm in der Menge entgegen, und Claes glitt hinter den dicken Stamm einer Linde. Irgendwann mußte er ihr begegnen, aber nicht gerade heute.

Agnes war eine schöne Frau. Biegsam wie eine Birke und immer in Bewegung, die weit schwingenden Röcke ihres schilfgrünen Kleides waren mit silbernen Litzen besetzt, die im Sonnenlicht glänzten und alle Blicke anzogen. Die winzige Haube auf dem hochgetürmten aschblonden Haar war mit Schwanenfedern besetzt und ließ ihren zarten Teint schimmern wie eine frisch erblühte weiße Rose. Er sah sie lachen, die vollen Lippen glänzten feucht und rot über makellosen kleinen Zähnen.

Claes seufzte. An ihrer Seite hatte er sich wieder jung und abenteuerlustig gefühlt. Er hatte sie mit jeder Faser seines Körpers begehrt.

Aber dann sah er, wie sie ihre Zofe schlug, bis aus der Nase des Mädchens Blut rann, nur weil es Kakao über ein neues Kleid geschüttet hatte. Er sah immer noch hinter der schönen Maske die wutverzerrte Fratze, hörte immer noch die harten Schläge dieser kleinen, scheinbar so zarten Hände.

Er war sich bis heute nicht sicher, ob das wirklich ein Grund war, eine so günstige Ehe auszuschlagen. Auch Maria konnte streng sein, streiten und ihn reizen, bis er tobte. Aber sie hatte immer einen Grund gehabt. Und niemals hätte sie eine Magd, fast ein Kind noch, geschlagen. Schon gar nicht für ein Mißgeschick, wie es alle Tage vorkommen konnte.

Bei dem Gedanken an Marias Tod fühlte er immer noch Zorn.

Agnes war nicht allein, natürlich nicht, es mangelte ihr nie an Verehrern, die von ihrer Schönheit und Caprice oder von ihrem Vermögen gefesselt waren. Aber mit Thomas Matthews hatte Claes sie nie zuvor gesehen.

Sie blieben nicht weit von der Linde stehen, hinter deren Stamm sich Claes verbarg.

«Ach, Thomas, mein Freund, Ihr seid so kraftvoll. Und so klug.» Sie sah ihn schmelzend über den Rand ihres Fächers an. «Was hätte ich gestern nur ohne Eure Hilfe getan?»

Matthews errötete wie ein Jüngling.

Der Wind trug den Rest ihrer Worte davon. Was Claes bedauerte. Er hätte gerne noch ein wenig gelauscht.

Nun hob sie den Arm und winkte mit dem Fächer. Scherzend und tändelnd tippelte sie, Matthews fest am Arm, die Allee hinunter.

Claes schimpfte sich einen erbärmlichen Feigling, aber nur der Ehre wegen und äußerst halbherzig, kam hinter seinem Lindenversteck hervor und sah, wie Captain Braniff, die rechte Hand auf dem weinroten Samtrock direkt über dem Herzen, sich tief über Agnes' Hand beugte.

Claes war ärgerlich, auch wenn er nicht wußte, warum. Agnes konnte sich umwerben lassen, von wem immer sie wollte, es ging ihn nichts an, und es interessierte ihn auch nicht, was Matthews für sie getan hatte.

Nein, er ärgerte sich nicht über Agnes. Er ärgerte sich über Matthews. Und über Braniff. Aber warum? Die beiden paßten gut zu Agnes. Zwei Abenteurer und eine, eine...

Ach was. Es ging ihn wirklich nichts an.

Claes blieb so plötzlich stehen, daß ein Junge, der in blindem Vergnügen einem Reifen hinterherrannte, über seinen Stock stolperte. Das Kind rappelte sich hastig auf und lief erschrocken davon, aber Claes bemerkte es kaum.

Er sah immer noch Agnes, Braniff und Thomas nach, die fröhlich plaudernd zu einem der Anleger schlenderten und mit viel Gelächter eine der schwankenden Lustschuten, ein kleines, überdachtes Ausflugsboot, bestiegen.

Was hatten die drei miteinander zu tun?

Und vor allem: Wo war Anne?

In Jensens Kaffeehaus herrschte das gleiche Gedränge wie an der Alster. Während die Hausfrauen nach Gottesdienst und Promenade davoneilten, um ihren Köchinnen auf die Finger zu sehen und das gute Silber für das Sonntagsmahl aus dem Schrank zu holen, trafen sich die Herren zu einer Tasse Kaffee oder einem Glas Port bei Jensen.

Claes mochte die sonntägliche Mittagsstunde im Kaffeehaus nicht besonders. An Wochentagen, wenn sich die Kaufleute nach der Börse beim Kaffee oder zu einer Runde Billard trafen, summten die Räume von den Gesprächen über Ladungen und Schiffe, über Probleme der Commerz Deputation, den letzten Bankrott oder die neuesten Nachrichten in den Zeitungen aus London, Berlin, Amsterdam, Kopenhagen und Paris.

Am Sonntag vormittag lähmte gewöhnlich die Schläfrigkeit eines Tages ohne Arbeit auch das Kaffeehaus. Die Queues lagen ungenutzt auf den Billardtischen, die Gespräche waren gedämpfter, und kein atemloser Bote drängte mit einer eiligen Nachricht auf der Suche nach seinem Herrn durch die Räume.

Aber heute drang der Lärm einer heftigen Debatte schon durch die geschlossene Tür.

«Woher wißt Ihr, daß es diesen Toten tatsächlich gibt?» Die Stimme von Friedrich Reichenbach übertönte hell den allgemeinen Aufruhr.

«Ein Kind, schmutzig und in Lumpen, hat einen anonymen Brief in der Hauptwache abgegeben. Und keiner weiß, wer ihn geschickt hat. In der Komödienbude soll eine Leiche liegen! Mehr stand nicht da. Das kann jeder behaupten...»

«Papperlapapp», schrie Henbach, ein dicker Mann im modischen blauen Rock über weißen Kniehosen. «Nicht irgendeine Leiche, Pastor Voschering von St. Katharinen soll's sein. Und der ist seit gestern verschwunden. War nicht zu Hause letzte Nacht, und wo sollte ein Pastor sich wohl rumtreiben?»

Grölendes Gelächter rundum, und der kleine Reichenbach wurde zornrot.

«Kennt Ihr Eure Hilfspastoren so gut? Vielleicht ist er ein Sünder, Ihr solltet eilig Euer Altarsilber zählen. Wer weiß, was fehlt, und der Pastor ist damit auf und davon...»

«Jensen.» Claes war blaß geworden und hielt den Wirt, der sich mit einem Tablett voller schmutziger Kaffeetassen durch die Menge drängte, am Arm fest. «Was ist hier los? Wer ist tot?»

«Wahrscheinlich niemand. Regt Euch nicht auf.»

Jensen sah Herrmanns freundlich an. «Und ganz bestimmt niemand, der mit Euch zu tun hat. In der Hauptwache hat einer einen Brief abgegeben. Da stand drin, daß Voschering, Ihr wißt schon, dieser neue pickelige Hilfspastor von St. Katharinen, mausetot in der Komödienbude liegt. Aber die Stadtwache hat keine Leiche gefunden. Nichts als Staub, Komödiantengerümpel und alte Bretter. Vielleicht war der dicke Wagner auch nur blind. Eins der Weiber, eine Blonde, die immer die Liebhaberinnen spielt und singt und tanzt, soll ihm völlig seinen dösigen Kopf verdreht haben. Glaubt mir, das Ganze ist nur ein unchristlicher Scherz. Und das so kurz vor Ostern.» Kopfschüttelnd eilte der Wirt in die Küche.

Claes wurde übel. Ganz bestimmt niemand, der mit ihm zu tun hatte?

Am frühen Freitagabend war der Hilfspastor mit devoten Verbeugungen an ihm vorbei die Treppe zu Augustas Salon hinaufgeeilt. Der Neffe ihrer Weißnäherin – oder war es die Hutmacherin? – hatte die begehrte Stelle nur bekommen, weil Augusta Hauptpastor Goeze sanft daran erinnert hatte, daß das neue Taufgeschirr ohne ihre Hilfe immer noch beim Silberschmied in Köln verstauben würde.

Claes hatte seine Tante nicht nach ihrem Besucher gefragt. Warum auch? Voschering wollte sicher nur seine Gönnerin bei Laune halten.

«Und selbst wenn er da gelegen hat, wer konnte es wissen?»

Die Stimme des jungen Reichenbach drang wieder hell durch den Trubel. «Doch nur der, der ihn ums Leben gebracht hat. Wer sonst? Und wenn es die Komödianten waren, wie ihr alle glaubt, warum sollten sie selbst die Wache rufen?»

Es wurde plötzlich still in Jensens Kaffeehaus. Niemand wußte eine Antwort.

«Warum?» rief der junge Sachse. «Das wäre doch verrückt.»

«Na und?» Levering, erst kürzlich zu Geld gekommen und in die Reihe der betuchten Kaffeehausbesucher und Börsianer emporgestiegen, war aufgesprungen. «Die sind doch auch alle verrückt. Ihr Sachsen seid vor lauter höfischer Kunstsinnigkeit ganz blind fürs Leben. Das ist ein gottloses Gesindel. Einige von denen sollen sogar aus anständigen Häusern kommen, das sind die Schlimmsten. Wer weiß, warum die sich dem Straßenvolk angeschlossen haben. Denen muß man alles zutrauen. Aus der Stadt jagen sollten wir sie...»

«Langsam, Levering.» Joachim, der bisher für Claes unsichtbar an einem der hinteren Tische gesessen hatte, erhob sich und legte dem jungen Kaufmann beruhigend die Hand auf die Schulter. «Wir sollten besser dafür sorgen, daß die Komödianten nicht heimlich durchs Tor verschwinden können. Und Reichenbach hat nicht ganz unrecht.»

Joachim sah den jungen Sachsen nachdenklich an.

«Andererseits, vielleicht hat ein Nachbar in der Fuhlentwiete den Toten gesehen und sich nicht getraut, selbst zur Wache zu gehen. In der Neustadt gibt es genug Schlitzohren, die die Stadtsoldaten aus gutem Grund meiden wie die Pest...»

«...und kaum einer von ihnen kann schreiben und lesen.» Obwohl Reichenbach sich ein wenig beruhigt hatte, war sein Gesicht immer noch von Eifer gerötet.

«Und ist der Brief nicht auf ordentlichem Bütten geschrieben? Das ist teuer, keines von diesen Schlitzohren hat je eine Papierhandlung betreten. Nein, den Brief an die Wache hat einer geschrieben, der den Komödianten schaden will.»

Wieder brach ein Tumult los, und Claes bahnte sich erschöpft den Weg zurück zur Tür.

«Wir werden ja sehen», hörte er Levering rufen. «Wagner hat Grandow aus Wellingsbüttel holen lassen. Der kriegt raus, ob das Pack einen umgebracht hat. Den können auch zehn Tanzmamsellen nicht blenden. Mit Weibern», er grinste breit, «hat der nicht viel im Sinn, und sein Hund findet jeden wieder. Tot oder lebendig.»

Claes trat hinaus in das helle Vormittagslicht, bog in die Kleine Johannisstraße und machte sich auf den Heimweg. Er mußte unbedingt mit Augusta sprechen.

Seine Sorge um Anne hatte er ganz vergessen.

Er hatte es eilig. Deshalb bemerkte er nicht, wie Friedrich Reichenbach mit gleicher Eile in die entgegengesetzte Richtung lief.

Die Komödianten saßen im Krögerschen Hof in der Mittagssonne und probten den Text zu dem Schäferspiel «Die holde Marietta und der Gänsehirt».

Sie hörten Grandow schon von weitem. Er zog durch die Gassen wie ein Rattenfänger. Kinder und Bettler, Straßenhändler und einige Küchenmädchen, die sich auf dem Weg zum Markt entschlossen hatten, lieber dem Mann mit dem Hund nachzulaufen, folgten ihm, als führe er die Prozession am Waisengrüntag an. Immer in respektvollem Abstand, denn Hund wie Mann sahen aus, als käme man ihnen besser nicht zu nahe.

«Macht Platz, weg da, geht doch nach Hause, Leute, hier gibt es nichts zu glotzen. Oder habt ihr noch nie einen Hund gesehen? Ihr stört uns nur bei der Arbeit. Geht nach Hause.» Wagner, der kleine, dicke Wachtmeister, hüpfte wie ein aufgeschrecktes Kaninchen neben dem Hundeführer her und versuchte vergeblich, das neugierige Gefolge fortzujagen.

In der Fuhlentwiete flogen die Fenster auf, und die Nachricht verbreitete sich wie ein Lauffeuer in der ganzen Neustadt: Grandow aus Wellingsbüttel ist da, gleich wird sein Hund, dieses schwarze Ungetüm mit den gelben Augen und schlabbernden Lefzen, Voscherings Leiche finden, und mit den Komödianten ist es ein für allemal aus.

Vor dem Holztor zum Krögerschen Hof blieb Grandow stehen. Er drehte sich um, und die nachdrängende Menge rutschte lachend und schimpfend ineinander.

«Faß, Hubertus!» sagte Grandow ruhig. Mit wütendem Gebell und hoch über sein Wolfsgebiß gezogenen Lefzen stieg der Hund an dem kurzen Lederriemen und versuchte sich mit wütendem Jaulen loszureißen, um dem Befehl seines Herrn zu folgen.

Kreischend stob die Menge auseinander, purzelte und stolperte zurück. Ein Eierkorb flog durch die Luft, eine Gans verlor ihr Leben, und drei Taschendiebe, die sich wie alle anderen nur aus Neugier unter die Menge gemischt hatten, machten in dem panischen Gedränge unverhofft Beute.

«Aus, Hubertus!» Grandow zog kurz und kräftig an der Leine, und das Tier, eben noch eine geifernde Bestie, setzte sich schwer atmend, aber friedlich wie ein Lamm neben seinen Herrn. Bevor die Menge wieder vordrängen konnte, waren Herr, Hund und Wachtmeister im Krögerschen Hof verschwunden, und Wagner hatte das Tor von innen mit dem Schließbalken verriegelt.

«Fräulein Rosina», Wagner tupfte seine schwitzende Stirn mit einem roten Schnupftuch und verbeugte sich tänzelnd und mit flatternden Armen vor den Komödianten.

«Fräulein Rosina», wiederholte er. «Ich bringe Euch Cordt Grandow, Ihr habt gewiß von ihm gehört, ein ausgezeichneter Mann, und sein Hund, ein nettes Tier, auch wenn es ein wenig grimmig aussehen mag...»

«Wo ist die Komödienbude?» fragte Grandow, der die Tänzelei des Wachtmeisters für äußerst unwürdig hielt und deshalb sowenig beachtete wie die Komödianten, die sprachlos auf ihren Hockern saßen und den riesigen Fremden mit dem feuerroten Bart und dem kalbsgroßen schwarzen Hund anstarrten. Sie interessierten ihn nicht. Sie mochten Mörder sein. Aber das ging ihn nichts an.

Obwohl die Weiber wirklich saftig waren. Die Blonde war ihm etwas zu mager, aber die Rote hätte er gern im Bett gehabt.

Er schob die rote Faust in die Hosentasche und drehte sich um. Er und Hubertus hatten eine Leiche zu suchen, und wenn jemals eine hier gelegen hatte, würden Hubertus' unvergleichliche Nase, seine Gier nach Blut und Aas sie auch aufstöbern. Egal, wie tief sie jetzt vergraben war. Selbst wenn sie im Schlick des Herrengraben-Fleets steckte, der gleich hinter der Fuhlentwiete verlief, würde Hubertus ihm die Stelle zeigen, bei der man sie hineingeworfen hatte. Und in den Fleeten ging nichts verloren. Dafür sorgten die nächste Ebbe und die Fleetenkieker, die bei ablaufendem Wasser im stinkenden Morast der Gräben nach Verwertbarem suchten.

«Gleich ist unsere Arbeit getan, Fräulein Rosina», zirpte der Wachtmeister, «nichts für ungut. Pflicht ist Pflicht», und stolperte aufgeregt davon, um Grandow den Weg hinter den Stall und zur Komödienbude zu zeigen.

Grabow zog ein Hemd, das nicht mehr ganz sauber war, aus einem Lederbeutel und hielt es Hubertus vor die Nase. Schnaubend und schnüffelnd besabberte der Hund das Leinen, rülpste, schüttelte speichelspritzend den mächtigen Schädel und sah seinen Herrn erwartungsvoll an. Hubertus war bereit.

«Such», zischte Grabow und stieß die Budentür weit auf.

Hubertus senkte seine große Nase in den Staub des Theaterbodens und schnüffelte zwischen Brettern, Bänken und alten Kulissen in jede Ecke. Er schnüffelte lange, und die Komödianten, die sich an der Budentür drängten, begannen zu hoffen.

Plötzlich blieb Hubertus stehen, sein Nackenhaar richtete sich langsam auf, seine Schenkel spannten sich, und ein dumpfes Knurren rollte aus seiner Kehle.

«Faß», rief Grabow aufgeregt, und das Tier, das eben noch wie ein Standbild im Staub gestanden hatte, bäumte sich auf und stürzte vorwärts.

«Faß», schrie Grabow immer wieder, «faß!»

In seinen Augen brannte das gleiche Jagdfieber wie in denen des Hundes, der nun mit aller Kraft an dem Riemen zerrte und aus der Bude stürzte, die Nase immer fest am Boden, bis zum Tor. Mit gellendem Gebell sprang er daran hoch, bis Wagner endlich den Balken weggeschoben und das Tor geöffnet hatte.

Hubertus raste auf die Fuhlentwiete und zog seinen Herrn hinter sich her wie ein Spielzeug. Johlend schloß sich die wartende Menge an, Hühner und Schweine stoben auseinander, Mütter rissen ihre Kinder aus dem Weg, und immer weiter ging es in wilder Jagd durch die labyrinthischen Gänge der Neustadt, bis Hubertus seinen atemlosen, aber siegesgewissen Herrn im Kornträgergang zwischen zwei schiefen Häusern hindurch in einen verwinkelten Hof zerrte. Sein gieriges Bellen wurde zum winselnden Jaulen, und als Rosina sich endlich bis in die erste Reihe gedrängelt hatte, sah sie, warum die Menge vor Vergnügen grölte wie bei Titus' derbsten Späßen.

Hubertus hatte sein Ziel erreicht. Aber er hatte keine Leiche gesucht, sondern war der heißen Spur einer läufigen Hündin gefolgt. Nun war er eifrig dabei, seine zahlreiche Nachkommenschaft weiter zu vergrößern.

Im Krögerschen Hof war Lies allein zurückgeblieben. Hunde, dachte sie, sind berechenbare Tiere. Fast wie Menschen.

Sie lauschte dem Lärm, der über die Höfe und Gänge drang, und nähte mit zufriedenem Lächeln neue Kräuterbeutel. Am Herrengrabenfleet hatte sie heute morgen schon vor Sonnenaufgang die ersten Huflattichblüten entdeckt. Ein wunderbares Kraut gegen den Frühlingshusten und geschwollene Gelenke.

Wenn man es sparsam verwendete.

Rosina atmete tief durch, als sie das Millerntor passiert hatten. Der Wind wehte vom Fluß, und auch wenn er den ranzigen Geruch von den Tranbrennereien am Elbhang mitbrachte, schien er ihr frisch und rein wie auf den Harzhöhen. Erst jetzt spürte sie, wie eng und stickig das Leben in der übervölkerten Stadt mit ihren moderigen Fleeten war.

Sie drehte sich um und sah zurück auf die kupfergrünen Türme der Kirchen und Klöster, auf das Meer von roten Dächern und Giebeln. An den steilen Wällen der Festungen drängte frisches Gras durch das Winterbraun, und selbst die Wachen am Tor, die Rosina und Lies streng gemustert hatten, erschienen ihr nun in ihren rot-blauen Uniformen wie Figuren auf einem Gemälde. Von der Ebene vor den Wällen war die Stadt in der Mittagssonne wunderschön. Das sollte Rudolf sehen. Es würde ein gutes Motiv für die neuen Kulissen geben, die er in den nächsten Tagen malen wollte.

«Komm weiter, Rosina.» Lies zog ungeduldig an ihrem Ärmel. «Bevor es dämmert, schließen die Hamburger ihre Tore zu. Ich will nicht auf dieser Wiese übernachten.»

Es war kurz nach dem Mittagsläuten. Schwer beladene Wagen, Kutschen und Reiter lärmten auf der schmalen Straße, die aus der Stadt zum Hamburger Berg und weiter nach Altona ins Dänische führte. Bald bogen die beiden Frauen auf den Pfad ab, der durch die Wiesen zu den Häusern am Hamburger Berg rund um die Kirche St. Pauli führte.

Auch wenn Lies selbst zur Eile gemahnt hatte, blieb die Alte immer wieder stehen und beugte sich über ein paar grüne Stengel. Meistens strich sie nur leicht über das zarte Grün, aber manchmal schnitt sie mit einem winzigen scharfen Messer ein paar Blätter ab und steckte sie behutsam in eines der Leinenbeutelchen, die sie an ihren Gürtel gebunden hatte.

«Wird sie es uns erzählen, wenn sie etwas weiß?» fragte Rosina.

«Vielleicht.»

Lies beugte sich zu einer gelben Blume mit fünf glänzenden runden Blütenblättern und betrachtete sie aufmerksam.

«Der Hahnenfuß ist noch zu dünn», murmelte sie und ging weiter. Lies redete nie über Dinge, die niemand wissen konnte.

Rosina wußte nicht, daß Lies nicht so gelassen war, wie sie tat. Sie hatte sich still angehört, was Sebastian und Titus im Bremer Schlüssel erfahren hatten, und sofort gewußt, wen sie fragen mußte, um mehr über Behrmanns Geburt zu erfahren. Die lag Jahrzehnte zurück. Behrmann war fast dreißig gewesen, genauer wußte es Jakobsen nicht, doch es war eine besondere Geschichte, und sicher war damals darüber geredet worden.

Der Weg zum Hamburger Berg fiel Lies schwer. Sie hatte lange nicht mehr an die Zeit gedacht, die sie in dem Haus an der dänischen Grenze verbracht hatte, und die Jahre nicht gezählt, die seither vergangen waren.

Das Kind wäre jetzt etwa so alt wie Helena. Aber es war ein Junge gewesen. Daß er tot geboren wurde, war ihr wie eine Gnade Gottes erschienen. Der Überfall auf der Straße bei Zwickau hatte ihre Freundin das Leben gekostet, Lies hätte es nicht ertragen, diesen Tod mit einem neuen Leben zu belohnen.

Sie hatte Männer nie begehrenswert gefunden. Und weil sie anders war als die anderen Frauen in ihrem Dorf, hatte sie beschlossen, ein anderes, freieres Leben zu führen, und war mit vorbeiziehenden Spielleuten davongelaufen. Als sie das Mädchen traf, das ihr zeigte, daß an ihrem Anderssein nichts Falsches war, begann sie zu leben. Mit dem Tod der Freundin starb alles in ihr, was gerade erwacht war.

Eine junge Hebamme fand Lies neun Monate später krank und halb verhungert am Elbhang. Lies hatte gedacht, daß sie an diesem fremden Fluß sterben würde, und es war ihr recht gewesen. Dennoch erschien ihr die Frau, die ohne viel zu fragen half und tat, was getan werden mußte, wie ein Engel.

Bei der Geburt wäre Lies beinahe verblutet. Auch als es ihr besserging und sie wieder stark genug war, in ihr altes Leben zurückzukehren, schickte Matti sie nicht fort.

«Warum tust du das für mich?» fragte Lies.

«Es ist schön, nicht allein zu sein. Und weil du eine entfernte Cousine bist», sagte Matti und lachte. «Das glauben jedenfalls die Leute.»

Dann küßte sie Lies mitten auf den Mund, und das Leben begann doch noch einmal von vorn.

In diesem glücklichen Jahr am Hamburger Berg lernte Lies alles, was es über Kräuter, Wurzeln und die irdischen Heilkräfte zu lernen gab.

Dann ging sie fort. Der Grönlandfahrer, mit dem Matti verlobt war und der schon lange als verschollen galt, war zurückgekommen.

«Vielleicht ist sie nicht da», sagte Lies, als sie vor dem Haus standen. Es sah noch kleiner aus als damals. Nur die Linden links und rechts der Eingangstür waren zu mächtigen Bäumen herangewachsen.

Aber Matti öffnete die Tür. Sie war alt wie Lies, das Gesicht voller Falten, das Haar unter der Haube nebelgrau. Aber die Augen. Immer noch wie die ersten Veilchen.

«Lies», sagte sie, nichts weiter. Dann sah sie Rosina an und lächelte. «Sie gehört nicht dir.»

«Nein.» Lies schüttelte den Kopf. «Und dein Grönlandfahrer?»

«Verschollen», sagte Matti, «schon lange wieder verschollen. Diesmal endgültig.»

Rosina hatte nie ein solches Haus gesehen. Es war klein, aber statt der üblichen rußigen Feuerstelle wärmte ein kleiner runder Kachelofen die Stube, vor dem drei bequeme Sessel standen. Unter der Decke hingen Reihe um Reihe Büschel getrockneter Kräuter, viele freie Haken zeigten, daß der Winter nur Reste eines gewaltigen Vorrats übriggelassen hatte. In einem Schrank mit gläsernen Türen lagen ein paar dicke Bücher, zwischen den beiden vorderen Fenstern tickte eine Standuhr mit einem Zifferblatt aus poliertem Messing. Es duftete nach frischem Brot, Thymian und Minze, und auf dem Tisch standen zwei weiße Hyazinthen.

Hebammen bekamen wenig Lohn für ihre Arbeit. Doch selbst wenn Matti Haus, Möbel und Bücher geerbt hatte, konnte sie nicht arm sein, wenn sie so kostbare Blumen besaß. Rosinas Mutter hatte auch die weißen Hyazinthen am liebsten gemocht. Ihr Vater, der alles verabscheute, was seine Frau und seine Tochter liebten, hatte sie gleich nach der Trauerfeier auf den Misthaufen hinter den Ställen geworfen.

«Rosina», sagte Lies leise in ihre Gedanken. «Rosina. Erzähl Matti, was der Metzger gesagt hat.»

Matti goß dampfenden Minztee in blaue Becher, stellte frisches Brot und den Honigtopf auf den Tisch, setzte sich an den Kachelofen und hörte zu.

Zuerst konnte sie sich nicht erinnern. Behrmann? Der Name sagte ihr nichts. Matti war in Altona eine angesehene Hebamme, nach Hamburg wurde sie selten gerufen. Und, du liebe Güte, es war so lange her.

Aber doch, von dem Mord hatten auch die Leute am Hamburger Berg gehört. Aber Matti hatte nicht gewußt, daß der Mann in der Fronfeste Lies' Prinzipal war. Sie hatte überhaupt nicht gewußt, daß Lies in der Nähe war. Warum...

«Darüber reden wir später», sagte Lies. «Morgen oder übermorgen. Ich komme wieder.»

«Bestimmt?»

«Bestimmt. Versuch dich zu erinnern, Matti. Vielleicht

kannst du helfen, Jeans Kopf zu retten. Und vielleicht auch unseren.»

Wer wußte, was den Pfeffersäcken noch einfiel.

Aber Matti konnte nicht helfen. Es hatte in all den Jahren viele Mädchen gegeben, die schwanger aus der Stadt gejagt wurden. Das war nichts Besonderes. Und einige hatten anstelle eines Tritts tatsächlich ein kleines Stückchen Garten oder ein paar Goldstücke bekommen. Oder waren verheiratet worden. Unter den Marschenbauern gab es immer arme Hunde, die eine Frau mit einem fremden Kind nahmen, wenn sie dafür bezahlt wurden.

«Wer soll der Vater gewesen sein?»

«Das sollst du uns erzählen», sagte Lies, und Rosina rief: «Herrmanns, der Kaufmann am Neuen Wandrahm.»

Mattis Gesicht wurde streng.

«Ich denke, ich soll euch helfen, euren Kopf zu retten. Was, glaubt ihr, geschieht, wenn ein paar fahrende Komödianten dem Richter erzählen, es sei gar keiner von ihnen gewesen, sondern einer der angesehensten Bürger der Stadt? Ihr seid ja verrückt.»

«Komödianten sind immer ein bißchen verrückt.»

«Das hatte ich vergessen, Lies.» Matti seufzte. «Du hast dich nicht verändert. Aber gut, ich will sehen, was ich tun kann.»

Behrmann war, wenn die Geschichte des Metzgers stimmte, in Eppendorf geboren. Matti kannte dort niemanden. Aber sie kannte die Hebamme im Nachbardorf, in Winterhude. «Euch wird sie nichts erzählen. Aber ich wollte sie schon lange wieder besuchen.»

Die Hebamme von Winterhude war auch eine Cousine.

12. KAPITEL

MONTAG VORMITTAG

Augusta war, als trage sie eine zentnerschwere Last. Sie ging durch den Mittelgang des St.-Marien-Domes, blickte prüfend in alle Seitenkapellen, in den Rundgang hinter dem Altar und zur Orgelempore hinauf. Wie sie es erwartet hatte, war der Dom um diese Vormittagsstunde menschenleer. Auch hinter der Tür zur Sakristei war alles still. Vor der Kanzel wandte sie sich nach links und setzte sich in die letzte Bank der ersten Seitenkapelle.

Der Dom war ihr als ein guter Treffpunkt erschienen. Die Bauarbeiten am Turm ruhten, und die älteste und größte Kirche der Stadt war als Enklave des Kurfürsten von Hannover von den Hamburgern wenig besucht. Aber selbst wenn jemand sie sah, würde er unter dem tief über die Stirn gezogenen schwarzen Wolltuch niemals Claes Herrmanns' elegante Tante vermuten.

Augusta konnte sich nicht erinnern, wann sie sich das letztemal so hilflos gefühlt hatte. Vielleicht im vergangenen Herbst, als die Nachricht von Claes' Unfall kam. Aber damals war es anders gewesen. Sie war krank vor Sorge, verzweifelt, weil sie nichts tun konnte als warten, aber sie hatte sich nicht schuldig gefühlt. Sie war auch nicht schuldig gewesen. An Voscherings Tod aber war ganz allein sie schuld. Niemand sonst.

Sie zweifelte nicht mehr daran, daß der Hilfspastor tot war. Wie Behrmann. Sie hatte versucht, sich einzureden, daß Voschering plötzlich verreist war. Vielleicht war seine Mutter krank geworden, alle Welt litt in diesen Wochen an der Influenza, und er mußte eilig ins Wendländische reisen, um ihr beizustehen. In der Eile hatte er einfach vergessen, im Pfarrhaus Bescheid zu sagen.

Vielleicht hatte er sich auch betrunken, er vertrug ja sicher nichts und war schnell betrunken, lag nun in irgendeiner Kaschemme und wußte nicht mehr, wo er war. Ein junger, unerfahrener Mann konnte in einer großen Hafenstadt leicht verlorengehen. Aber sie wußte genau, daß das nur Wünsche waren.

Seit Freitag abend, als er ihr von seinem Besuch in der Fronerei berichtet hatte, war Voschering verschwunden. Niemand hatte ihn gesehen, seit er ihren Salon und das Herrmannssche Haus verlassen hatte.

Augusta hatte Angst.

Behrmann war tot. Martin kämpfte um sein Leben, von Voschering fehlte jede Spur. Wenn der anonyme Briefschreiber, von dem im Kaffeehaus gesprochen worden war, recht hatte, war er tot. Und sein Tod bestätigte, daß sein Besuch bei dem Komödianten jemandem gefährlich war. Behrmanns Mörder. Wem sonst?

Wenn er es nötig hatte, den harmlosen Hilfspastor zu töten, stand er mit dem Rücken zur Wand. Dann versuchte er verzweifelt alle, die dieser Serie von Verbrechen auf die Spur kommen konnten, zum Schweigen zu bringen.

Egal, aus welchem Grund und mit welchem Ziel er mordete, alles drehte sich um Claes. Und Claes würde der nächste auf seiner Schreckensliste sein.

Warum hatte sie ihm nichts von ihren Nachforschungen erzählt? Natürlich hatte sie ihm gebeichtet, daß Voschering in ihrem Auftrag bei Jean gewesen war. Er hatte den Pastor ja auf dem Weg in ihren Salon gesehen und Aufklärung verlangt.

Aber alles andere hatte sie ihm verschwiegen. Weil er schon wegen Voscherings Kerkerbesuch gebrüllt hatte wie ein Brauerknecht. Vielleicht. Sie wollte ihn nicht noch mehr erzürnen.

Ach was, sie war feige gewesen.

Aber nicht nur. Sie spürte, wie sich Trotz in ihre Angst

mischte. Sie wollte diese Sache zu Ende bringen, und dazu mußte sie ungewöhnliche Wege gehen. Claes hätte das ganz gewiß verhindert.

Sie wollte ihn schützen. Ihn, Sophie und Martin. Ihre Familie. Und das konnte nur gelingen, wenn sie ihren Plan weiterverfolgte.

Aber wie?

Eine Hand legte sich von hinten auf ihre Schulter, und Augusta erstarrte. Sie hatte immer noch Angst. Wenn sie doch nur einen belebteren Treffpunkt gewählt hätte. In dieser verlassenen Kirche würde niemand...

«Frau Augusta?» Rosina glitt neben sie in die Bank und rutschte ein wenig zur Seite, damit auch Helena, die hinter ihr stand, Platz fand.

«Stimmt es, daß mein Pastor in Eurem Theater getötet worden ist?»

Sie sah die beiden jungen Frauen, die sie bis gestern noch als so schön, erstaunlich wohlerzogen und völlig vertrauenswürdig empfunden hatte, nicht an.

«Wenn Ihr von dem geheimnisvollen Brief gehört habt, habt Ihr gewiß auch erfahren, daß weder die Wache noch dieser schreckliche Mann mit seinem geifernden Untier einen Toten im Theater gefunden hat.»

Rosinas Stimme bebte. Augusta schlug ihr Tuch zurück und blickte sie streng an. Sie sah in zornige Augen und spürte die nur mühsam beherrschte Erregung.

«Glaubt Ihr jetzt auch, daß wir Mörder sind? Warum sollten wir ihn töten? Wer könnte brennender darauf warten, zu hören, was Euer Pastor von Jean erfahren hat als wir? Sagt mir, wer?»

Augusta nickte. «Ich vielleicht. Und Claes.»

«Wir haben immer noch das gleiche Ziel. Wir alle wollen wissen, warum Behrmann starb. Und wer ihn getötet hat. Aber vielleicht ist es besser, wenn wir gehen. Komm, Helena...»

Rosina erhob sich, aber Augusta hielt sie zurück.

«Vielleicht. Ja, vielleicht wäre es besser. Aber ich bitte euch zu bleiben. Ich habe euch vertraut, obwohl ich euch nicht kannte und euer Stand in dieser Stadt nichts gilt. Nein», sie zog Rosina wieder neben sich auf die Bank, «seid nicht zornig. Versucht, mich zu verstehen. Ich habe Angst, aber ich vertraue euch immer noch. Nicht, weil ich besonders klug bin, sondern weil ich glaube, daß mein Herz seine eigene Vernunft hat, der ich folgen kann.» Sie lächelte plötzlich. «Und weil wir einander immer noch brauchen. Ihr wollt euren Prinzipal beschützen, ich meinen Neffen.»

«Aber Ihr habt nicht gedacht, daß Ihr damit jemanden in Gefahr bringen könntet», sagte Helena sanft. «Nun habt Ihr Angst. Und Ihr fühlt Euch schuldig. Aber Ihr seid nicht schuldig, genausowenig wie wir. Nur der ist schuldig, der diese Morde begangen hat. Und er wird weitermorden, wenn wir ihn nicht schnell finden.»

Rosina atmete tief, lehnte sich gegen die Bank und blickte starr geradeaus auf den kleinen Marienaltar. Sie war immer noch wütend, auch wenn sie nicht genau wußte, warum. Augustas Mißtrauen kam nicht überraschend. Sie mußte ihnen ja mißtrauen. Alle mißtrauten ihnen. Doch nun war nicht die richtige Zeit zum Selbstmitleid.

«Kanntet Ihr Behrmann gut, Frau Augusta?»

Augusta überlegte und schüttelte den Kopf.

«Wußtet Ihr etwas über seine Familie? Woher kam er?»

«Es ist komisch. Ich kenne alle Menschen in Claes' Haus recht gut. Ich weiß, woher sie kommen, wer ihre Eltern sind. Auch von denen, die nicht bei uns wohnen, wie die Schreiber aus dem Kontor. Sie essen mittags mit uns und erzählen gerne von zu Hause. Aber Behrmann? Er war immer ein wenig spröde. Wenn er einmal sprach, ging es stets um das Geschäft. Er war ein wandelndes Kontobuch.»

Ein kalter Lufthauch zog durch die Kapelle, und Augusta sah sich um. Von ihrer Bank konnte sie das Kirchenportal und den Mittelgang überblicken. Mehr nicht. Doch sicher hätte sie

Schritte gehört, wenn jemand die Kirche betreten hätte. Nicht alle verstanden so lautlos zu gehen wie die beiden Komödiantinnen.

Seit sie heute morgen das Haus am Neuen Wandrahm verlassen hatte, fühlte sie sich beobachtet. Aber das war sicher nur ihr schlechtes Gewissen. Es war nicht einfach gewesen, unbemerkt von Claes' Wächtern aus dem Haus zu schleichen. Augusta war nicht an Heimlichkeiten gewöhnt. Dennoch bedeutete sie Helena und Rosina, leiser zu sprechen. «Einmal hat Behrmann doch etwas verraten», fuhr sie mit gesenkter Stimme fort. «Er erzählte von Eppendorf. Ihr werdet das nicht kennen, ein hübscher Weiler nördlich der Wälle. Ich glaube, er lebte dort bei einer Tante. Aber sie war alt und ist schon lange tot.»

«Wißt Ihr, wer seine Eltern sind?»

«Nein, aber Claes wird es wissen. Ist das wichtig?»

«Vielleicht», sagte Rosina vorsichtig. Aber dann berichtete sie, was im Bremer Schlüssel erzählt wurde und was Matti von der Winterhuder Hebamme erfahren hatte.

Augusta sah sie fassungslos an.

«Mein Bruder? Mein frommer, ehrbarer Bruder? Das ist ganz unmöglich.»

«Es gibt keinen Beweis, im Kirchenbuch ist kein Vatername verzeichnet, und es wird ja immer geklatscht. Aber viele Herren schwängern ihre Mägde.»

«Ich bin kein Kind, Rosina. Ich weiß sehr genau, was die Herren tun, auch wenn sie glauben, daß wir gar nichts wissen. Aber mein Bruder, dieser Moralapostel!»

Sie schüttelte den Kopf und lachte plötzlich laut auf.

«Warum eigentlich nicht? Ich habe mich immer gefragt, wie einer mein Bruder sein kann und so ohne Leben. Dann war er wohl doch nicht so ohne Leben. Aber was kann das mit Behrmanns Tod zu tun haben?»

Rosina sah auf ihre Hände und schwieg.

«Das wissen wir auch nicht», sagte Helena schnell. «Vielleicht ist es ganz ohne Bedeutung. Aber nun sagt uns doch, was Jean dem

Pastor erzählt hat. Ihr habt doch mit ihm gesprochen, bevor, bevor...»

«...bevor er verschwand. Oder bevor ihn jemand getötet hat. Ja, ich habe mit ihm gesprochen. Er ist direkt von der Fronerei zu mir gekommen. Wenn ihn jemand wegen dieser Kleinigkeit getötet hat, war es ein billiger Tod.»

Behrmann, erzählte Augusta, war an diesem Abend ein Opfer der Melancholie gewesen. Offenbar plagte ihn ein großer Kummer und, wenn Jean ihn richtig verstanden hatte, eine große Schuld. Jean und Behrmann hatten gewürfelt, getrunken, viel zuviel getrunken, und je mehr Branntwein er trank, um so mehr redete der Schreiber von einer großen Sünde, die er gegen seinen Bruder oder einen, den er so nannte, begangen habe.

Jean hatte sich mehr für sein Würfelglück interessiert und nicht richtig zugehört. Aber er hatte Voschering versprochen, noch einmal ordentlich zu grübeln, um die dunkle Wolke des Vergessens zu erhellen, genau so hatte er sich ausgedrückt, zu erhellen. Jean war sicher, daß er mehr berichten könnte, wenn Voschering am nächsten Tag wiederkäme.

«Das wollte Voschering tun, und ich befürchte, er ist deshalb verschwunden. Er hat mir versprochen, daß dieser Besuch unser Geheimnis bleibt, aber er muß doch jemandem davon erzählt haben. Gewiß versteht ihr, wenn ich niemand anderen bitten kann, nun statt seiner zu eurem Prinzipal zu gehen.»

«Gewiß», sagte Helena und Rosina nickte.

Augusta erzählte nicht, daß sie Claes noch vor wenigen Tagen vergeblich gedrängt hatte, Jean selbst zu befragen. Es sähe ihm ähnlich, wenn er es jetzt, wo so ein Besuch gefährlich war, tun würde. Sie wollte ihn nicht mehr daran erinnern.

«Uns läßt man natürlich nicht hinein», sagte Helena. «Wir haben es schon zweimal versucht. Die Fronknechte lachen uns nur aus.»

«War Voschering schon früher im Kerker?» Rosina sah Augusta nachdenklich an. «Ich meine, hat er auch andere Gefangene besucht?»

«Ich weiß es nicht.» Augusta überlegte. «Aber ich bin mir recht sicher, daß er nie zuvor dort war. Ich mußte ihn ein wenig, nun, ich will sagen, dazu überreden. Jean gehört nicht zu seiner Gemeinde, und überhaupt geht ein Pastor für gewöhnlich nur in den Kerker, wenn ein Gefangener darum bittet oder wenn es um die letzte Beichte und das letzte Abendmahl geht.»

«Und die Wache läßt sicher nur die Seelsorger hinein, die sie gut kennt. Wie Voschering.»

Augusta schüttelte den Kopf. «Ich glaube nicht, daß die Wache Vorschering gekannt hat. Ganz sicher nicht. Er war erst seit einigen Monaten in der Stadt, und es gibt so viele Pastoren in Hamburg. Aber jeder kennt das geistliche Kleid, und wenn ein Pastor einen Sünder ermahnen will, seine Schandtaten zu gestehen, darf ihn niemand daran hindern.»

Augusta schlug das große schwarze Tuch über ihren Kopf und erhob sich.

«Ich weiß nun wirklich nicht mehr weiter. Was sollen wir tun? Können wir noch etwas tun?»

«Man kann immer etwas tun!» Rosina sprang auf und griff nach Augustas Hand. «Verzeiht mir meinen Zorn über Eure Frage vorhin. Und wenn Ihr könnt, vertraut uns noch ein wenig länger. Nur ein oder zwei Tage noch. Und gebt auf Euch und auf Euren Neffen acht. Ihr solltet nicht allein ausgehen, vor allem am Abend.»

Augusta nickte. «Er läßt seit gestern morgen das Haus bewachen, weil er um die Sicherheit von Martin und Sophie fürchtet. Aber ich will sehen, ob ich ihn davon überzeugen kann, sich von nun an von Brooks begleiten zu lassen. Der ist der stärkste Mann in unseren Speichern. Ein wacher Kopf, und er würde sich eher aufs Rad flechten lassen, als Claes zu schaden.»

Sie strich Rosina leicht über die Wange, spürte die Narbe und fuhr entschlossen fort: «Bald wird dieser Alptraum zu Ende sein, und der Richtige wird in der Fronerei sitzen und auf den Galgen warten. Dann, mein Kind, will ich dich und Helena endlich in einer Komödie sehen. Ich werde in eure Theaterbude kommen und dafür sorgen, daß diese ganze frömmelnde Hamburger Gesellschaft es mir nachtut.» Sie war wieder die alte Augusta, der Zorn hatte – zumindest für diese Stunde – die Angst besiegt und ihren Mut gestärkt.

«Paßt gut aufeinander auf, und wenn ihr Neues wißt, schickt wieder euer stummes Kind mit Nachricht zu Elsbeth in die Küche. Aber zu niemandem sonst. Zu niemandem, sagt ihm das.»

Im Mittelgang drehte sie sich noch einmal um. «Schickt es auch, wenn ihr Hilfe braucht.»

Augusta verließ eilig den St.-Marien-Dom. Sie sah sich nicht um, es war ihr jetzt egal, ob jemand sie erkannte.

Was hatte Rosina gesagt? «Warum sollten wir Voschering töten?» Einen Grund gab es: Wenn der Hilfspastor etwas gewußt hatte, das den Komödianten gefährlich werden konnte, wenn ihr Prinzipal doch der Messerstecher oder ein Komplize des Mörders war. Das wäre ein triftiger Grund gewesen. Aber sie wußte, daß Voschering kein Geheimnis dieser Art erfahren hatte.

Sie rief sich noch einmal alles ins Gedächtnis, was er erzählt hatte, doch es erschien ihr immer noch genauso unbedeutend wie am Freitag abend. Sie konnte sich nicht vorstellen, wem in dieser Stadt Behrmanns Kümmernisse so gefährlich waren.

Daß Behrmann – wenn die Hebamme recht hatte – Claes' Halbbruder gewesen war, wurde ihr erst sehr viel später klar.

Rosina und Helena warteten einige Minuten, bevor sie den Dom verließen. Als sie aus dem großen Portal traten, fegte ein kalter Wind über den Vorplatz. Der Himmel war grau geworden, und von Südosten schoben sich schwarze Wolken über die Elbe. Sie wickelten sich fester in ihre Tücher und machten sich eilig auf den Weg zurück in die Fuhlentwiete.

Auf dem Jungfernstieg blieb Helena bei einer Hökerin stehen und kaufte einen Strauß Veilchen. «Für Lies», sagte sie lächelnd, «und für ihre Vorliebe für alte Hebammen.»

Auch Rosina war stehengeblieben, aber sie hörte nicht zu. Sie sah über die Binnenalster und schien die kleinen krausen Wellen zu zählen, die der Wind vor sich hertrieb. Tatsächlich folgte ihr Blick einem dicken, rotgesichtigen Pastor, der mit wehendem Mantel zum Werk- und Zuchthaus am gegenüberliegenden Ufer eilte.

«Rosina?» Helena folgte ihrem Blick und senkte unwillkürlich die Stimme. «Denkst du, was ich denke?»

«Ich glaube schon, Helena.»

«Es ist gefährlich. Aber ich werde es tun. Wir haben nichts zu verlieren.»

«Wir haben immer noch eine Menge zu verlieren.» Rosinas Stimme klang streng. «Nur Jean hat nichts zu verlieren. Aber es ist die einzige Chance.»

Rosina sah ihre Freundin prüfend an: das runde, weiche Gesicht, die leidenschaftlichen dunklen Augen, die vollen Lippen, den Busen, der, auch unter dem Schultertuch verborgen, nicht zu verstecken war. Sie strich mit beiden Händen Helenas kastanienrotes Haar aus der Stirn, raffte ihre Röcke über den Hüften und sagte:

«Nein. Auf keinen Fall. Du schaffst es nicht. Ich werde gehen, und niemand wird etwas merken.»

MONTAG NACHMITTAG

Jean saß in eine Decke gewickelt auf seinem Strohsack und sehnte sich nach einem großen Zuber mit heißem Wasser, nach einem Stück Seife, seinem Rasiermesser und ein wenig Lavendelwasser.

Jean stank. Und er haßte es zu stinken. Die Fronknechte hatten ihn ausgelacht, als er mehr Waschwasser forderte, und der jüngere der beiden, ein hagerer, glatzköpfiger Kerl mit schwarzen Zähnen, der nicht besser roch als sein Gefangener, hatte grinsend seine Hose hinuntergelassen und in die Zelle gepißt. Jean konnte gerade noch seinen Strohsack vor dem dampfenden Strahl in Sicherheit bringen. Am liebsten hätte er dem Kerl sein bestes Stück abgerissen. Nur seine Vernunft und der Ekel hinderten ihn daran. Vielleicht auch die großen Fäuste seines Bewachers. Darüber wollte er nun nicht nachdenken.

Jean stank, und sein Gesicht begann hinter dem juckenden Gekräusel eines schwarzen Bartes zu verschwinden. Immerhin hatte er einen neuen Strohsack und zwei neue Decken, kratzende Pferdedecken, aber dick und warm.

Der komische, kleine Pastor war zwar nicht wiedergekommen – sein eigener Schade, denn Jean hatte inzwischen mit Erfolg nachgedacht –, aber doch dafür gesorgt, daß Jean das Nachdenken ein wenig leichter fiel. Eine krumme Alte und ein schieläugiger Knirps hatten gestern den Sack und die Decken gebracht. Die Alte hatte hastig einen Topf mit dicker Kohlsuppe neben die Tür gestellt und ihn dabei nicht aus den Augen gelassen.

Bleib da, hatte sie gekeift, als er ihr den Topf abnehmen wollte, rühr mich nich' an. Als wäre er nicht an der Mauer festgekettet wie ein Ochse am Schlachthaus.

Er mußte sich sehr strecken, um den Topf zu erreichen. Die Suppe war kalt, und auch das versprochene Stück Fleisch fehlte, aber sie war fett und reichlich mit Pfeffer und Kümmel gewürzt. Jean, der seit Tagen nichts als Brotkanten und eine graue Wassersuppe aß, erschien sie köstlich wie Schwanenpastete.

Die Fronknechte waren seither nicht mehr so rüde. Jean hörte sie streiten, warum der Oberrichter dem verderbten Komödianten solche Geschenke machte.

Ihre Dummheit bereitete ihm großes Vergnügen. Natürlich hatte der kleine Pastor die Alte geschickt. Ein Oberrichter war der letzte, der einem Gefangenen Gutes tat. Je hungriger, müder und kranker einer war, um so schneller redete er unter den Qualen der Streckbank und der glühenden Zangen.

Bei diesem Gedanken schmeckte Jean die Suppe nicht mehr ganz so gut. Rasch beschloß er, daß der Hamburger Oberrichter eben anders und ein wahrhaft christlicher Mensch sein mußte.

Und warum grübeln? Wenn ein Komödiant sich viel darum kümmerte, was morgen war, ging er schon vor lauter Sorge gleich unter. Helena war ganz anderer Meinung, sie stritt ständig mit ihm, daß eine gute Planung der halbe Erfolg sei. Aber was wußten Frauen?

Auch heute hatte die Alte einen Topf Suppe gebracht, und diesmal fand Jean darin sogar ein kleines Stück fetten Speck. Er kaute lange auf der Schwarte herum und fühlte sich wie ein König. Gerade, als er den Topf sauberleckte – seine guten Manieren, auf die er besonders in Gasthäusern großen Wert legte, waren ihm in diesem dunklen Loch schnell abhanden gekommen –, wurde die erbärmlich jammernde Kerkertür aufgeschoben.

Der Fronknecht trug einen Stuhl herein und stellte ihn in Jeans Nähe. Er trat mit einer mühsamen Verbeugung zur Seite und ließ den Besucher eintreten.

Jean erhob sich schnell und wischte sich verstohlen mit dem Handrücken das Fett von den Lippen.

Der Pastor war doch wiedergekommen.

«Danke, mein Sohn», sagte der Mann im schwarzen Rock, dessen Gesicht unter einem breitkrempigen Hut verborgen war, «nun laß mich mit dem armen Sünder allein. Schließe die Tür und bedenke: Gott sieht alles. Besonders, wenn du lauschst.»

Er blieb mit gesenktem Kopf stehen, bis die Tür hinter ihm zugezogen war.

«Mein Bruder Vorschering ist leider verhindert. Er hat mich beauftragt, deine Beichte weiter anzuhören. Setz dich.»

Jean setzte sich brav auf seinen Strohsack, wickelte sich wieder in eine der Pferdedecken und sah seinen Besucher erwartungsvoll an. Ein zartes Bürschchen, selbst für einen Pastor. Als Komödiant auf den Straßen könnte so einer kein Jahr aushalten.

Der Pastor rückte seinen Stuhl noch ein wenig näher an Jean heran und sprach laut ein Vaterunser.

Jean fühlte sich unbehaglich. Warum hatte der Kerl seinen Hut so tief im Gesicht? Er dachte an Behrmann, sah wieder den Griff des Messers aus dem feinen englischen Tuch ragen und begann zu schwitzen. Vielleicht sollte er lieber die Wache rufen. Das war nicht Voschering, aber vielleicht der, der Behrmann erstochen hatte, und jetzt wollte er ihn um die Ecke bringen, mausetot, mundtot machen.

«Wache», krächzte er, aber seine Stimme klang wie das Fiepen einer Maus.

«Bist du verrückt? Sei still und laß die Wachhunde, wo sie sind.»

Jean erstarrte.

Der Pastor nahm den Hut ab, und vor Jean saß Rosina, das dicke blonde Haar ordentlich gepudert und zum straffen Zopf gebunden, wie es sich für einen frommen Mann gehörte. Der schwarze Rock, Jean erkannte ihn jetzt, war das Kostüm eines Leipziger Kandidaten der Theologie, der in einer Burleske mit Tanz und Gesang ein traurige Rolle spielte. Die dicke Bibel, die Rosina auf den Knien hielt, gehörte Helena.

Jean schnappte nach Luft, und Rosina legte ihm schnell die Hand auf den Mund.

«Psst», flüsterte sie, «ich weiß nicht, wie dicht die Tür schließt, wahrscheinlich liegen die beiden Kerle da draußen mit den Ohren direkt am Holz. Also reiß dich zusammen, und sei ein Komödiant. Es kann dir doch nicht schwerfallen, ein Weilchen den frommen Sünder zu spielen!»

Jean starrte Rosina immer noch an. Er atmete tief ihren frischen Duft nach sauberem Leinen, Puder und Minze. Und ein wenig nach Pomeranzen.

«Du siehst aus, als kämst du geradewegs aus der Hölle!» flüsterte sie.

«Ich bin in der Hölle. Wenn du wüßtest, was ...»

«Pst. Jetzt ist keine Zeit zum Jammern. Warum mußtest du dich auch betrinken und unser Geld verspielen, anstatt dich um das Theater und die Papiere zu kümmern? Nein, sei still. O Bruder in Christo», rief sie plötzlich laut mit tieferer Stimme, «der Herr ist mein Hirte, mir wird nichts mangeln. Er weidet mich auf einer grünen Aue und führet mich zum frischen Wasser» – sie stand leise auf – «er erquicket meine Seele» – schlich an die Tür und riß sie mit einem Ruck auf. Der Wächter stolperte ihr entgegen und fiel lang in das Stroh.

«Er führet mich auf rechter Straße um seines Namens willen. Du, mein ungehorsamer Sohn, scheinst jedoch vom rechten Wege abgekommen. Nicht nur Gott, auch ich sehe alles. Wenn ich dich noch einmal erwische, wird der Oberrichter erfahren, daß du ungehorsam und deines Postens nicht würdig bist.»

Mit dramatischer Geste streckte sie den Arm aus und wies ihn zurück in die Wachstube.

«Fort mit dir! Die Worte zwischen Pastor und Sünder gehen nur diese zwei und Gott etwas an. Und vielleicht den Oberrichter. Noch einmal», brüllte sie, «und du landest selbst im Kerker.» Damit warf sie die schwere Tür mit aller Kraft hinter dem flüchtenden Wächter ins Schloß.

«So, nun haben wir Ruhe, mein Sohn», sagte sie atemlos und ließ sich auf den Stuhl fallen. Mit lauter Pastorenstimme deklamierte sie den Pslam zu Ende, dann beugte sie sich wieder zu Jean hinunter: «Helena läßt dich grüßen. Ich soll dir das geben.» Mit spitzen Lippen küßte sie ihn eilig auf seine bärtige Wange. «Voschering kommt nicht wieder. Weißt du, warum?»

Jean schüttelte den Kopf.

«Das ist jetzt einerlei. Wir haben nicht viel Zeit. Ich weiß, was du ihm erzählt hast. Und daß du noch mehr weißt. Was hat Behrmann dir noch erzählt? Und sprich leise!»

«Nur von seinem Bruder. Immer wieder von seinem Bruder. Gegen den habe er sich versündigt, schwer versündigt. Dafür werde er in der Hölle schmoren, wenn er sich nicht offenbare. Sein Bruder, hat er immerzu gejammert, sei ein edler Mensch, und dieser englische Teufel habe ihn verführt und die schwarzen Hunde in seiner Seele geweckt. Er war fast ein Poet. Weißt du, welcher englische Teufel?»

Rosina schüttelte den Kopf. «Das müßtest du doch wissen. Hast du ihn nicht gefragt?»

«Warum? Was interessieren mich die Teufel eines Schreibers? Wenn ich natürlich gewußt hätte...»

«Wir werden's schon rauskriegen. Weiter! Was hat er noch gesagt?»

Jean überlegte, und Rosina, der gerade kein weiterer Psalm einfiel, begann das Hohelied Salomos zu deklamieren. Hoffentlich sind die Wachen nicht so fromm, wie es sich gehört, dachte sie. Sie werden sich sonst wundern, warum der Pastor dem Delinquenten anstelle eines Psalms von königlichen Leidenschaften sprach.

Beinahe hätte sie sich in der Erinnerung an eine sehr innige Stunde mit diesen Versen verloren. Doch Jeans Geruch hielt sie in der Gegenwart.

Es nutzte nichts. Ihm fiel nur noch ein, daß der, den Behrmann als englischen Teufel bezeichnet hatte, nicht in England, sondern in Hamburg sei. Das war keine große Neuigkeit. Wer in Hamburg mordete, mußte auch in Hamburg sein.

Doch dann glitt ein triumphierendes Glänzen über Jeans schmutziges Gesicht.

«Ich wußte, da war noch etwas. Es saß in einer tief verborgenen Kammer meines gequälten Geistes...»

«Hör auf zu deklamieren, die Bühne kommt später. Was ist dir eingefallen?»

«Er hat von einem Brief gesprochen. Warte.»

Jean überlegte noch ein wenig. «Sag schon», zischte Rosina. Sie war überzeugt, daß er nur zögerte, um sich wichtig zu machen.

«Er hat einen Brief an seinen Bruder geschrieben, wer immer dieser Heilige sein mag. Und diesen Brief wollte er am nächsten Morgen übergeben, um sich dann der Gnade des großen Mannes auszuliefern. So hat er gesagt. Seines Bruders, nehme ich an. Der muß ein mächtiger Mann sein, wenn er Gnaden zu gewähren hat...»

«Wo ist der Brief? Hatte er ihn bei sich?»

«Keine Ahnung. Ich glaube nicht. Der Schreiber war so mitteilsam und weinerlich gestimmt, er hätte ihn mir glatt vorgelesen. Aber du mußt besser wissen, was man in Behrmanns Taschen gefunden hat. Die ganze Stadt wird doch davon plärren. Mir erzählt hier drin kein Mensch was...»

«So sprich doch leise. Weißt du noch etwas?»

Jean schüttelte den Kopf. «Nein, sicher nicht.»

Plötzlich legte er alle Pose ab. Gleich würde Rosina fortgehen und mit ihr der frische Duft, die Treue und Menschlichkeit, die er trotz Ungeduld und Ärger in ihren Augen sah. Und die Hoffnung, die ein einziger Mensch einem anderen bedeuten kann, wenn er am Abgrund steht. «Nur Mut», flüsterte Rosina. «Nur Mut, Jean. Es wird bald vorbei sein, und dann stehen wir alle auf der Bühne und spielen Komödie. Und bis dahin sage niemandem etwas von dem Brief. Niemanden, egal, wer dir schmeichelt.»

Jean konnte sich nicht vorstellen, daß ihm hier jemand auf andere Weise schmeicheln würde als mit glühenden Zangen und der Streckbank. Aber er nickte und flüsterte: «Ich halte es nicht mehr lange aus, Rosina. Manchmal in der Nacht denke ich, ich werde verrückt. Sie ketten mich in einer engen Holzkoje an.

Es ist so kalt, und in der Dunkelheit kriechen die Gespenster aus allen Löchern. Wenn die Nacht schon so lang ist und kein Ende nehmen will, wenn es kein Licht gibt, nicht einmal einen Stern kann ich aus diesem Loch sehen, ist alle Hoffnung verschwunden. Dann weiß ich, daß ich hier vermodern muß. Daß mich alle vergessen haben, als wäre ich schon lange tot. Und jeden Tag machen sich ein paar Tölpel vor dem Loch da oben einen Spaß», er zeigte zu der Fensterluke hoch in der Mauer, «und erzählen sich, wie das ist, wenn sich der Galgenstrick langsam zuzieht, wenn man würgt und strampelt und schon den Teufel über den Anger reiten sieht. Rosina, ich habe so schreckliche Angst.»

«Ich weiß, Jean, ich weiß. Aber ein anderer wird den Galgenstrick spüren. Du nicht.»

Sie umarmte ihn fest und strich liebevoll über sein zottiges Haar. «Es ist bald vorbei. Nur ein paar Tage noch. Vielleicht schon morgen. Wir haben eine gute Spur und mutige Verbündete. Ich bin gewiß, auch Gott ist auf unserer Seite. Selbst wenn ich mal wieder das Kleid seines Dieners mißbrauche.»

Sie küßte ihn schnell auf den Mund.

«Sei tapfer, Prinzipal», flüsterte sie, und bevor Jean noch etwas sagen konnte, öffnete sie die Kerkertür und verließ schnurstracks, ohne die dienernden Fronknechte auch nur eines Blickes zu würdigen, die Fronerei.

Sie hatte vergessen, Jean den Schnupftabak zu geben. Für Muto würde es ein großer Spaß sein, den Beutel durch das Fenster zu schmuggeln.

Muto würde nichts geschehen. Niemand war so schnell und leise wie er.

13. KAPITEL

MONTAG AM SPÄTNACHMITTAG

Anne nippte an ihrem Kaffee und schob ihr federgeschmücktes Hütchen auf der kunstvoll aufgetürmten Frisur zurecht, die wie so oft ein wenig verrutscht war. Nervös zerkrümelte sie ein Korianderplätzchen über dem Teller. Das Ticken der italienischen Standuhr klang in ihren Ohren wie die Schläge einer Totentrommel.

Claes, der steif am Postregal lehnte, sah grimmig auf sie herab. «Und Ihr seid sicher, daß Ihr Braniff und Matthews trauen könnt? Daß stimmt, was sie erzählen?»

Anne nickte. «Ganz sicher.»

Sie verschwieg, daß sie nicht bei Thomas Matthews wohnte, weil er ein ferner Cousin war, sondern um herauszufinden, ob er an dem Komplott gegen Claes beteiligt war.

Aber diesen Verdacht hatte sie schon nach wenigen Tagen begraben. Thomas war ein großes, vergnügtes Kind, dem nichts mehr Freude machte als eine Partie Billard, ein gutes Essen und ein lauter Abend mit Freunden. Seine Geschäfte liefen besser, als die Hamburger vermuteten, und auch wenn Claes ihn nicht mochte, so bewunderte und verehrte der junge englische Kaufmann den älteren Deutschen doch vorbehaltlos. Er würde Claes niemals wissentlich schaden, und er hatte auch keinen Grund dazu. Jedenfalls keinen, den Anne kannte.

Aber wie Jules Braniff war auch Matthews Joachim van Stetten in dessen Londoner Jahren begegnet. Gestern abend, bei einer ausdauernden Partie Whist – Annes Zofe hatte als Jules' Partnerin die glühende, aber glücklose Vierte gespielt –, begannen die Männer zu plaudern. Anne war für sie fast wie eine Schwester, es gab keinen Grund, die Themen der Unterhaltung zimperlich abzuwägen.

«Er ist Euer Freund, Claes. Und mir scheint, Ihr liebt ihn wie einen Bruder. Jules wollte Euch nicht verletzen. Nur deshalb hat er vorgestern abend nicht alles erzählt. Aber ich glaube jetzt, daß Ihr alles wissen müßt. Egal, ob...» Sie schluckte und suchte nach den richtigen Worten, «... ob es von Bedeutung ist oder nicht. Monsieur van Stetten hat ja in London mehr als nur ein wenig gespielt. Es sind enorme Summen, auf seinen Schuldscheinen drängen sich die Nullen. Und die Clubs, in denen er am liebsten spielte, waren, waren...»

«Ja? Was waren sie?»

«Nun, sie waren nicht *nur* Spielclubs. Da waren auch Damen. Wie soll ich sagen? Besonders grelle Damen, versteht Ihr?»

Claes verstand. Joachim hatte schon früher eine Schwäche für teure käufliche Damen gehabt, und es war mehr als wahrscheinlich, daß zumindest Braniff aus eigener Anschauung so genau über Joachims Abenteuer in diesen Clubs Bescheid wußte.

Es klopfte, und der jüngste Schreiber steckte vorsichtig den Kopf durch die Tür.

«Nein, Nielsen, jetzt nicht. Mach die Tür zu. Von außen.»

Der Schreiber zögerte. «Es ist wichtig, Herr. Der Bote von der Börse...»

«Später, Nielsen. Mach die Tür zu und sag dem Boten, er soll warten.»

Nielsen schloß eilig die Tür, und Claes nahm wieder seine unruhige Wanderung durch das Kontor auf.

«Viele haben Schulden. Das gehört zum Kaufmannsleben, auch wenn man sich nicht in Spielclubs und mit – grellen Damen herumtreibt. Deswegen werden die Leute nicht gleich zu Attentätern. Und genau das wolltet Ihr mir doch damit sagen: Mein bester Freund hat erdrückende alte und überfällige Schulden in London und ganz ähnliche neue in Hamburg und Altona. Er ist ein schlechter Mensch, und deshalb versucht er, mich zu ruinieren. Oder gar zu töten.»

Claes' Stimme war laut und schneidend geworden.

«Ich habe es befürchtet.»

Anne stand abrupt auf, legte ihren Mantel um und streifte die Seidenhandschuhe über ihre zitternden Hände. «Ich hätte nicht herkommen sollen. Es war ein Fehler, Euch davon zu erzählen. Ich hoffe für Euch, Ihr habt recht, und meine Sorge ist nichts als die Verleumdung Eures Freundes. Aber kennt Ihr ihn wirklich so gut? Und ist es wirklich ein Zufall, daß seine größte Schuld gerade jetzt fällig wird? Er wird sie nicht bezahlen können. Kein Kaufmann kann so eine Schuld bezahlen, ohne sein Geschäft zu ruinieren.»

Sie sah ihn mit zornig blitzenden Augen an. Dieser halsstarrige Mann, treu wie ein Setter und so fest in seinen Traditionen und Normen, daß er lieber blind in sein eigenes Unglück stolperte, als einem Freund Schlechtes zuzutrauen. Ohne ihn noch einmal anzusehen, drehte sie sich um und ging hastig zur Tür. Wenn sie nicht sofort dieses stickige Kontor verließ, würde sie schreien.

«Anne!» Claes' Stimme hatte plötzlich alle Strenge verloren. «Verzeiht», flüsterte er rauh. «Bitte, geht nicht.» Er legte seine Hände auf ihre Schultern, um sie zurückzuhalten, aber ihr war, als halte er sich an ihr fest.

«Ich bin so zornig, weil Ihr aussprecht, was ich selbst befürchte und nicht wahrhaben will. Ich finde einfach keinen Grund, warum Joachim mit diesen grauenhaften Anschlägen zu tun haben sollte. Was hat er von meinem Untergang? Was habe ich ihm getan? Und Behrmann? Aber trotzdem scheint es so zu sein.»

Er holte eine Schatulle aus dem großen Kontorschrank und schloß sie auf. «Ich will Euch etwas zeigen. Er nahm drei Briefe heraus und reichte ihr den ersten. «Die ersten beiden haben im Kaffeehaus auf mich gewartet. Der dritte auf meiner Bank in St. Katharinen, ein besonders pikanter Einfall. Bitte lest.»

Anne las, der Brief enthielt nur wenige Zeilen, und seufzte. «Nun», sagte sie langsam, «die Sklaverei ist tatsächlich eine schreckliche Sache...»

«Ja, natürlich. Aber darum geht es jetzt nicht. Die Briefe sind von einem ‹Freund der Freiheit aller Menschen› unterzeichnet. Sehr edel.»

Er legte alle Briefe nebeneinander auf den Tisch und strich sie glatt.

«Die Schrift ist gut verstellt, ich kenne sie nicht. Aber hier, seht Ihr?» Er zeigte auf das a in der Unterschrift. «Fällt Euch etwas auf?»

Anne nickte zögernd. «Es sieht sehr fremd aus. Irgendwie falsch.»

«Es ist falsch, nämlich verkehrt herum. Wie in einem Spiegel.»

Er ging zum Fenster und sah durch die Scheiben in die beginnende Dunkelheit.

«Ich habe diese Briefe wieder und wieder gelesen, weil mir irgend etwas seltsam vorkam. Erst heute morgen ist es mir klargeworden. Es ist das falsche a. Nur eine Kleinigkeit, die kaum auffällt. Aber ich kenne dieses a genau. Als Kinder haben wir oft darüber gelacht. Daniel, ich und – Joachim. Auch wenn er sich noch so bemühte, immer wieder malte er das a falsch herum. Nie einen anderen Buchstaben, nur das a. Zuerst haben wir gedacht, er will unseren Lehrer ärgern. Aber so war es nicht. Er konnte es einfach nicht anders.»

Anne war leise zu ihm getreten und legte sanft beide Hände auf seine fest verschränkten Arme.

«Viele Menschen haben Besonderheiten in ihrer Schrift. Warum sollte er diese Briefe schreiben? Selbst wenn er Euch schaden will, was hat das für einen Sinn?»

«Was hat das *alles* für einen Sinn? Ich weiß es nicht.» Claes wünschte sich, sie möge nie ihre Hand von seinem Arm nehmen.

«Aber wenn er mich auch nur beunruhigen wollte, hat er sein

Ziel erreicht. Einen Tag lang dachte ich sogar, ein Verrückter will mich ruinieren, um die Sklaven zu befreien. Keine Kaufleute, die Zucker und Kaffee kaufen, kein Bedarf an Sklaven. Einer weniger ist nicht viel, aber immerhin ein Anfang.»

Sie riecht so gut, dachte er und befürchtete, sie könnte seine Gedanken lesen und zurücktreten.

«Ihr riecht so gut», sagte er, und sie lächelte mit ihren graugrünen Augen und blieb einfach, die Hände immer noch auf seinem Arm, ganz nah bei ihm stehen.

«Wie schön, daß Ihr es endlich bemerkt.»

«Herr», Nielsen stand mit rotem Kopf in der Tür und trippelte nervös von einem Fuß auf den anderen, «der Bote von der Börse will nicht mehr warten.»

Annes Mantel war zu Boden geglitten. Als Claes ihn ihr wieder um die Schultern legte, sah er, daß sie seine Kamee trug. Das machte ihn ganz unsinnig glücklich.

Trotzdem vergaß er nicht, zwei Laternenträger rufen zu lassen, damit Anne das Matthewssche Haus am Jungfernstieg sicher erreichte.

MONTAG NACHT

Frau Adelus schwitzte. Stöhnend hob sie mit den Füßen das Federbett ein wenig an, aber die frische Luft brachte ihr keine Linderung. Natürlich nicht, denn die Luft war nicht wirklich frisch. Vor vier Tagen hatte sie die Fenster fest verschlossen und seither nicht mehr geöffnet, denn der kleinste Lufthauch würde ihre Krankheit schlimmer machen.

Sie setzte sich mühsam auf und griff nach dem Krug, den Klara ihr für die Nacht neben das Bett gestellt hatte. Er war schon leer. Sie stellte ihn ärgerlich zurück und ließ sich wieder in die Kissen fallen.

Frau Adelus war eine unternehmungslustige Frau. Nichts war für sie schlimmer, als untätig im Bett herumzuliegen. Das Fieber hatte sie den ganzen Tag schlafen lassen, und nun lag sie wach, seit Stunden, wie ihr schien, und war ihren Gedanken ausgeliefert.

Fast zwei Wochen war die Wohnung im dritten Stock schon unbewohnt. Verschenktes Geld, dachte sie grimmig. In der ersten Woche hatte die Pietät sie daran gehindert, die Räume gleich wieder zu vermieten. Außerdem hatte Schreiber Behrmann bis zum Ende des Aprils bezahlt, und niemand hatte Anspruch auf seinen Nachlaß angemeldet.

Es war nicht viel. Seine Kleider im Schrank, immerhin von wirklich guter Qualität, sein Bettzeug, ein samtbezogener Sessel und zwei kleine Truhen mit allerlei Persönlichem. Nichts von echtem Wert, das hatte sie schon überprüft. Die restlichen Möbel gehörten bis auf den kleinen Tisch mit dem hübschen knöchernen Knauf an der Schublade Frau Adelus.

Und nun lag sie krank im Bett, konnte weder die Wohnung räumen noch neue Mieter suchen. Sie nahm nicht jeden. Irgendein Pöbel kam ihr nicht ins Haus, nur ordentliche Leute, mit Vorliebe alleinstehende Herren in sicherer Position. Aber die waren rar und wurden immer schnell geheiratet. Sie hatte schon einige an ein neues eigenes Heim verloren. Sie selbst hatte stets das Nachsehen. Zum Glück war sie nicht auf einen Ehemann angewiesen. Ihr Haus war das schmalste am Rödingsmarkt, aber drei Stockwerke hoch, aus solidem Fachwerk und mit schöner Backsteinfassade. Es gehörte ihr ganz allein.

Die Putzmacherei im Erdgeschoß ernährte sie gut, ihre Künste waren bei den Hamburger Damen gefragt, und die Miete für die Wohnung im obersten Stockwerk war ein angenehmes Zubrot.

Seit Adelus vor zwölf Jahren auf einem Großsegler verschwunden war – er hatte versäumt, sich von ihr zu verabschieden, und war nie wiedergekehrt –, lebte sie allein mit ihrer Magd im ersten Stock. Sie war eine gute Partie, aber das behielt sie für sich.

Behrmann war in all den Jahren ihr liebster Mieter gewesen. Ein ruhiger Mann, bescheiden und höflich, leider allzu höflich, und nun war er tot, erstochen beim Zollhaus, nur ein paar

Schritte von ihrem Haus. Er war keiner, der sich im Wirtshaus betrank, seine tödlich endende Eskapade empfand sie als eine große Rücksichtslosigkeit.

Heute nachmittag hatte jemand Klara vor dem Haus angesprochen und nach der Wohnung gefragt, ein schöner junger Mann mit klarem Gesicht und breiten Schultern. Ob seine Kleider aus gutem Tuch und seine Schuhe aus feinem Leder waren, hatte sie nicht gewußt. Die jungen Dinger achteten nie auf das Wichtige. Klara hatte ihm die Fenster im dritten Stock gezeigt und auch erwähnt, daß die Schlafkammer ein Fenster nach hinten zum Fleet hatte, was ruhigen Schlaf bis in den Morgen versprach, wenn in der Twiete schon die Karren über das Pflaster polterten. Die Kranwinde sei zwar direkt neben dem Fenster, aber die werde selten vor Mittag benutzt, weil die Lieferanten um diese späte Stunde weniger Bringegeld forderten.

Frau Adelus' Füße wurden kalt. Sie zog sie wieder unter die Decke, rollte sich auf die Seite und versank doch noch in tiefen Schlaf.

Der untreue Adelus tauchte aus dem Dunkel auf und kämpfte, wie so oft in ihren rachsüchtigen Träumen, mit dem Fliegenden Holländer um sein Leben. Der Traum endete stets mit Adelus' schaurigem Todesschrei, und jedesmal erwachte seine verlassene Gattin erfrischt und zufrieden.

Diesmal gab es keinen Schrei, stumm und leichtfüßig wie in einem Tanz bewegten sich die beiden Schattengestalten durch ihren Traum, nur ab und zu schepperten und knarrten die Decksplanken wie rutschende Dachpfannen und wie Dielen eines alten Hauses. Schließlich kam ein Sturmwind und wehte die Kämpfer mit quietschendem Jaulen davon.

Beunruhigt erwachte sie. Ihr gefiel dieser Traum mit seinem üblichen Ausgang, und sie wünschte keine Veränderung. Was war das für ein seltsam vertrautes Geräusch gewesen? Sie schlug die heiße Decke zurück und setzte sich schwer atmend auf die Bettkante. Das Fieber war gesunken, aber ihr war furchtbar schwindelig.

Da, wieder dieses Quietschen.

Ein kalter Schauer rieselte ihren schwitzenden Rücken hinab, sie starrte gebannt auf die Tür, aber nichts bewegte sich. Zitternd schlüpfte sie in ihre Pantoffeln und schlich zum Fenster. An der Kranwinde, die am hinteren Giebel für den Transport der Lasten auf den Dachboden angebracht war, schaukelte im kräftig auffrischenden Nachtwind das lange Seil.

Entschlossen riß sie das Fenster auf. Egal, ob die Nachtluft sie töten würde, wenn ihr Eigentum in Gefahr war, wurde sie todesmutig. Sie mußte wissen, was da draußen vorging.

Das Seil war nicht fest verknotet. Es riß sich von seiner Verankerung los, flatterte frei im Wind und fiel klatschend in das Fleet. Und weil der Zorn der Geizigen stets größer ist als die Angst, beugte sie sich tapfer aus dem Fenster und sah hinunter auf das Wasser.

Eine dunkle Gestalt, groß und breit wie ein Bär, stakte eilig ein kleines, flaches Boot davon. Der lange, schwarze Mantel wehte im Nachtwind, und Frau Adelus überlegte mit wohligem Grausen, ob es der Fliegende Holländer war, der versucht hatte, über die Kranwinde in ihr Schlafzimmer zu gelangen.

Als sie am nächsten Morgen erwachte, glaubte sie fest, alles nur geträumt zu haben.

Sie hatte nicht geträumt. Tatsächlich waren allerdings drei schwarzvermummte Menschen mit dem Boot im Dunkel verschwunden.

«Nun sag schon», flüsterte Rosina unter der Plane hervor, «hast du was gefunden?»

«Einen versiegelten Brief», Sebastian klopfte auf sein Wams, in das er den Brief gesteckt hatte. «Ich hoffe, es ist der richtige. Sonst war nichts da, was uns interessieren könnte. Keine Papiere und keine Hinweise auf geheime Laster.» Er grinste breit, und Rosina sah seine Zähne in der Dunkelheit blitzen.

«Haltet's Maul», zischte Titus, der Mann an der Stake. «Und macht euch verdammt noch mal unsichtbar.»

Rasch legten sich Sebastian und Rosina flach auf den Boden des Bootes. Die wenigen Minuten, bis Titus die Brücke nahe dem Dreckwall erreichte, erschienen Rosina wie eine Ewigkeit. Sie hatten Glück, niemand war zu sehen, und niemand wartete mit der Stadtwache auf die Bootsdiebe. Sie hatten das Boot, das dort wie viele andere für die Nacht festgemacht war, vor einer Stunde «ausgeliehen». Jakobsen war der einzige, der ihnen ohne zu fragen und mitten in der Nacht eines geliehen hätte. Doch sie wollten den Wirt nicht in ihr verbotenes Abenteuer hineinziehen. Außerdem lag es am Herrengrabenfleet, zu weit, um nicht an irgendeiner Ecke auf einen Nachtwächter zu treffen.

Titus machte das Boot an seinem alten Platz fest, und mit kaum hörbaren, eiligen Schritten verschwanden die drei im Schatten der engstehenden Häuser.

Niemand würde am nächsten Morgen bemerken, daß das Boot in der Nacht unterwegs gewesen war. Und niemand, auch nicht Frau Adelus, würde es für möglich halten, daß einer ohne die Hilfe dunkler Mächte unbemerkt in die Behrmannsche Wohnung eindringen konnte. Die Haustür war in der Nacht mit einem Balken gesichert, und wer durch eines der unteren Fenster einstieg, wurde schon nach wenigen Schritten auf der Treppe erwischt. Ihr erbarmungsloses Knarren verriet jeden.

Sie nahmen nicht den direkten Weg zur Fuhlentwiete, sondern schlichen vom Langen Gang aus durch die engen, stockdunklen Gänge und Höfe, an der Komödienbude vorbei und über den Bretterzaun in den Krögerschen Hof. Dabei schreckten sie ein paar Hunde auf, aber daran würde sich morgen niemand erinnern. Hunde bellten immer, wenn Sturmwolken aufzogen. Gerade als sie den Stall erreichten, öffnete der Himmel seine Schleusen und schüttete harten, winterkalten Regen auf die Stadt.

Die Tür glitt geräuschlos auf, Rudolf hatte am Vormittag die Scharniere poliert und gründlich eingefettet.

«Endlich!» Helena sprang von ihrem Heuballen auf, als Titus, Rosina und Sebastian in den Stall schlüpften. «Ich bin fast gestorben vor Angst. Warum habt ihr so lange gebraucht? Habt ihr den Brief gefunden?»

«Langsam», brummte Titus, «eins nach dem anderen. Hast du an den Wein gedacht? Ich verdurste.»

«So seid doch leise», flüsterte Gesine, die in der Dunkelheit hinter Helena stand, und reichte ihm einen Krug.

Sebsatian zog den Brief aus seinem Wams und hielt ihn triumphierend hoch.

«Ich hätte ihn fast übersehen, er lag, in ein Stück Sackleinen gewickelt, ganz hinten in einer Schublade. Vielleicht ist es gar nicht der richtige...»

«Gib her!» Helena griff ungeduldig nach dem hellen Fleck in der Dunkelheit und verschwand hinter einem Wagen. Ein trübes Öllämpchen brannte unter dunklen Tüchern, die sie zwischen den Wagen gespannt hatte, damit der Lichtschein sie nicht verraten konnte. Sie entzündete zwei Kerzen an der Lampe, erbrach das schlichte Wachssiegel und hielt den Bogen nahe an die Kerzen.

«Sag schon», wisperte Rosina heiser, «ist es der Brief?»

Helena blickte in die vom flackernden Licht gespenstisch beleuchteten Gesichter, dann reichte sie Sebastian den Bogen.

«Du hast ihn gefunden», flüsterte sie feierlich, «lies vor.»

Sebastian nahm einen großen Schluck aus dem Krug und begann zu lesen.

Behutsam schloß Claes die Tür von Martins Krankenzimmer und ging die Treppe hinunter. Er mußte nachdenken, und das ging in seinem Kontor am besten.

Die lauen Frühlingsnächte waren wieder vorbei. Es hatte am Nachmittag heftig geregnet, der kalte Nachtwind zog durch alle Fensterritzen und kämpfte gegen die Wärme des Kachelofens. Bevor Claes die schweren Gardinen vor die Fenster zog – Nielsen hatte mal wieder vergessen, daß das zu seinen täglichen Pflichten gehörte –, blickte er aufmerksam auf den Neuen Wandrahm hinaus.

Niemand war zu sehen. Nicht einmal ein Kater streunte am Fleet entlang. Die Nacht war stockdunkel, und Claes hoffte, daß die Schatten, die sich eng an das große Portal drückten, seine beiden Wächter waren.

Alles war still. Die Stadt schlief.

Die Standuhr zeigte schon auf ein Viertel nach elf, aber er konnte jetzt unmöglich schlafen. Das Chaos seiner Gefühle hielt ihn hellwach.

Er war unendlich froh, daß Martins Genesung nun sicher schien. Zwar schlief er immer noch diesen unergründlich tiefen Schlaf, aber das Fieber war verschwunden, er atmete tief und gleichmäßig, und sein Gesicht hatte wieder einen rosigen Schimmer.

Ein Geräusch ließ ihn zusammenzucken. Er war schreckhaft geworden in diesen Tagen. Vielleicht auch nur wachsam. Leise ging er zur Tür, öffnete sie behutsam und lauschte mit angehaltenem Atem. Nichts, es war wieder ganz still im Haus. Wahrscheinlich war Augusta in Martins Zimmer auf und ab gegangen, um die vom langen Sitzen steifen Glieder zu strecken.

Claes hatte den ganzen Abend mit ihr im Zimmer des Kranken gesessen und darauf gewartet, daß Martin erwachte und endlich sprach. Auch wenn er nicht gleich alles erzählen konnte, ein Name, ein kleiner Hinweis hätten genügt, um Joachim freizusprechen. Nie war ihm Martins Geheimnis so wichtig erschienen wie heute abend. Doch Martin war nicht aufgewacht. Er sprach auch nicht mehr im Schlaf. Aber vielleicht schon morgen, hatte die Kräuterfrau versichert, konnte er aufwachen.

Die verschrumpelte Alte hatte wahre Wunder an Martin bewirkt. Kletterich sollte sich mit seiner Quacksalberei zum Teufel scheren. Was für ein Glück, daß die Influenza den Arzt ins Bett gezwungen hatte.

Seltsam, er hatte nie gewußt, daß Elsbeth eine Tante hatte? War sie nicht als Waisenkind ins Haus gekommen? Ob Tante oder nicht, sie verstand sich offenbar nicht nur auf das Heilen der Körper. Seit sie den Kranken besuchte, hatte auch Sophie viel von ihrer alten Fröhlichkeit und Zuversicht wiedergefunden. Und auch wenn er es nicht gerne zugab, das Minzöl milderte seine Kopfschmerzen beträchtlich.

Die Hoffnung auf Martins Erwachen war der einzige Grund, warum Claes nicht gleich nach dem Gespräch mit Anne zu Joachim gegangen war. Es gab bisher keinen Beweis für seine Schuld, und da war immer noch eine Chance, daß alles nur ein schrecklicher Irrtum war.

Claes lehnte sich mit dem Rücken gegen den Kachelofen, die Wärme drang tröstlich durch seinen Rock.

Noch vor zwei Wochen war seine einzige Sorge die Suche nach den profitabelsten Kaffeelieferungen gewesen, sein Leben verlief geregelt, und das Gleichmaß seiner Gefühle war durch nichts aus dem Takt zu bringen. Er hatte keinen Anlaß gehabt, darüber nachzudenken.

Jedenfalls meistens. Er erinnerte sich an den Anflug von Neid und Sehnsucht, als der junge Marquis Jouffroy d'Abbans auf Jersey mit glühendem Gesicht für seine Dampfschiff-Ideen focht. Oder als der kleine Friedrich Reichenbach aus Sachsen in Jensens Kaffeehaus so leidenschaftlich für die Gleichheit der Menschen gesprochen hatte.

Reichenbach?

Hoffnung blitzte auf und zerplatzte wie eine Seifenblase.

Nein. Nicht Reichenbach. Briefe gegen die Sklaverei paßten zwar gut zu ihm. Aber der hübsche kleine Sachse hatte Courage und hielt seine Meinung nicht zurück. Der schrieb keine anonymen Briefe, sondern kämpfte mit offenem Visier.

Hoffentlich hatte er seinen Söhnen auch ein wenig von diesem aufrechten Kampfgeist mitgegeben.

Mitgegeben? Hatte er ihn denn selbst?

Er dachte an Anne, wieder an Anne. Ihr Blick, der Druck ihrer Hände gaben ihm auch jetzt noch Kraft. Sie war ihm nie so nah gewesen. Warum hatte er sie nicht geküßt? Sie mußte ihn für einen alten Tölpel halten! Sein Mangel an Mut in Liebesdingen war hoffentlich nicht ihr einziger Maßstab.

Claes holte ein Glas und die Portweinkaraffe aus dem Schrank und goß sich ein. Sein Bein schmerzte trotz des heftigen Windes nicht, und auch der Kopf war heute klar und frei von dem quälenden eisernen Ring.

Er zog den Stuhl mit den Löwenfüßen neben den Kachelofen, setzte sich und bedachte noch einmal alle Unglücke, Unfälle oder Attentate. Es fand sich kein neues Bindeglied, keine logische Erklärung für diese mörderische Wut, die jemand auf ihn haben mußte.

Und immer noch verstand er am allerwenigsten den Mord an Behrmann.

Wenn er bis zum späten Vormittag nichts von Martin erfuhr, mußte er Joachim mit seinem Verdacht konfrontieren. Zumindest wollte er ihn nach seinen Schulden fragen. Es war unmöglich, Joachim wie jeden Mittag an der Börse zu treffen und so zu tun, als wäre nichts geschehen.

Streitende Stimmen drangen von der Straße herauf. Eine rauhe, tiefe, das war ohne Zweifel Berthold, einer der beiden Wächter. Und eine hohe, aufgeregte Frauenstimme.

Claes sprang auf. Es war eine englische Stimme, das konnte nur Anne sein.

Immer zwei Stufen auf einmal sprang er die Treppe hinunter, rannte durch die Diele, wuchtete den Balken zur Seite und öffnete die Tür.

Es war nicht Anne, die da mit den Wächtern stritt, es waren Françoise, ihre Zofe, und Matthews' Kontorbote.

«Verzeiht, Herr», Brooks hielt die strampelnde Françoise mit beiden Armen fest. «Die verrückte Frauensperson will unbedingt rein. Ist wichtig, sagt sie. Kann ich aber nich glauben, mitten in der Nacht. Wir verstehn sie auch nich richtig, spricht was Fremdes. Englisch, glaub ich, oder Französisch. Oder beides durcheinander.»

«Monsieur! Mademoiselle Anne...»

«Ganz ruhig, Françoise.» Er befreite sie aus Bertholds Umklammerung und schob sie und den Kontorboten in die Diele.

«Ist schon in Ordnung, Berthold. Das Mädchen hat eine Botschaft für mich. Ihr habt es trotzdem gut gemacht, an euch beiden kommt keiner vorbei. Blohm, was tust du hier?»

Der Diener stand, in einen dicken Schlafrock gewickelt, das Holzbeil in der Faust, mit grimmigem Gesicht in der Diele. «Geh wieder ins Bett, mein Alter. Es ist alles in Ordnung. Aber sieh mal in der Küche nach, ob du für unsere beiden Ritter vor der Tür noch was Wärmendes zu trinken findest.» Schnell schob er das Mädchen und seinen Begleiter die Treppe hinauf in sein Kontor.

Ihre Botschaft war schrecklich. Anne war verschwunden.

Es war schon spät, bestimmt nach zehn, und Anne wollte gerade zu Bett gehen, als ein Bote kam.

Claes Herrmanns erwarte Anne in seinem Speicher am Cremon. Es sei eine ungewöhnliche Zeit, aber sehr dringlich. Sie möge gleich kommen, der Bote werde ihr den Weg zeigen.

Sie war gleich mit ihm gegangen. An der Tür hatte sie sich noch einmal umgedreht und ihr, Françoise, leise aufgetragen, zu Monsieur Herrmanns zu gehen, falls sie bis Mitternacht nicht zurück sei. Die Messieurs Braniff und Matthews seien nämlich in Lübeck. Aber sie habe nun nicht mehr länger warten können.

Nein, Françoise wußte nicht, ob Anne nach seinem Namen gefragt habe. Warum auch? Er war irgendein Bote. Allerdings, wenn sie es recht bedenke, ein düsterer Kerl in schmutzigen Stiefeln.

Herrmanns nickte. Es war egal. Er hatte keine Boten geschickt, aber er ahnte, bei wem Anne jetzt war.

Wenn ihr irgend etwas geschah, nur irgend etwas, sollte die Welt ihn kennenlernen. Und vor allem dieser eine. Was für ein teuflischer Einfall. Warum Anne? Sie war doch am wenigsten mit seinem Haus verbunden.

Und wenn das alles nur eine List war, ein Hinterhalt? Wenn er sich in ihr täuschte, wie er sich in Agnes getäuscht hatte? Wenn sie gemeinsam mit Matthews und Braniff ein böses, ein mörderisches Spiel mit ihm trieb?

Wieso waren die gerade heute nach Lübeck gefahren? Waren sie überhaupt in Lübeck?

Er atmete tief und spürte eine kalte Ruhe. Er würde sich von diesem Irrsinnigen nicht in blinde Panik drängen lassen, sondern klug und überlegt handeln. Er fühlte, daß Anne lebte. Er wußte es. Aber wenn er jetzt nicht das Richtige tat, und zwar sehr schnell... Weiter wagte er nicht zu denken.

«Augusta!»

Der Lärm auf der Treppe hatte sie heruntergelockt, nun stand sie mit angstvoll geweiteten Augen in der Tür. «Was ist geschehn, ist wieder jemand...»

«Anne ist verschwunden. Aber mach dir keine Sorgen, ich weiß, wo sie ist.»

Er werde später alles erklären. Hastig gab er ihr ein paar Anweisungen, vor allem sollte Piet die Stadtwache alarmieren, warf seinen Mantel über und griff nach dem Stock.

Zum ersten Mal bedauerte er, daß er keine Pistole besaß. Er würde Brooks mitnehmen. Die beiden Arbeiter, die in der Kammer im hinteren Speicher schliefen, sollten helfen, das Haus zu bewachen.

Der Regen peitschte ihm ins Gesicht, sein Hut flog davon, und das eisige Wasser lief ihm in den Kragen. Aber er spürte es nicht.

Er schickte ein Stoßgebet zum Himmel. Das Handelshaus Herrmanns hatte keinen Speicher am Cremon. Aber einer der größten Cremon-Speicher gehörte Joachim van Stetten.

14. KAPITEL

MONTAG NACHT

Er sah anders aus als die jungen Männer, die sie in Claes' Kontor gesehen hatte. Die trugen zwar schlichte, aber gut geschnittene Röcke aus feinem, dunklem Tuch über sandfarbenen Westen, schiefergrauen Kniehosen und weißen Strümpfen. Dieser trug eine grobe braune Joppe, seine Hose war schmutzig und sein Schuhwerk ohne Schnallen. Sicher war er einer der neuen Wächter. Sie wunderte sich, daß er keine Laterne trug. Er hatte sie wohl in der Eile vergessen.

Der Bote ging schnell, und Anne konnte kaum mit ihm Schritt halten. Aber es war ihr recht, der Wind wehte eiskalt durch die stockdunklen Straßen. Ob er wußte, warum Claes sie in seinem Speicher treffen wollte? Es machte wenig Sinn, einen Boten nach den Gedanken seines Herrn zu fragen.

Ihr schien, als gehe er nicht den direkten, sondern den dunkelsten Weg zur Cremon-Insel. Aber die Stadt war ein Labyrinth. Auf dem scheinbar kürzesten Weg stand man plötzlich vor einem Fleet, fand keine Brücke und mußte einen weiten Umweg machen.

Anne fühlte sich unbehaglich, allein mit diesem düsteren Fremden mitten in der Nacht in den leeren Straßen. Je weiter sie gingen, um so verrückter und unwirklicher kam ihr dieses nächtliche Abenteuer vor. Sicher würde sie gleich aufwachen, und alles war nur ein Traum gewesen.

Ein Traum, der immer unheimlicher und bedrohlicher wurde.

An der Holzbrücke, die über das breite Nicolai-Fleet auf die Cremon-Insel führte, blieb sie atemlos unter einer Straßenlaterne stehen und sah zurück. Es kam gar nicht in Frage, einfach umzukehren und zu dem warmen, sicheren Haus am Jungfernstieg zu laufen. Und was sollte ihr geschehen?

Entschlossen ging sie weiter. Sie war nie feige gewesen. Ihre Nerven waren von den Ereignissen der letzten Wochen nur so überreizt, daß sie hinter allem Ungewöhnlichen Böses argwöhnte. Zu Hause in St. Aubin kannte sie jedes Haus, jeden Weg und jedes Gesicht. Ihre Insel war so friedlich. Es gab kaum Verbrechen, wenn man einmal vom Schmuggel an der Nordküste absah. Doch den gab es seit Jahrhunderten, er hatte ihr ruhiges Leben nie bedroht. In den verwinkelten Straßen und Höfen dieser Stadt drängten sich 100000 Menschen. Eine fremde, bedrohliche Welt. Ach was, ihre Phantasie spielte ihr einen Streich. Sicher ließ nur die Dunkelheit die Stadt plötzlich so unheimlich und voller Abgründe erscheinen. Schreckliche Dinge waren geschehen, aber sie, Anne, spielte in dieser Tragödie keine Rolle. Wer sollte ihr etwas antun? Und warum?

Es war ganz einfach: Claes rief sie in seinen Speicher, weil er dort etwas entdeckt hatte. Er würde sie niemals einer Gefahr aussetzen.

Eilig ging der Bote in den Cremon voraus. Am Ende der engen, halbrund gebogenen Straße glitzerte das schwarze Wasser des Binnenhafens. Die Schiffe dümpelten an den Duckdalben, der Wind trug ihr Knarren und Ächzen heran. Irgendwo jaulte ein Hund.

Und wenn sie jetzt einfach losrannte? Nur ein paar Minuten, und sie wäre in Claes' Haus.

«Hier isses!» sagte der Bote und schob sie in einen Speicher. Er sah noch einmal die Straße hinauf und hinab und verschloß die Tür von innen mit einem Querbalken.

Die Gerüche waren Anne tröstlich vertraut. Auch in den Lagerhäusern von St. Aubin roch es nach Getreide, Zucker, Gewürzen und Hölzern.

Im Speicher war es noch dunkler als auf der Straße. Zwei Laternen auf einer Tonne neben der schmalen Treppe erhellten nur matt einen kleinen Lichtkreis.

«Claes?»

Anne horchte in den Speicher hinein. Sie fror, und sosehr sie sich auch töricht schalt, der eiserne Griff der Angst legte sich immer fester um ihre Brust.

«Claes», rief sie noch einmal. «Wo seid Ihr?»

«Oben», sagte der Bote, «er is auf 'm dritten Boden.»

«Dann nimm die Laterne und geh voraus.»

Der Mann schüttelte den Kopf und lehnte sich mit dem breiten Rücken gegen die Tür.

«Er wartet nich gern», brummte er und starrte sie ausdruckslos an.

Anne griff ärgerlich eine der Laternen, raffte mit der anderen Hand ihre Röcke und ging vorsichtig die schmale Treppe hinauf. Verblüfft stellte sie fest, daß alle Böden leer waren. Merkwürdig! Die Speicherböden großer Händler waren normalerweise immer gefüllt.

Eine Windböe ließ die Holztüren der Ladeluken klappern.

«Claes?»

Gleich würde er kommen, ihr die Hand reichen und sie die letzten schmalen Stufen sicher hinaufführen. Gleich – sie glaubte nicht mehr daran, aber nun war sie gefangen. Es gab kein Zurück, also ging sie vorwärts. Langsam wuchs der Zorn über ihre Angst hinaus.

Am Ende der Treppe zum dritten Boden stand im flackernden Licht eine schlanke Gestalt. Das Licht hinter seinem Rücken ließ sein Gesicht im Dunkeln.

«Willkommen.» Sie hörte ein leises Lachen.

«Ich habe nicht geglaubt, daß Ihr meinem Boten folgen würdet. Es ist unschicklich.»

Joachim van Stetten hob eine Laterne und trat mit galanter Bewegung zur Seite.

«Und gefährlich. Ihr seid eine ungewöhnliche Frau. Aber vielleicht hat Euch die Liebe zu meinem alten Freund nur dumm und blind gemacht. Ihr liebt ihn doch?»

«Das geht Euch überhaupt nichts an. Und wenn Ihr mich für so töricht haltet, mitten in der Nacht mit einem Fremden zu gehen, ohne daß es jemand weiß, seid Ihr dümmer, als ich dachte. Mein Cousin und Captain Braniff...»

«... sind heute morgen nach Lübeck gereist.» Er lachte leise, fast tonlos. Ein Lachen wie ein eisiger Hauch.

Seit der Bote den Balken mit dumpfem Knall vor die Tür fallen ließ und sie allein die Treppe hinaufschickte, hatte Anne gewußt, daß sie in eine Falle gelaufen war. Sie hatte sich gegen die Wahrheit gewehrt. Aber nun war es geschehen. Allein stand sie Claes' gefährlichstem Feind gegenüber. Nun war er auch ihr Feind.

Joachim hatte eine gespenstische Kulisse aufgebaut. Zwischen zwei brokatbezogenen Lehnstühlen glitzerten auf einem kleinen runden Mahagonitisch Gläser und eine Weinkaraffe aus geschliffenem Kristallglas. Blutrote Tücher waren über ein paar Säcke, Fässer und in ranzig riechendes Ölzeug gerollte Ballen gebreitet. In der Mitte stand, einem Altarbild gleich mit Kerzen erleuchtet, das goldgerahmte Portrait einer Frau.

«Was soll diese alberne Posse? Was wollt Ihr von mir?»

«Setzt Euch», er nahm ihren Arm und führte sie mit festem Griff zu einem der beiden Stühle. «Ich will Euch mit einer Dame bekannt machen.» Er nahm die Karaffe und füllte die beiden Gläser. «Ihr müßt mit mir ein Glas Burgunder auf ihr Wohl trinken. Trinkt!»

Zögernd nahm Anne das Glas. Er war verrückt. Trank sie, so würde auch er trinken. Wenn er viel trank, konnte sie vielleicht entkommen.

Er leerte sein Glas in einem Zug.

«Trinkt! Trinkt auf Marias Wohl.»

Anne nippte an ihrem Glas.

«Maria? Ich kenne sie nicht. Sie interessiert mich auch nicht. Warum habt Ihr Behrmann getötet?»

Joachim, der sein Glas gegen das Bild gehoben hatte, fuhr herum und starrte sie an. Sein Gesicht verzerrte sich zu einer wütenden Maske. «Behrmann! Der Bastard war ein Versager, ein Feigling und Verräter. Er hat Claes verehrt wie einen Kaiser, hat willig Jahr für Jahr den Schreiber gespielt, ein glücklicher Knecht seiner noblen Familie, die nichts von ihm wußte und nichts von ihm wissen wollte.» Er kicherte böse.

«Der Haß auf seinen Bruder war nicht leicht zu wecken. Aber dann brannte er lichterloh. Seit dem letzten Sommer war er *mein* Büttel. Und dann, so kurz vor dem Ziel, faßt ihn die Reue! Claes' Unfall auf Eurer Insel hat ihn erschreckt. Die zarte Seele wollte beichten, wollte sich der Gnade seines Bruders ausliefern. Der Gnade! So ein Narr! Er wollte sich vernichten und mich mit in sein Unglück reißen. Aber das ist ihm nicht gelungen. Und wenn Ihr jetzt hier seid, ist es seine Schuld. Trinkt, Mademoiselle von der stillen Insel. Trinkt.»

Anne leerte tapfer ihr Glas. Er trank ja Wein aus der gleichen Karaffe. «Ihr habt Euch ganz allein in Euer Unglück gerissen. Ihr werdet alles verlieren. Ich verstehe nicht, was Ihr da erzählt, aber glaubt Ihr wirklich, Ihr kommt davon? Nach all diesen Verbrechen? Claes weiß, was Ihr getan habt, und egal, was Ihr mit mir plant, Ihr habt längst verloren.»

Er beugte sich mit einer schnellen Bewegung über sie, sie spürte seinen heißen Atem und roch den kalten, sauren Schweiß seiner Erregung.

«Wißt Ihr nicht, daß ich ein Spieler bin? Nichts macht mehr Lust als ein tödlich hoher Einsatz. Aber wenn ich verliere, soll auch der andere nicht gewinnen.»

Mit geballten Fäusten breitete er die Arme aus, verflogen waren sardonische Freude und Selbstgewißheit, seine Stimme überschlug sich schrill.

«Er hat immer gewonnen. Immer war er der Erste. Zuerst hat er mir Daniel weggenommen und dann», er drehte sich um und zeigte zornig auf das sanft lächelnde Portrait, «und dann Maria. Ich habe sie geliebt, ich! Für ihn war sie nur ein gutes Geschäft.

Mit Maria wäre mir alles gelungen. Sie hätte den Menschen aus mir gemacht, den sie aus Claes gemacht hat. Glaubt Ihr, er ist besser als ich? Er hatte Maria. Maria war ein Engel. Sie hat mich geliebt, aber sie hat gehorsam den geheiratet, den ihre Familie für sie ausgesucht hatte. Claes, den ältesten Sohn und reichen Erben. Und wenn Ihr glaubt, ich lasse zu, daß er noch einmal geliebt wird, habt Ihr Euch getäuscht!» Er riß ihr das Brusttuch vom Dekolleté und betrachtet sie aus schmalen Augen.

«Ihr seid keine Knospe mehr, Mademoiselle, aber immer noch schön.» Er hob ihr Kinn gegen das Licht.

«Eine süße, reife Frucht. Sieht er Eure Leidenschaft? Oder seid auch Ihr für ihn nur ein Geschäft. Seid Ihr Jungfrau?» flüsterte er heiser. «Ein wenig spät, aber Vieth wird das gern ändern. Claes soll keine wie Euch mehr haben. Oder wie Maria. Nie mehr. Er soll eine kalte Frau haben, wie ich. Zu Dirnen gehen, ohne Trost zu finden. Wie ich.»

«Eure Frau ist kalt? Bei einem wie Euch muß jede kalt sein. Laßt mich los!»

Mit aller Kraft stieß Anne ihn zurück und sprang auf. Der Raum drehte sich, plötzlich standen drei Karaffen seltsam verschwommen auf einem blassen Fleck, der eben noch ein Tisch gewesen war. «Ihr irrt», stieß sie schwer atmend hervor. «Claes weiß, wo ich bin. Meine Zofe ist schon bei ihm.»

Sie fror jämmerlich, und ihr Atem ging seltsam schwer. Ihre Beine gaben nach, sie sank zurück in den Sessel. Joachims Gesicht verschwamm zu einem tanzenden Fleck.

«Ihr müßt jetzt nicht mehr lügen.»

Seine Stimme kam von ferne und hallte seltsam.

«Und selbst wenn er Euch tatsächlich sucht, wird er zu spät kommen. Wußtet Ihr, daß Maria verbrannt ist? Er hat sie nicht gerettet, er wird auch Euch nicht retten.»

Die letzten Worte hörte Anne wie ein dumpfes Murmeln aus weiter Ferne. Das Gift in ihrem Wein hatte gewirkt.

«Vieth», schrie Joachim, «komm rauf!»

«Psst!» Rosina legte den Kopf schief und lauschte angestrengt.

«Das ist nur der Wind», flüsterte Sebastian. «Bei dem Wetter kriecht hier niemand rum. Und auf die Krögerin und die Kinder wird Lies schon achtgeben.»

«Aber ich habe bestimmt etwas gehört.»

«Na gut», brummte Titus und rappelte sich von seinem bequemen Lager im Heu auf. Er öffnete behutsam die Stalltür und steckte den Kopf hinaus.

Eine Weile waren alle still und lauschten. Aber nur der Wind und das gleichmäßige Rauschen des Regens waren zu hören.

«Lies leise weiter, Sebastian», flüsterte Helena. «Das kann draußen sowieso niemand verstehen. Der Regen ist viel zu laut.»

Behrmanns Brief war schwer zu entziffern. Als Schreiber hatte er sicher eine akkurate Handschrift gehabt, aber diese Zeilen waren ganz offensichtlich in großer Erregung geschrieben worden.

«Lies den letzten Absatz noch mal. Nachdem er erklärt hat, daß der alte Herrmanns sein Vater war und daß er sich immer gewünscht hatte, für das Haus Herrmanns zu arbeiten.» Rosina schüttelte zweifelnd den Kopf. «Ein komischer Kerl, demütig wie ein Mönch. Ich an seiner Stelle hätte so viel Abstand zwischen mich und diese bigotte Gesellschaft gebracht wie nur möglich.»

«Vielleicht war er nicht so stark wie du», sagte Gesine sanft. «Jeder braucht eine Familie oder andere Menschen, zu denen er gehört. Wir haben einander, aber er hatte nach dem Tod seiner Mutter und seiner Tante niemanden mehr.»

Rosina schwieg, und Sebastian hielt den Briefbogen wieder an die Kerze.

«Also, den letzten Absatz noch mal.» Mit zusammengekniffenen Augen und gesenkter Stimme fuhr er fort, Behrmanns Brief an Claes Herrmanns vorzulesen.

«Ich weiß heute nicht mehr zu sagen, welcher Teufel mich ritt, als ich mich gegen Euch verbündete. Ich schwöre bei Gott, daß ich Euch und allen Mitgliedern Eures Hauses nie an Leib und Leben schaden wollte. Daß ich trotzdem so schuldig geworden bin, läßt mir mein Dasein wie eine unerträgliche Last erscheinen.

Zuerst, als ich von Lübeck nach Hamburg kam, wollte ich zu Euch gehen und meine Herkunft offenbaren. In den Straßen sprach man von Euch als von einem strengen, aber auch gütigen und gerechten Herrn. Ich wollte, daß Ihr wißt, wer ich bin. Warum? Ich weiß es nicht, es schien mir das Wichtigste in meinem Leben zu sein. Ich kannte meinen Vater nicht. Meine Mutter offenbarte mir ihr Geheimnis erst wenige Stunden vor ihrem Tod. Sie war ihm immer dankbar. Andere Herren hätten sie ins Spinnhaus geschickt, und ich wäre im Waisenhaus verdorben. Ich verdanke mein gutes Leben Eurem Vater. Erlaubt, wenn ich hier endlich sage: unserem Vater.

Heute weiß ich, daß ich heimlich darauf hoffte, von Euch als Bruder anerkannt zu werden. Ich wollte nichts fordern, keine Rechte, keine Güter. Ich weiß sehr wohl, daß mir nichts zusteht. Ich wollte nur zu Eurem Haus gehören. Als Ihr mich zu Eurem Schreiber machtet, war ich der glücklichste Mensch. Ich nahm mir vor, Euch zu beeindrucken, Euch mit meiner Leistung und meinem Gehorsam für mich einzunehmen. Dann wollte ich einen günstigen Tag abwarten, um mich zu offenbaren.

Ich weiß, daß Ihr meine Arbeit immer anerkannt habt. Aber schon bald verließ mich der Mut. In der Stadt sind die Menschen anders als in den Dörfern vor den Mauern. Es heißt, sie seien freier im Geist, aber mir scheint, sie sind grausamer. Ich hörte die üblen Reden in den Schenken und auf den Märkten. Da verkehrt viel gemeines Volk. Aber auch in der Börse gilt eine böse Geschichte über einen Konkurrenten oder Partner immer mehr als eine freundliche.

Ihr gehört nicht zu denen, die solche Nachrede verbreiten oder auch nur anhören, aber ich vergaß, das zu bedenken.

Trotzdem wartete ich immer noch auf einen günstigen Tag, um Euch als Bruder anzusprechen. Doch dann kam dieses Mädchen, erinnert Ihr Euch? Sie stand eines Tages im Kontor, reinlich gekleidet, ein wenig zu sehr geputzt vielleicht, aber sie schien mir nicht verderbt.

Ihr ließet sie in Euer Kontor, und bald hörten wir harte Worte und Geschrei. Dann ging Eure Tür auf, und Ihr schobt das Mädchen mit zorniger Kraft über die Diele und auf die Straße. Sie fiel in die Gosse. Ich habe Euch nie so zornig gesehen.

Erinnert Ihr Euch? Schon am nächsten Tag sprach man in der Stadt davon, wer sie war. Sie war die Tochter einer Goldstickerin und, so behauptete sie, Eures Vaters.

Später hörte ich, sie sei aus gleichem Grund auch bei anderen Handelsherren gewesen. Wahrscheinlich wart Ihr so zornig, weil Ihr sie als Betrügerin kanntet. Aber damals sah ich nur, daß Ihr eine, die vorgab, Eure illegitime Schwester zu sein, in die Gosse stießt.

Ich hätte es nicht ertragen, wenn Ihr das gleiche mit mir getan hättet. Auch wenn Ihr es nie bemerkt habt, ich liebe und verehre Euch wie einen Bruder, fast wie einen Vater. Ihr steht so hoch über mir...»

«Hör auf!» Rosina sprang wütend auf. «Das kann man ja nicht aushalten! Ist Herrmanns Gott? Wie kann einer so vor seinem Herrn im Dreck kriechen? Egal, ob er sein Halbbruder oder der Kaiser von Brasilien ist. Der hat seinen Reichtum nicht vom Beten und Verteilen milder Gaben. Der ist genau wie alle anderen reich und mächtig geworden, weil...»

«Ist ja gut, Rosina», Helena zog sie zurück auf den Heuballen. «Behrmann hat eben so gefühlt. Wir müssen das ja nicht verstehen. Laß Sebastian jetzt weiterlesen.»

«Und wenn du wieder schreien willst», fügte Titus hinzu, «dann schrei leise. Los, Sebastian. Mir ist kalt, und ich will endlich wissen, wie's ausgeht.»

Sebastian las weiter:

«*Ihr steht so hoch über mir, daß...* Die nächsten Worte kann ich nicht entziffern. *Aber ein Stachel muß geblieben sein*, schreibt er dann weiter. Immerhin. *Es schmeichelte mir, als Joachim van Stetten mich an der Börse zum ersten Mal ansprach. Von da an kreuzte er oft meinen Weg. Später, als er mich schon in seine Ränke verstrickt hatte, trafen wir uns in einer dunklen Kellerschenke in der Neustadt.*

Es ging mir nicht gut in jener Zeit. Ich habe es Euch nie merken lassen, aber Euer Freund sah es in meinem Gesicht. Manchmal gab er mir ein Fläschchen mit Laudanumsaft, damit ich besser schlafen konnte. Zuletzt brachte er zu jedem Treffen so ein Fläschchen mit. Manchmal vergaß er es, und ich wartete mit zitternden Nerven, bis ich ihn das nächste Mal traf.

Ich muß mich sputen, die Kerze ist bald heruntergebrannt, und die Wirtin hat versäumt, einen Vorrat bereitzulegen.

Hinter van Stettens schöner, freundlicher Maske verbirgt sich ein teuflischer Mensch. Ganz langsam, Tropfen für Tropfen, flößte er mir das Gift von Neid, verletztem Stolz und blinder Rachsucht ein. Doch ich will mich nicht freisprechen. Wäre meine Seele so rein, wie ich glaubte, hätte er mich nicht zu seinem Werkzeug machen können.

Es war nicht schwer, Euch in den letzten Monaten um manches Geschäft zu bringen. Ihr vertrautet mir einfach zu sehr. Es war auch einfach, ab und zu falsche Gebühren und Summen zu berechnen, um Eurem guten Namen zu schaden. Das fiel mir jedoch immer am schwersten. Ich ließ manchen Eurer Briefe verlorengehen oder zögerte sie zu lange hinaus. Wenn Ihr dies gelesen habt, will ich Euch peinlich Rede und Antwort stehen.

Er sagte mir, er wolle Euch ärgern, nicht ruinieren oder sonst ernstlich schaden, aber doch zu schweren Einbußen verhelfen. Er versuchte immer wieder, mich dafür zu bezahlen, aber ich wollte kein Gold. Später, wenn er etliche Eurer Handelsverträge übernommen hatte, sollte ich sein erster Schreiber werden. Es erschien mir gerecht, nun nicht mehr Euch zu dienen, sondern mit meinen Fähigkeiten Euren heimlichen Konkurrenten zum Erfolg zu verhelfen.

Glaubt mir, ich war nicht glücklich in dieser Zeit, aber die schwärende Wunde in meiner Seele trieb mich, weiterzumachen. Jeden Tag sagte ich mir, hör auf, aber eine böse Stimme in meinem Kopf schalt mich als kleinmütig und dumm, und so machte ich weiter.

Euer Unglück auf Jersey erschütterte mich tief. Ich dachte nie daran, daß es van Stettens Werk sein könnte. Aber dann explodierte die Bark. Van Stetten wußte von mir genau über Eure Schiffe, die Ladungen, Häfen und Routen Bescheid. Mein Argwohn war erwacht und ließ sich nicht mehr besänftigen.

Nun, nach quälenden Wochen, wollte ich Gewißheit und forderte von ihm die ganze Wahrheit. Ich drohte, Euch sonst alles zu offenbaren. Van Stetten, der Euer bester Freund zu sein vorgibt, bewies mir seine ganze Ruchlosigkeit. Der Unfall auf Jersey und die Explosion der Katharina *in Lissabon waren sein Werk. Er hat es nur vage angedeutet, aber es scheint, als habe er in St. Aubin einen Verbündeten im Haus Eures Freundes St. Roberts.*

Ich weiß nicht, warum, aber van Stetten will Euch vernichten. Und er glaubt immer noch, ich helfe ihm dabei bis zum Ende.

Ich schreibe diesen Brief, weil ich mir nicht sicher bin, ob ich stark genug sein werde, Euch dies alles zu berichten, ohne die Fassung zu verlieren. Es ist zugleich das schriftliche Geständnis, das Ihr sicher von mir fordern werdet. Ihr denkt, ich bin nichts als ein trockener Rechner, frei von allen menschlichen Leidenschaften. Es ist mir nicht gegeben zu zeigen, was meine Seele fühlt, aber ich versichere Euch: Sie vermag tief, brennend und ehrlich zu fühlen.

Ich will Euch diesen Brief geben und bei Euch sitzen, wenn Ihr ihn lest. Ich will meine Verbrechen gestehen und Zeugnis gegen van Stetten ablegen. Dann lege ich mein Schicksal in Eure Hände.»

Sebastian ließ den Bogen sinken.

«Das war's. Unterschrieben hat er mit…, wartet, es ist kaum zu entziffern, mit *Johannes Behrmann, Sohn von Hanna Behrmann und Claes Herrmanns, d. Älteren.»*

«Was für ein Melodram», seufzte Helena.

Dann schwiegen alle. Der Brief bewies Joachim van Stettens Schuld. Aber er bewies immer noch nicht Jeans Unschuld. Die Richter würden nur glauben, daß Jean in van Stettens Auftrag getötet hatte.

«Wir müssen van Stetten dazu kriegen, daß er gesteht.»

«Eine wunderbare Idee, Rosina», spottete Titus. «Wir bitten den Richter ganz freundlich, er möge uns in van Stettens Haus begleiten. Das wird er mit dem größten Vergnügen tun, er mag uns ja so gut leiden. Und van Stetten wird sofort sein Haupt mit Asche bestreuen und gestehen, daß er Behrmann höchstpersönlich erstochen hat.»

«So kommen wir nicht weiter, Titus.» Sebastian faltete den Brief zusammen und steckte ihn wieder in sein Wams. «Ich weiß auch nicht, wie wir es anstellen sollen. Aber Rosina hat recht. Uns muß etwas einfallen. Helena, ihr solltet morgen mit Frau Augusta sprechen. Glaubst du, daß sie euch empfängt?

Helena nickte. «Wir werden es versuchen.»

«Gut.» Sebastian stand auf und streckte seine von der Kälte und dem krummen Sitzen steifgewordenen Glieder.

«Komm, Titus, der Brief muß wieder in Behrmanns Schublade. Wir müssen uns beeilen.»

«Bist du verrückt? Du hast dir wegen diesem blöden Stück Papier fast den Hals gebrochen, und jetzt willst du es zurückbringen?»

«Ja, und zwar schnell. Sieh dir diese schreckliche Schrift an. Ich denke, da ist ihm das Laudanum ausgegangen, und das hat seine Hand zittern lassen. Aber es ist leicht, zu behaupten, daß das gar nicht Behrmanns Schrift ist. Wenn wir diesen Brief als Beweis vorlegen oder wenn er bei uns gefunden wird, glauben alle, wir hätten ihn selbst geschrieben, um Jean zu retten. Wir müssen jetzt dafür sorgen, daß ein honoriger Hamburger über den Brief stolpert. Am besten Herrmanns selbst.»

«Verdammt», schimpfte Titus und warf sich den Mantel über. «Aber Rosina bleibt diesmal hier. Es reicht, wenn die Wache zwei von uns schnappt.»

«Joachim! Mach auf. Ich weiß, daß du da bist.»

Claes trommelte wütend mit beiden Fäusten gegen die Tür des van Stettenschen Speichers im Cremon. Sein Atem ging keuchend, seine Lungen schienen zu bersten. Aber er merkte es nicht.

«Mach das Tor auf», rief er atemlos. «Anne!»

«Weg da, Herr.» Brooks stellte ruhig die Laterne auf die Straße und schob Claes zur Seite. Dann trat er einige Schritte zurück und warf sich mit der ganzen Wucht seines schweren Körpers gegen die Tür. Sie sprang auf wie eine reife Schote.

Claes griff die Laterne und stürmte die Treppe hinauf. Die Böden waren leer. Er leuchtete in den ersten, in den zweiten, erreichte keuchend den dritten und blieb wie angewurzelt stehen.

Er sah die Lehnstühle, einer war umgekippt, den Tisch mit den Gläsern und der leeren Karaffe. Und dann fiel der Lichtschein auf das Bild. Das Gesicht lächelte ihn gespenstisch aus der Dunkelheit an.

«Maria», flüsterte Claes.

Es war das Portrait, das vor drei Jahren mit ihr in dem Gartenhaus verbrannt war.

Brooks nahm ihm die Laterne aus der Hand und leuchtete in die Ecken. Wie ein Spuk war Marias lächelndes Gesicht wieder im Dunkel verschwunden.

«Hier is keiner mehr, Herr.»

Der Speicher war leer. Verwirrt sah Claes sich um. Die Bilder im flackernden Licht der Laterne machten ihn schwindelig.

«Und was jetzt?»

Brooks' ruhige Stimme holte ihn in die Wirklichkeit zurück. Claes trat mit der Laterne zu dem Bild und strich über den schweren Goldrahmen. Maria blickte ihn mit dem vertrauten Lächeln an, so wie er sich oft an sie erinnerte.

Auch jetzt machte es ihm Mut. Die Panik schwand, und er konnte wieder klar denken.

Er erkannte die Stühle aus Joachims Salon. Wenn er noch einen Beweis gebraucht hätte, daß dies Joachims Werk war, hätte er ihn nun gehabt.

Ein Hauch von Jasmin drang durch die Gerüche des Speichers. Anne war hiergewesen, vor kurzer Zeit. Aber wo war sie jetzt? Wo?

In Joachims Haus? Kaum. Das war voller Dienstboten, und selbst um diese späte Stunde würden sie aufwachen, wenn jemand das Haus betrat.

«Maria», flüsterte er. «Hilf mir.»

Er durfte jetzt keinen Fehler machen. Jede vertane Minute

konnte Annes Leben kosten. Maria lächelte. Das Rubinkreuz auf ihrer Brust leuchtete im Laternenlicht in der gleichen Farbe wie die Tücher dieser schauerlichen Inszenierung.

Das Kreuz.

Natürlich.

Der Tod des kleinen Pastors.

Ein anonymer Brief an die Stadtwache hatte ihn bekanntgemacht. Ein anonymer Brief! Claes sprang auf.

«Komm, Brooks. Ich weiß, wo sie sind. Und bete, daß wir nicht zu spät kommen.»

Anne fühlte sich wie in einer großen Schaukel. Die Welt war schwarz und furchtbar kalt, aber das kümmerte sie nicht. Ihr war alles egal. «Nein», murmelte sie träge, als sie von harten Händen gepackt und aus dem, was sie für eine Schaukel hielt, gehoben wurde. Was für eine Schaukel? Wo war sie? Ach, irgendeine Schaukel.

Es war nicht wichtig.

Und was waren das für Gerüche?

Fremde Gerüche. Wie bei David.

Wer war David?

Sie hatte es vergessen. Egal, sie wollte zurück in die Schaukel. Sie fühlte, daß sie nun auf etwas Hartem lag.

Du mußt aufwachen, drängte eine Stimme in ihrem Kopf.

Nein. Sie wollte nicht aufwachen, nur schlafen. Schaukeln und schlafen.

Wach auf!

«Sei still», murmelte sie, «geh weg und laß mich schlafen.»

«Ahh. Mademoiselle wird munter.»

Jemand rüttelte an ihrer Schulter.

«Ihr hättet mehr trinken sollen. Es wäre besser für Euch gewesen.»

Trinken? Der Wein. Da war etwas mit dem Wein. Annes Lider waren schwer wie Blei. Sie wollte die Augen öffnen. Gleich, nur einen Moment noch. Wenn es nur nicht so dunkel wäre.

«Morgen früh seid ihr beide als erste durchs Dammtor.»

Was waren das für Stimmen?

«Paul?» Ihr Mund war trocken und ihre Zunge schwer wie ihre Lider.

«Paul!» Niemand antwortete.

«Nein», zischte die Stimme wieder, «ihr nehmt *nicht* den Ewer nach Harburg. Da sehen euch zu viele.»

Den breiten Dialekt der anderen Stimmen konnte Anne nicht verstehen.

Was war Harburg?

«Ihr tut, verdammt noch mal, was ich euch sage. Ihr habt genug bekommen. Wenn ihr keine Gäule kaufen wollt, stehlt welche von den Harvestehuder Koppeln. Das ist mir egal. Aber ihr verschwindet ins Preußische. Ist das klar!»

Je länger die Stimme redete, um so besser konnte Anne verstehen. Sie wußte nicht, wo sie war, aber ein deutliches Gefühl von Gefahr drang durch den Nebel ihrer Gleichgültigkeit.

«Und wenn ihr euch vor Michaeli wieder in der Stadt rumtreibt, könnt ihr eure Stunden zählen.»

Sie wollte den Kopf heben und sehen, wer da sprach. Aber er war zu schwer, und ihre Muskeln gehorchten ihr nicht. Joachim. Jetzt erkannte sie seine Stimme, und wie ein Vorhang öffnete sich die Erinnerung. Sie war mit Joachim und seinem unheimlichen Boten im Speicher am Cremon.

Aber es roch ganz anders.

Sie zwang sich, die Augen zu öffnen, nur ein wenig. Im Schein der Laterne standen drei Männer. Oder zwei? Ihr Blick war immer noch nicht klar, alle Konturen schwankten und verschwammen, vervielfachten sich, wie in den Minuten, bevor sie das Bewußtsein verlor. Sie erinnerte sich wieder an die drei Karaffen, wo doch zuvor nur eine einzige gewesen war.

Der Wein in ihrem Glas war vergiftet. Sie mußte weg hier, schnell und leise aufstehen und in der Dunkelheit verschwinden. Aber sie konnte nicht aufstehen, und es war auch schon zu spät.

Wie Schatten verschmolzen zwei der Männer im Dunkel, eine Tür knarrte leise ins Schloß, und der dritte Mann, Joachim van Stetten, kam mit der Laterne näher.

Sie schloß die Augen. Wenn er glaubte, daß sie wieder schlief, würde er sie nicht beachten.

«Anne?» Er rüttelte sie grob an der Schulter.

Sie regte sich nicht.

«Schlaft nur.» Sie hörte ein zischendes Kichern. «Das Laudanum ist gnädiger als ich.»

Aber Anne schlief nicht. Mit aller Kraft wehrte sie sich gegen die Wirkung des Opiumsaftes, gegen den Sog des Schlafs und die Süße der Gleichgültigkeit. Sie wußte nicht, was sie tun sollte, aber sie wußte, daß Schlaf ihr sicherer Tod war.

Joachim war stark. Sie hatte nur eine Chance gegen ihn. Sie mußte mit ihm reden. Vielleicht konnte sie ihn davon überzeugen, wie sinnlos es war, sie zu töten. Sie mußte ihm sagen, daß er Claes damit einen Gefallen tat. Daß der nicht sie liebe, sondern eine andere. Irgendeine andere. Ihr mußte etwas einfallen. Egal, wie verrückt es war.

Aber was überzeugte einen, in dessen Seele ein Feuer von lange genährtem Haß brannte, der jedes Versagen, jede Schwäche und jeden Fehler seines Lebens einem zuschrieb, der besser war als er, den er niemals einholen konnte? Was überzeugte einen Wahnsinnigen?

Sie mußte ihm schmeicheln, sie mußte...

Das matte Licht drang schwach durch ihre geschlossenen Lider, und sie öffnete die Augen.

Joachim hatte die Laterne auf einen Bretterstapel gestellt. Er beugte sich über einen Korb und holte behutsam ein Paket heraus, löste das Ölpapier und stellte die kleine Kiste, die darin eingewickelt war, auf den Boden.

Sie starrte auf die Kiste, und ihr Geist, immer noch träge und verwirrt, kämpfte mit dem Bild, das sie sah. Joachims Hände öffneten eine kleine Kiste. Was bedeutete eine kleine Kiste?

«Ihr seid ja eine Komödiantin.»

Er hatte sich umgedreht und sah sie an.

«Fast wäre ich auf Eure Schlafkomödie hereingefallen.»

Er lachte wieder dieses tonlose Lachen, und für einen Moment verlor Anne alle Hoffnung.

«Leider, Mademoiselle, kann ich Euch nicht vertrauen. Ich hatte nicht das Vergnügen, Euch gut genug kennenzulernen. Aber Ihr seid sicher nicht zimperlich und seht aus, als ob Ihr kräftig schreien könnt. Es ist wenig kleidsam, aber glaubt mir, wenn man Euch findet, wird es nicht mehr zu sehen sein. Seide vergeht fast so schnell wie Papier.»

Mit einer schnellen Bewegung preßte er einen Schal auf ihren Mund und verknotete ihn fest hinter ihrem Kopf.

«Laßt das!» Böse griff er nach ihren Händen, die das Tuch herunterreißen wollten.

Sie wand sich und versuchte mit der Kraft der Verzweiflung, seinem festen Griff zu entkommen, doch er war zu stark. Mit hartem Ruck zog er einen Riemen um ihre Handgelenke und stieß sie zurück auf den Boden. Ihr Kopf schlug hart auf eine Kante, und sie verlor wieder das Bewußtsein.

Als sie erwachte, waren auch ihre Füße gefesselt. Es gab kein Entrinnen mehr.

Joachim schien sie vergessen zu haben. Die Laterne stand immer noch auf dem Holzstapel, warf ein mattes Licht, und Anne ahnte nun, wohin er sie gebracht hatte. Sie lag in der Mitte einer großen Bretterbude, das schwarze Quadrat am Ende der Bude mußte die Bühne sein.

Geräusche drangen wie durch Nebel in ihr Bewußtsein. Was für Geräusche? Der Wind rüttelte durch die Gänge und Höfe. Regen trommelte auf das hölzerne Dach und tropfte nur ein paar Schritte von ihrem Kopf entfernt auf den Boden. War da nicht noch etwas? Ein anderes Geräusch? Nein, sie hörte nur Joachims Schritte auf dem alten, knarrenden Holz.

Joachim schüttete den Inhalt der Kiste langsam und gleichmäßig auf den Boden. Schwarzes Pulver rieselte heraus und zeichnete einen Kreis um Anne, zweimal, dann war die Kiste leer. Joachim betrachtete den schwarzen Streifen prüfend wie ein gerade vollendetes Kunstwerk, bückte sich und strich die Rundungen des Kreises um Annes Füße gleichmäßig aus. Sein Gesicht war ein weißer Fleck mit starren schwarzen Augen.

Ein dumpfer Geruch stieg auf, und Anne wußte, was in der Kiste war. Es roch nach Schwefel. Was sie wie ein magischer Kreis umschloß, war Pulver. Schwarzpulver. Die Lunte lag schon bereit.

«Wenn Ihr mögt, Mademoiselle, sprecht ein letztes Gebet. Der kleine Pastor hatte dazu leider keine Zeit mehr.» Joachim sah zufrieden aus, wie in der Erinnerung an einen schönen Tag.

«Er war ein bißchen zu weit auf meiner Spur, der dumme Schwarzrock, und hat es selbst nicht mal bemerkt. Nur ein Schluck Branntwein, und er hat geplaudert, als bete er seine Episteln herunter. Noch ein Schluck, und er ist mir in diese Bude gefolgt wie ein Pilger, um die Stätte der Verderbtheit zu erleben. So hat er es genannt, die Stätte der Verderbtheit, und war dabei geil wie ein rolliger Kater. Es war nicht schade um ihn.»

Joachim nahm die Laterne und leuchtete Anne ins Gesicht.

«Aber um Euch ist es wirklich schade. Ihr hättet einen guten Preis gebracht. Die Korsaren...»

«Halt dein dreckiges Maul!»

Die wütende Stimme hallte wie ein Schrei durch die leere Komödienbude. Joachim fuhr herum, die Laterne schwankte und wäre ihm fast entglitten. Mit beiden Händen hielt er sie fest und sprang aus dem Pulverkreis.

Im schwankenden Lichtschein stand Claes mit wirrem Haar und tropfnassen Kleidern.

«Du kommst zu spät, Claes. Dieses eine Mal kommst du zu spät. Bleib, wo du bist!» Triumphierend griff Joachim nach dem Ende der Lunte. «Nur einen Schritt näher, und deine Liebste brennt. Und du mit ihr.»

«Wenn wir brennen, brennst du auch. Gib mir die Laterne, Joachim. Sei vernünftig. Es ist vorbei.»

«Bleib stehen!» Joachims Gesicht war zu einer Maske von Haß und Rachgier erstarrt.

«Du kommst hier nicht heil raus, Joachim. An mir kannst du nicht vorbei, und es gibt nur diese Tür. Gib mir die Laterne. Wir verraten dich nicht, du kannst die Stadt verlassen, morgen, wenn das erste Tor sich öffnet. Du kannst auch meinen Ewer nehmen und nach Harburg segeln, noch heute nacht...»

«Komm nicht näher! Denkst du, ich merke nicht, daß du mich bereden willst? So wie du es immer getan hast, mit deinem schlauen Geschwätz. Sei vernünftig, Joachim, sei klug, Joachim. Es war immer zu deinem Nutzen, nur zu deinem Nutzen. So wie Maria nur zu deinem Nutzen war. Sie wollte *mich*, und du hast sie mir gestohlen...»

«Maria? Du bist wahnsinnig. Maria hat dich nie geliebt. Niemals. Dazu war sie viel zu klug. Du warst für sie nur Daniels leichtfertiger kleiner Bruder, ein Kind, das Freundlichkeit braucht...»

«Schweig! Glaubst du, du weißt alles? Du weißt nichts!» schrie er. «Erst habe ich sie verloren, dann hast du sie verloren. Aber jetzt gewinne ich...»

«So wie in London? Da hast du alles verloren, was du besitzt. Alles. Denkst du, auch die Wechsel verbrennen in dieser Bude?»

Joachim starrte ihn haßerfüllt an. Dann begann er wieder zu lachen, schrill und hoch, er warf den Kopf zurück, seine Zähne schimmerten weiß wie ein Raubtiergebiß im flackernden Licht. «Ich gewinne immer. Immer! Und wenn mich dafür der Teufel holt!»

In diesem Augenblick hallte ein fürchterlicher Schrei durch den Raum. Donner folgte wie ein Echo nach, und ein hoher, pfeifender Ton drang durch den Regentrommel auf dem Dach, immer lauter und schriller, ein wütendes Crescendo, das in den Köpfen zu platzen schien. Das Pfeifen brach abrupt ab und dort, wo eben noch nichts als ein schwarzes Quadrat war, erhob sich zwischen zuckenden Irrlichtern eine schwarze Gestalt. Sie wuchs und wuchs, wurde riesig bis zur Decke, schwankte und schwebte mit neuem Donner und pfeifendem Kreischen durch das rot und gelb schillernde Licht.

Joachim stand wie versteinert, starrte mit aufgerissenen Augen und im Entsetzen verzerrtem Mund auf die Höllenerscheinung. Die Laterne zitterte in seiner Hand. Immer höher schrillten die Töne der Flöte zu einem schaurigen Kreischen.

Ein lautes «Johoooo» ließ ihn herumfahren, eine silbrige Gestalt flog wie ein Pfeil durch die Luft, griff mit großer Kralle nach der gefesselten Anne, und während er sie mit sich in das Dunkel riß, traf Joachim ein scharfer Stoß. Er fiel mit der Lampe in den Kreis und verschwand mit einem gellenden Schrei in der explodierenden Feuerfalle, die er selbst gelegt hatte.

15. KAPITEL

EIN TAG IM MAI

Augusta guckte mißtrauisch in den dampfenden Topf. Sein Inhalt roch ohne Zweifel gut, nach Zimt, Nelken und Sherry, aber er sah nicht sehr appetitlich aus.

«Und du glaubst wirklich, daß es schmeckt?»

Elsbeth zuckte mit den Schultern.

«Es sind nur gute Sachen drin, viele Eier, Rosinen, Mandeln und ganz feines Mehl von Weizen. Denkt Ihr, Herr Claes merkt, daß ich das Nierenfett weggelassen und dafür frische Marschenbutter genommen habe?»

«Ob er es merkt oder nicht, das hast du sehr gut gemacht. Nierenfett! Das klingt ja ekelhaft. Die Engländer sind doch sonst so kultiviert.»

Dazu schwieg Elsbeth. Seit einem außerordentlich betrüblichen Erlebnis mit einem Steuermann aus Bristol hatte sie ihre eigene Meinung von Engländern.

Seufzend schloß Augusta den Topf. Sie glaubte zwar nicht, daß Zuneigung ein heimatliches Dessert als Beweis brauchte – eine schöne Brosche oder ein delikater Ring reichte völlig –, aber wenn er Anne mit einem Plumpudding überraschen wollte, sollte er ihn bekommen. «Serviere außer dem da auch deine wunderbaren eingemachten Pfirsiche, Elsbeth. Und stell eine große Kanne frischer Sahne auf den Tisch. Sahne rettet alles. Selbst einen so unansehnlichen Pudding.»

Augusta ging die Treppe hinauf und öffnete die Tür zum großen Eßzimmer. Es war nach Marias Tod kaum noch benutzt worden, aber heute strahlte es in seinem alten Glanz. Die schilfgrünen Damastgardinen, frisch gewaschen und gebügelt, bauschten sich leicht im warmen Maiwind, der sanft durch die weitgeöffneten Fenster hereinwehte. Die große Anrichte strahlte frisch poliert und verströmte den Duft von Honigwachs.

Augusta war, als begänne heute ein neuer Abschnitt ihres Lebens. Vielleicht war es tatsächlich so, aber ganz sicher waren die Schrecken der letzten Monate nun endgültig vorbei. Sie ging langsam um die lange, festlich gedeckte Tafel, rückte hier ein Messer, dort ein Glas zurecht und nickte zufrieden. Der große Strauß von Birkengrün und den ersten Margeriten in der Mitte des Tisches erschien ihr wie ein Symbol für das Ende der Dunkelheit.

Alles fügte sich. Die Geheimnisse waren gelüftet, die Schrekken vergangen, die Wunden verheilt. Jedenfalls die sichtbaren. Claes würde sicher noch lange brauchen, um den Verlust Joachims zu verschmerzen.

Joachim war tot. Aber viel schwerer wog, daß er, für den Claes tiefe, brüderliche Freundschaft empfand, ihn so grauenvoll hintergangen hatte. Sie sorgte sich um ihren Neffen. Die Brandwunden an seinen Händen und auf seiner Stirn waren nur noch rote Male. Auch die würden mit der Zeit vergehen. Aber in seinen Augen sah sie noch den tiefen Schmerz seiner Seele. Da konnten Lies' Minzteekompressen und Ringelblumensalbe keine Wunder bewirken. Nur die Zeit und, so hoffte Augusta, Anne St. Roberts besaßen die Kraft, ihm die heitere Zuversicht zurückzugeben, die sein Wesen immer geprägt hatte.

Daß er und Anne überhaupt noch lebten, grenzte an ein Wunder. Von der Komödienbude war nach dem Feuer in jener Nacht nur noch ein Haufen Asche geblieben. Der strömende Regen und die Klugheit der Komödianten hatten verhindert, daß die Flammen auf die Nachbarhäuser übergriffen und eine Katastrophe auslösten. Als endlich die Männer mit der Wasserpumpe kamen, war der Brand schon fast gelöscht. Niemand war ernstlich zu Schaden gekommen.

Außer Joachim. Sie hatte Gott um Vergebung für ihre unchristliche Härte gebeten, aber sie konnte seinen entsetzlichen Tod nicht bedauern. Sie bedauerte Gritt, seine Frau, und seine Kinder. Alle, denen er so großes Leid zugefügt hatte. Aber nicht Joachim.

«Das ist sehr hübsch, Augusta.»

Claes war leise eingetreten und betrachtete das sommerlich geschmückte Zimmer. Er schloß die Tür, ging langsam um den Tisch und setzte sich auf einen der Sessel zwischen den Fenstern. Seine linke Hand war noch verbunden, behutsam legte er sie auf die Lehne.

«Wann kommen unsere Gäste?»

«In zwei Stunden. Du solltest noch etwas ruhen, Claes.»

Sein Blick ging starr aus dem Fenster über das Fleet, aber Augusta war nicht sicher, ob seine Augen den Ewer und die Lastkarren draußen sahen.

«Augusta? Hatte Joachim recht?»

«Recht? Womit? Was meinst du, Claes?»

«Hatte er recht, als er sagte, Maria habe ihn geliebt?»

«Nein, Claes, ganz sicher nicht!» Sie hoffte inständig, daß er ihr glaubte. «Das ist Unsinn, und du weißt es. Joachim war wahnsinnig. Er hat in einer Welt gelebt, die es nicht gibt. Er sah, was er sehen wollte. Du solltest nicht mehr darüber grübeln. Er wollte dich vernichten, laß nicht zu, daß er noch über seinen Tod hinaus dein Leben vergiftet.»

Claes nickte und versuchte zu lächeln. «Du hast recht, doch es ist nicht einfach. Warum habe ich nie gemerkt, wie es um ihn stand? Ich hätte es merken müssen.»

«Vielleicht. Aber er war ein Meister der Verstellung. Niemand hat etwas bemerkt, nicht einmal seine Frau. Du verlangst zuviel von dir, Claes, dich trifft keine Schuld.»

«An manchen Tagen glaube ich, daß ich beginne zu vergessen. Aber dann, ganz plötzlich, überschwemmen mich die Bilder wie eine große Flut. Dann sehe ich ihn wieder da stehen, mit diesem fremden, verzerrten Gesicht, die Lunte in der einen, die schwankende Laterne in der anderen Hand. Ich höre wieder sein furchtbares Lachen, und es verwandelt sich in einen Schrei, diesen letzten entsetzlichen Schrei. Und alles vermischt sich mit dem Feuer vor drei Jahren. Mit Marias Tod. Ich habe es nicht gesehen. Als ich aus Amsterdam zurückkam, war das Gartenhaus zerstört, und Maria hatte schon ein Grab. Aber mir ist jetzt, als wäre ich dabeigewesen, bei allem, was geschah, ich sehe Maria, das Feuer, ich höre sie schreien...»

Er stöhnte auf, und Tränen rannen über sein Gesicht. Augusta hatte ihn niemals weinen sehen. Selbst den Schmerz und das Entsetzen über Marias Tod hatte er allein getragen. Sie hörte sein Schluchzen, sah seine zitternden Schultern und schloß ihn fest in ihre Arme, wiegte ihn wie ein Kind, murmelte sanfte Worte und weinte mit ihm.

«Verzeih, Augusta», flüsterte er schließlich, «verzeih mir.»

«Es gibt nichts zu verzeihen. Du hast zu viele Gründe, um zu weinen.»

«Es tut gut.» Er lächelte mit roten Augen, schüchtern wie ein Knabe. «Ich habe nie gedacht, daß es guttun könnte.»

Er nahm eines der Mundtücher vom Tisch, preßte sein Gesicht in das kühle Leinen, und dann schneuzte er sich kräftig.

Augusta holte die Branntweinkaraffe aus der Anrichte und füllte zwei Gläser. «Trink», sagte sie, «das tut auch gut. Manchmal.»

Er leerte sein Glas in einem Zug und lehnte sich erschöpft zurück. «Ich verstehe so vieles nicht. Vor allem kann ich nicht begreifen, woher er Marias Bild hatte. Es ist in dem Gartenhaus verbrannt. Für ein paar Tage war ich sicher, daß er auch das Feuer im Gartenhaus gelegt hat, daß auch Maria zu seinen Opfern gehört. Er hat sie vernichtet und ihr Bild gerettet. Aber das ist unmöglich, er kam erst nach dem Brand nach Hamburg zurück. Wenige Tage nur, aber dennoch...»

«Vielleicht war das Bild eine Kopie. Wenn er Maria von Anfang an liebte, hat er vielleicht einen Kopisten beauftragt. Wir hatten so viele Gäste, vielleicht war einer dabei, der sich darauf verstand und für genug Geld bereit war, heimlich Marias Bild nachzumalen. Sonnin soll sich einmal umhören. Er kennt alle Maler in der Stadt.»

«Das ist eine gute Idee. Ich werde ihn nach dem Essen darum bitten.»

Aber Claes glaubte nicht daran. Den kostbaren Rahmen konnte niemand kopieren. Sogar die kleine Unregelmäßigkeit im Muster an der unteren linken Ecke war da. Er erinnerte sich genau daran, wie er mit Maria deswegen gestritten hatte. Er hatte den Fehler gleich entdeckt, als der Rahmen geliefert wurde, und wollte ihn zurückschicken. Aber Maria bestand darauf, ihn zu behalten, wie er war. Die kleine Unregelmäßigkeit mache ihn erst besonders, beharrte sie. So wie ein Mensch erst durch kleine Unberechenbarkeiten ganz er selbst werde.

Von der Diele klangen Stimmen, eilige Schritte kamen die Treppe herauf, und schon stand Sophie an der Tür. Mit ihren strahlenden Augen und rosigen Wangen erinnerte sie nur noch wenig an die blasse junge Frau, die Stunde um Stunde still an Martins Krankenlager gewacht hatte. Ihr schlüsselblumengelbes Kleid aus duftigem Musselin tanzte fröhlich mit ihren schnellen Schritten. Sie umarmte Augusta, küßte ihren Vater auf die Stirn und klatschte begeistert in die Hände. «Wie schön. Auf meinem Hochzeitstisch will ich auch Margeriten.»

Sie betrachtete ihren Vater und wurde still.

«Du siehst müde aus, Vater. Solltest du nicht noch ein wenig ruhen, bevor die Gäste kommen?»

«Das findet Augusta auch. Aber ich denke, drei Wochen Ruhe sind genug. Wo ist Martin?»

«Er hat noch etwas zu erledigen. In der Druckerei, sagte er, wegen der Einladungen.» Sophie kicherte. «Dabei sind die längst fertig. Es fiel ihm direkt vor dem Fenster von Meister Schütte ein. Ach, er ist so süß. Ausgerechnet vor der Tür unseres besten Goldschmieds gibt er vor, er gehe in die Druckerei.»

Augusta hoffte innig, Sophies Begeisterung für Martins Ungeschicklichkeiten werde lange anhalten. Es würde nötig sein.

Martin war am Morgen nach Joachims Ende und dem Brand in der Komödienbude erwacht, und seine Nachrichten, die ihn fast das Leben gekostet hatten, bestätigten, was Claes aus Behrmanns Brief und von Anne wußte. Martins Schreiber Pereira hatte in einer Kaschemme in Lissabon Joachims Kumpan gefunden, zu betrunken, um das Geheimnis um die Explosion der *Katharina* für sich zu behalten. Vielleicht trank er auch, weil sein Bruder die Lunte auf dem Schiff gelegt hatte und mit ihm untergegangen war.

Von den Schwätzern am Spieltisch in einem Lissaboner Kaffeehaus hatte Martin von Joachims erdrückender Londoner Spielschuld erfahren. Er hörte von der Fälligkeit der Wechsel in diesem April, begriff, daß Claes in höchster Gefahr war, und nahm kurzentschlossen das nächste Schiff nach Norden. Der treue Martin. Sicher wog dieser Charakterzug diese gewisse papierene Trockenheit auf, die Augusta so beunruhigte.

Die beiden Kutschen, die am Abend durch die Fuhlentwiete ratterten und vor dem Eingang zum Krögerschen Hof hielten, erregten großes Aufsehen. Alle Fenster flogen auf, die Kinder rannten auf die Gasse und bestaunten die glänzenden Rappen. Solche Pferde sah man hier selten.

Herrmanns' Kutsche ist da, rief jemand im Bremer Schlüssel, und alle rannten, den Becher noch in der Hand, vor die Tür, um zuzusehen, wie die sonntäglich geputzten Komödianten die Kutschen bestiegen.

Muto warf einen Blick in die samtgepolsterten Wagen, lachte sein lautloses Lachen und kletterte geschickt wie eine Katze zu dem Kutscher auf den Bock des ersten Wagens. Er wollte sich die Gelegenheit, die Stadt von so hoch oben zu betrachten, nicht entgehen lassen.

Jean, rasiert, gewaschen, entlaust und glücklich, wie einer nur sein kann, der dem Galgen entkommen ist, verbeugte sich voller Grazie nach allen Seiten, warf der Krögerin eine Kußhand zu und stieg als letzter ein.

Lies war nicht dabei. Sie war bei Matti, und es war nicht sicher, ob sie in diesem Sommer mit der Beckerschen Komödiantengesellschaft weiterreisen würde.

Rosina fehlt auch, stellte Jakobsen fest, aber vielleicht hatte er sie in dem Gewimmel auf der Gasse nur übersehen. Die Kutschen rollten durch die Stadt, und überall blieben die Leute stehen und sahen ihnen nach. Es hatte sich längst herumgesprochen, daß Herrmanns die Komödianten in sein Haus geladen hatte.

Es hieß, Herrmanns habe sogar den Aufbau der Komödienbude bezahlt, die nach dem Brand vor zwei Wochen nur noch ein Schutthaufen gewesen war. Nun war sie wiederaufgebaut, aus bestem, hartem Holz. Die Karten für die ersten Vorstellungen waren längst ausverkauft. Auch Jacques Klappmeyer und Astrid Bellrich hatten ihre Diener immer wieder in den Bremer Schlüssel um Billetts geschickt. Aber eigentümlicherweise kamen sie jedesmal zu spät.

Vor dem Haus am Neuen Wandrahm hielten die Kutschen, und Helena und Jean, Sebastian und Titus, Gesine, Rudolf und die Kinder stiegen aus. Selbst Jean hatte ein wenig von seiner Grandezza verloren. Er war große Häuser und reiche Leute aus anderen Städten und Residenzen gewöhnt, aber die Türen dieser Stadt waren ihm so lange verschlossen geblieben, daß ihm der Abend wie die Premiere eines neuen Schauspiels erschien.

Und dann war es ganz einfach. Sonnin, Anne und Matthews waren als letzte eingetroffen, und plötzlich saßen alle an der langen Tafel in Herrmanns' Speisesaal. Auch wenn der Herr des Hauses noch ein wenig blaß und wortkarg am Ende des Tisches residierte, so war er doch freundlich und aufmerksam, als hätte er nur die besten Freunde zu Gast, und Frau Augusta am anderen Ende plauderte und lachte wie in ihren besten Jahren. Sie war ein wenig enttäuscht, daß Rosina nicht gekommen war. Aber gewiß hatte sie gute Gründe.

Den Kindern wurde ihr Essen an einem besonderen Tisch in

der Küche serviert. So war es der Brauch in diesen Häusern. Manon hatte gemurrt, aber Titus nahm sie fest bei der Hand und versicherte eilig, er wolle mit den Kindern essen, damit sie sich in der fremden Küche nicht so allein fühlten.

Claes saß an seiner Tafel und betrachtete die Gäste. Er hatte ein buntes, lautes Volk erwartet und sich vorgenommen, ihre schlechten Manieren tapfer zu ertragen. Aber es gab wenig zu ertragen. Helenas Dekolleté mochte ein wenig zu großzügig sein, ganz sicher war es das, und ein Brusttuch auf ihrer schimmernden weißen Haut wäre schicklicher gewesen. Aber sie war doch ein schöner Anblick, sie bewegte sich graziös, und ihre warme Stimme wurde nur selten zu laut. Rudolf und Gesine unterschieden sich kaum von den Leuten, die er in den Straßen traf, und auch an dem stillen Sebastian, der Anne mit seinem kuriosen Flug durch das Theater vor dem Tod gerettet hatte, fand er nichts auszusetzen.

Jean, nun ja, ein Prinzipal war eben immer auf der Bühne. Braniff hätte großes Vergnügen an ihm gehabt, aber der Captain war nach Norden gesegelt. Wer weiß, in welchem Geschäft.

Er hatte Claes kurz vor dem Ablegen besucht und ihm amüsiert von den beiden preußischen Kaffeeschnüfflern erzählt, die sich seit Tagen in der Stadt, am Hafen und bei den Speichern herumgedrückt hatten. Die preußische Staatskasse war in dem langen Krieg zu einem leeren Beutel geschrumpft, deshalb hatte der König ein neues staatliches Monopol auf das Kaffeerösten eingeführt. Seither krochen in den Dörfern und Städten seines Königreiches Männer herum und erschnüffelten, wo heimlich Kaffee geröstet wurde.

Diese beiden, stets schwarz gekleidet, wie sonst nur die Pfaffen, hielten sich für besonders schlau. Sie versuchten herauszufinden, welche Hamburger Händler Kaffee nach Preußen lieferten, um den Wagen zu folgen und die Strafen bei den Käufern und Röstern gleich zu kassieren. Die Stadtwache hatte sie recht unwirsch vor das Tor gejagt.

«Dilettanten», hatte der Captain mit seinem unvergleichlichen Grinsen gerufen, «wir fangen das Geschäft schlauer an.» Claes hatte sich dabei ertappt, daß er mit Braniff lachte.

Wenn der Captain zurückkam, würde er Anne mit nach Jersey nehmen. Er sah sie an, ihre Blicke trafen sich, und sein Herz klopfte. Der richtige Moment für die alles entscheidende Frage war noch nicht dagewesen. Er mußte sich beeilen, wenn er sie nicht wieder verlieren wollte.

Seit William bei Nacht und Nebel mit unbekanntem Ziel verschwunden war, brauchte Paul sie dringender denn je. Trotzdem würde er sich in Zukunft selbst um seine Geschäfte kümmern müssen.

Gerade wurde der zweite Gang serviert, ein auf dem Rost gebratener Hecht in einer delikaten Weinsoße mit viel Butter und Schalotten, deftig gewürzt mit Kapern, Nelken, Muskat und Pfeffer, als Blohm hinter ihn trat und ihm zuflüsterte, da seien noch mehr Gäste. Monsieur Telemann, er habe ein Kind dabei, und ein junger Herr, Friedrich Reichenbach. Man bitte um Einlaß.

«Laß sie alle rein, Blohm. Und bring noch Teller und Gläser. Und mehr Wein. Mach schnell, mein Alter.»

Claes erhob sich freudig, um die späten Gäste zu empfangen. Telemann hatte seinen Besuch angekündigt und eine unterhaltsame Überraschung versprochen.

Daß Reichenbach uneingeladen in sein Haus kam, wunderte Claes. Aber es freute ihn, auch wenn es gegen die Sitten verstieß. Die Strenge der Sitten war ihm seit den letzten Wochen nicht mehr so wichtig

Niemand hatte den kleinen Sachsen seit jenem Sonntag, als er im Kaffeehaus so heftig für die Komödianten focht, gesehen. Claes hatte bedauert, daß er so plötzlich und ohne Abschied weitergereist war. Er würde den couragierten Jungen mit dem wachen Geist, der ihm wie der Bote einer neuen Generation erschien, vermissen. Obwohl er ihn doch nur ein paarmal im Kaffeehaus getroffen hatte, war er ihm nah. Damals, als die Komödianten ihn halb bewußtlos aus dem brennenden Theater zerrten, glaubte er sogar, ihn in einem der von Regen und Ruß verschmierten Gesichter zu erkennen. Grauen und Schmerz riefen seltsame Bilder hervor.

Telemann schob ein Kind vor sich her durch die Tür. Es war etwa neun Jahre alt, trug einen roten Rock mit weißen Litzen und eine Perücke, die schon ein ganz klein wenig zu eng schien.

«Wolfgang, gib dem Herrn brav die Hand, mach einen Diener und setz dich an den Tisch. Frau Augusta», er machte eine steife, gleichwohl vollendet galante Verbeugung, «und Claes, mein Freund, ich bringe euch einen kleinen Zauberer mit. Er ist mit seinem Vater und seiner Schwester unterwegs nach Den Haag, aber die beiden hat die Influenza in die Kissen gezwungen. So kommen wir in den unverhofften Genuß einer Attraktion. Aber laßt ihn erst essen, er muß noch so schrecklich viel wachsen. Wie er zaubert, beweisen wir euch später. Ich hoffe, das Spinett ist gut gestimmt.»

Das Kind, ein selbstbewußter Knirps mit neugierigen Augen und ein wenig spitzer Nase, setzte sich brav auf seinen Stuhl und ließ sich von Augusta den Teller füllen.

«Herein, herein», rief Telemann und zog nun Reichenbach, der ein wenig unsicher in der Tür stand, am Ärmel seines Rockes in das Speisezimmer.

Gesine verschluckte sich just in diesem Moment an ihrem Burgunder, Rudolf vergaß, ihr auf den Rücken zu klopfen, und Augusta bekam einen Schluckauf. Nur Helena und Sebastian aßen in aller Seelenruhe weiter. Jean bewegte vorsichtig seine schmerzenden Zehen in den etwas zu engen, aber ganz prächtigen neuen Schuhen. Niemand hatte bemerkt, daß Helena und Sebastian ihn gleichzeitig und äußerst heftig getreten hatten.

Matthews und Sonnin begrüßten Reichenbach wie einen alten Bekannten, und Anne hatte das sichere Gefühl, daß hier irgend etwas ganz und gar nicht stimmte.

Claes reichte dem jungen Sachsen freundlich die Hand.

«Man hat mir gesagt, daß Ihr schon weitergereist seid. Ich

freue mich, daß das ein Irrtum war. Setzt Euch und eßt mit uns.»

«Verzeiht, wenn ich ohne Einladung in Euer Haus komme. Aber ich wollte nicht – verschwinden, ohne mich von Euch zu verabschieden.»

Augusta bemühte sich angestrengt, ihren Schluckauf zu überwinden. Das also war der kleine Sachse, von dem Claes ihr mit so viel Wärme erzählt hatte. Nicht nur das Kind mit dem roten Rock würde Claes heute abend überraschen.

Als das Stühlerücken und Tellerauflegen wieder vorbei war, herrschte eine seltsam gespannte Stille. Nur Claes und Jean merkten nichts davon.

Aber beim Dessert – selbst Augusta fand Elsbeths Plumpudding ganz ausgezeichnet, wenn man ein wenig Pfirsichsaft darübergoß – war das Geplauder wieder munter wie zuvor. «Helft mir, Rudolf», sagte Claes, als die letzten Pfirsiche auf dem Teller des kleinen Wolfgang lagen und ihrem Ende entgegensahen. «Seit drei Wochen grübele ich, was in dieser schrecklichen Nacht tatsächlich geschehen ist. Ich weiß nur, daß ihr eure ganze Kunst zum Einsatz gebracht habt, um uns zu retten. Aber wieso wart ihr alle mitten in der Nacht in der Komödienbude? Und wie habt ihr dieses schauerliche Gespenst erscheinen lassen? Ich dachte selbst, die Hölle hätte sich aufgetan.»

«Nun, das war nicht ganz falsch. Was Ihr erlebt habt, war das Finale aus einem unserer neuen Stücke. Der gütige Tod und Giovanni, der ruchlose Graf. Er war nicht ganz so gütig wie in unserem Stück, das schon, aber am nächsten Sonntag kann ihn jeder im Original sehen, der ein Billett für unser Theater hat. Was Ihr als Höllenorchester gehört habt, waren nichts als eine Flöte, ein donnerndes Zinkblech, eine Pauke, große Messingteller und eine hölzerne Rinne über Eurem Kopf, in der ein paar Holzkugeln herumpolterten. So lassen wir es immer donnern, und unser Publikum schätzt diesen Lärm ganz ungemein.»

«Und Ihr könnt fliegen, Sebastian?»

Der lachte vergnügt. «Mit Rudolfs Hilfe könntet Ihr es auch. Es ist einzig sein Verdienst. Während wir in der Stadt herumliefen und einen Mörder suchten, war er sicher, der werde dorthin zurückkehren, wo er schon einmal gemordet hatte. Als es soweit war, stand er mit den Lichtern, Instrumenten und dem Tod hinter der Bühne bereit. Es gibt nämlich doch noch mehr Türen als die große an der Giebelwand.»

Daß Lies die Rückkehr des Mörders für diese Nacht prophezeit hatte, verriet er aber nicht.

«Das Flugwerk war allerdings eine neue Konstruktion», fuhr Rudolf fort. «Es war erst am Nachmittag fertig geworden, und ich wußte nicht, ob es einen so schnellen Flug und einen zweiten Körper aushält...»

«... davon hast du mir nichts gesagt!»

«Dazu war wirklich keine Zeit, Sebastian, und ich war sicher, du würdest es trotzdem wagen. Wir hätten ihn natürlich leicht überwältigen können», fuhr er, wieder zu Claes gewandt, fort, «aber dann wäre die Laterne gefallen, hätte das Pulver entzündet, und wir alle hätten sein Schicksal geteilt.»

«Aber die farbigen Lichter? Und wie konnte diese schwarze Gestalt immer größer und größer werden?»

«Sei nicht so neugierig, Claes», sagte Augusta. «Du gibst deine Geschäftsgeheimnisse auch nicht preis. Aber wieso wart ihr alle zur rechten Zeit da? Es war nach Mitternacht, kalt und naß.»

«Wir saßen im Stall, lasen Behrmanns Brief und überlegten, was als nächstes zu tun sei.» Helena drehte das Glas in den Händen und betrachtete die eingeschliffenen Muster. «Ihr habt nie gefragt, woher wir ihn hatten. Ich will es Euch nun verraten. Wir haben von dem Brief erfahren und beschlossen, ihn zu stehlen. Es ist nicht unsere Art, zu stehlen und in fremde Häuser einzusteigen, auch wenn das viele glauben. Aber in jener Nacht ist Sebastian durch das Fenster in Behrmanns Wohnung geklettert und hat den Brief in einer Schublade gefunden.»

Claes starrte sie fassungslos an.

«Durch das Fenster? Es ist fast unter dem Dach. Drei oder vier Etagen hoch über dem Fleet.»

«Sebastian ist ein guter Akrobat.»

Es gab noch viele Fragen an diesem Abend zu beantworten, und Jean, gewöhnt, immer im Mittelpunkt zu stehen und das Wort zu führen, trug schwer daran, diesmal ganz unwichtig zu sein.

Schließlich hob Augusta die Tafel auf, und die Gesellschaft begab sich in den Nebenraum, in dem der Kaffee schon wartete. Augusta übergab Sophie die Pflichten der Hausfrau, griff nach Reichenbachs Arm und zog ihn, irgend etwas von neuen Büchern in ihrem Salon murmelnd, mit sich hinaus.

Sophie servierte den Kaffee, und das Kind wurde von Telemann ans Spinett gesetzt und spielte, wie es niemand in diesem Haus je gehört hatte.

«Ganze neun Jahre alt und besser, als ich es je war. Und was er spielt, hat er selbst komponiert. Es ist ein Wunder. Er spielt jetzt schon vor Fürsten und Königen, der kleine himmlische Teufelsbraten.»

Telemann strahlte, ganz frei von Künstlerneid und glücklich über dieses Geschenk, das er mitgebracht hatte.

«Bravo!» rief Augusta, die in der Tür zum Speisezimmer stand. «Bravo. Komm her, mein Kind.»

Gehorsam rutschte der Junge von der Bank und lief zu ihr. Sie beugte sich zu ihm hinunter und flüsterte ihm etwas ins Ohr. Er nickte und kletterte wieder auf die Bank vor dem Spinett. Einen Moment lang sah er still auf die Tasten, als lausche er einer fernen Melodie, dann erklangen die ersten Töne. Ein Lied von Johann Bach, der vor Jahren Musikdirektor und Kantor in Leipzig gewesen war. Claes hatte ihn einmal während der Messe im Zimmermannschen Kaffeehaus am Brühl mit seinem Collegium musicum gehört. Sein zweitältester Sohn, Carl Philipp Emanuel, war Telemanns Patensohn. Der Hofcembalist des preußischen Königs würde, wenn es nach den Wünschen des alten Musikdirektors ging, sein Nachfolger in Hamburg werden.

«Willst du dein Herz mir schenken, so fang es heimlich an, daß unser beider Denken niemand erraten kann...»

Eine klare Sopranstimme sang schmelzend die Liebesworte zu der zierlichen Musik des Kindes. Claes konnte die Sängerin nicht sehen, sie verbarg sich noch im Speisezimmer. Er begegnete Annes Blick, und diesmal hielt er ihn fest.

«Die Liebe muß bei beiden allzeit verschwiegen sein...»

Sie erwiderte sein Lächeln, und er wußte, daß seine Frage beantwortet war. Aber verschwiegen sollte seine Liebe nun nicht mehr sein. Nie mehr.

Die Stimme der Sängerin kam näher, und mit dem letzten Ton trat sie in den Raum.

Sie verbeugte sich tief vor dem jubelnden Applaus, und als sie sich erhob, glaubte Claes sich wieder in eines von Rudolfs Trugbilder versetzt. In der Tür stand, an Augustas Arm und in Sophies schlüsselblumengelbem Kleid, der kleine reisende Sachse Friedrich Reichenbach. Augusta lachte hell auf.

«Faßt euch, meine Lieben. Oh, ihr Männer, daß ihr nie etwas merkt. Wie oft habt ihr mit ihm Billard gespielt, gestritten und Kaffee getrunken und habt doch nicht gesehen, daß dieser kleine Sachse eine sächsische Komödiantin ist, eine Spionin auf der Suche nach einem Mörder. Nicht Friedrich, sondern Rosina.»

Der Abend wurde noch lang. Es wurde noch viel geredet, musiziert und gelacht. Und natürlich gesungen und rezitiert, endlich konnte auch Jean in der ersten Reihe stehen und den Applaus genießen. Claes ertappte sich dabei, daß er diese kleinen Schäferlieder eigentlich doch ganz amüsant fand, und beobachtete zufrieden, wie Martin verstohlen Sophies Hand hielt. Alles war gut.

Später, als die Kutschen schon vor das Haus rollten, sang Rosina noch einmal das Lied von der heimlichen Liebe. Diesmal begleitete Sebastian sie am Spinett. Aber er sah nicht sie an. Er sah nichts als die Tasten und die Bilder seiner Träume.

Der kleine Wolfgang, das Kind aus dem fernen Salzburg,

schlief da schon auf der Bank am Kachelofen. Seine etwas zu kleine Perücke war ihm übers Gesicht gerutscht, und er träumte einen glücklichen Traum. Darin komponierte er eine große dramatische Oper von der Liebe einer wunderschönen Gräfin mit honigfarbenen Locken und klarem Sopran.

Ganz sicher wollte er sie Rosina nennen.

GLOSSAR

Ackermann, Konrad Ernst (1712–1771) war einer der bedeutendsten Schauspieler und Prinzipale des deutschen Theaters im 18. Jahrhundert. Sein Theater am Hamburger Gänsemarkt, im Sommer 1765 eröffnet, mußte aus Geldmangel schon ein Jahr später wieder schließen.

Bach, Johann Sebastian (1685–1750), Musiker des Barock, komponierte schon zu Lebzeiten im Widerspruch zum musikalischen Zeitgeschmack und war in der zweiten Hälfte des 18. Jahrhunderts nahezu vergessen. Viele seiner Werke gingen in dieser Zeit verloren. Zu Anfang des 19. Jahrhunderts wurde er neu entdeckt, aber erst als Robert Schumann und andere Verehrer seiner Werke 1850 eine Bach-Gesellschaft gründeten, begann die wirkliche Wiederentdeckung.

Bark Das Segelschiff mit mindestens drei Masten (überwiegend Rahsegeln) gehörte mit einer Tragfähigkeit von etwa 240 bis 600 Tonnen zu den wichtigsten Langstreckenseglern der Handelsflotten.

Baumhaus Das legendäre Gesellschaftshaus bekam seinen Namen nach dem Standort am Eingang zum Binnenhafen (heute Ecke Baumwall/Steinhöft), der nachts durch «Bäume», aneinandergekettete schwimmende Stämme, versperrt war. Das große, elegante Gebäude wurde 1662 erbaut und gehörte bis zum Abriß 1857 zu den Lieblingstreffpunkten des bürgerlichen Hamburg. Es bot Gaststätten, Spielzimmer und einen Saal für Bankette, Konzerte, Familienfeiern oder Bälle für

200 Personen. Von der Dachterrasse hatte man den schönsten Blick über die Stadt und die weite Flußlandschaft. In zwei kleineren, eingeschossigen Seitenflügeln logierten die Zollaufsicht und die Schifferwacht, am Anleger machten die Fähren aus dem Umland fest.

Blitzableiter Den allerersten konstruierte 1752 der amerikanische Autor, Naturwissenschaftler und Politiker Benjamin Franklin (1706–1790). Der erste in Europa wurde auf der Spitze des Leuchtturms angebracht, der 1756–59 auf dem Eddystone-Felsen 14 Meilen vor der südenglischen Küste im Englischen Kanal erbaut wurde. Der erste in Deutschland krönte ab 1769 die Hamburger Jacobikirche.

Brigg Das Segelschiff mit zwei Masten (Rahsegeln) ist kleiner, aber schneller und wendiger als die Bark. Es wurde auf Handels-, Walfang- und Kriegsflottenfahrten eingesetzt.

Büsch, Johann Georg (1728–1800), Mathematikprofessor am Akademischen Gymnasium, Direktor der 1767 gegründeten Handelsakademie, *Reimarus, Herrmann Samuel* (1694–1768), Theologe und Professor am Akademischen Gymnasium, und sein Sohn, der Arzt *Johann Albrecht Heinrich R.* (1729–1814), waren angesehene Hamburger Bürger und führend in den Kreisen der Aufklärer in der Hansestadt. Sie gehören zu den Gründungsmitgliedern der *Hamb. Gesellschaft zur Beförderung der Manufacturen, Künste und Nützlichen Gewerbe* (s. d.).

Commerz Deputation Die Vorläuferin der Handelskammer wurde 1665 von Großkaufleuten als selbständige Vertretung des See- und Fernhandels gegenüber Rat und Bürgerschaft gegründet. Sie gewann schnell großen Einfluß auf Handel und Politik. Ihre 1735 gegründete Bibliothek besaß schon nach 15 Jahren etwa 50000 Bücher und gehörte zu den größten und bedeutendsten Europas.

Deutsche Länder Deutschland, oder genauer: Das Heilige Römische Reich Deutscher Nation, war in dieser Zeit keine nationale Einheit, sondern ein bunter Flickenteppich aus Hunderten von «Herrschaftseinheiten», die groß wie das Königreich

Preußen oder klein wie ein Rittergut sein konnten. Der Kaiser im fernen Wien hatte praktisch keinen Einfluß mehr.

Dreyer, Johann Matthias (1717–1768). Der Hamburger Vertreter des Herzogs von Holstein-Gottorp war ein boshafter Spötter gegen die Obrigkeit, besonders gegen die geistliche. Nachdem in seiner Gedichtsammlung *Schöne Spielwerke beym Weine, Punsch, Bischof und Krambamboli* auch Zotiges über den Glauben stand, zeigte die Kirche ihre Macht: Dreyers Bücher wurden 1763 auf der Trostbrücke vom Henker verbrannt und der Dichter für drei Jahre aus der Stadt gejagt.

Duckdalben In der Mitte des 18. Jahrhunderts waren die Liegeplätze am Ufer schon knapp und für die größer werdenden Schiffe nicht mehr tief genug. Durch die D., sehr tief in den Elbgrund gerammte dicke Pfähle oder Pfahlbündel, vervielfachte sich die Zahl der Anlegemöglichkeiten.

Ewer und Schuten heißen offene, flache Boote, die in der Hamburger Region als Elbfähren und als Transporter zwischen den Großseglern im Strom und den Speichern und Märkten an den städtischen Fleeten und Flußarmen dien(t)en. Ewer sind einmastige, wendige Segelboote, Schuten werden nur mit Muskelkraft und langen Holzstaken bewegt.

Fleete werden Gräben und Kanäle genannt, die seit dem 9. Jahrhundert zugleich als Entwässerungsgräben, Müllschlucker, Kloaken, Nutz- und Trinkwasserleitungen und als Transportwege dienten. Manche waren (und sind noch) breit und tief genug für Elbkähne. Viele F. fallen bei Ebbe flach oder trocken, also wurden die Lastkähne mit auflaufendem Wasser in die F. zu den Speichern u. a. Häusern in der Stadt gestakt, entladen und mit ablaufendem Wasser zurückgestakt. Auch Straßen können als F. bezeichnet werden (z. B. Dovenfleet), wenn eine der Häuserzeilen am F. steht.

Fronerei Eine Art Untersuchungsgefängnis an der heutigen Bergstraße nahe St. Petri. Im Keller befand sich eine Marterkammer für «peinliche Befragungen». Die letzte offizielle

Folterung fand in Hamburg 1790 statt. Der Fron, sozusagen der Fronerei-Chef, war zugleich der Scharfrichter.

Hamb. Gesellschaft zur Beförderung der Manufacturen, Künste und Nützlichen Gewerbe Die schon bald und bis heute *Patriotische Gesellschaft* genannte Vereinigung Hamburger Kaufleute und Gelehrter entstand aus dem Geist der Aufklärung. Ziel war (und ist) die Anregung privater Initiative zur Förderung des Gemeinwohls in der Stadt. Die Mitglieder engagierten sich effektiv und auf vielen Gebieten wie z. B. in der Armenversorgung, Bibliothekengründung, Verbesserung des Schulwesens oder der Einführung der Blitzableiter und der Gründung einer frühen Form der Sparkasse «zum Nutzen geringer fleissiger Personen beiderlei Geschlechts, als Dienstboten, Tagelöhner, Handarbeiter, Seeleute etc.».

Hamburgischer Correspondent Die Zeitung erschien seit dem 1. Januar 1731 viermal wöchentlich mit einer Auflage von bis zu 30000 Exemplaren – das war mehr als das Dreifache der schon damals berühmten Londoner *Times*. Sie blieb bis 1851 führend und war viele Jahre die meistgelesene Zeitung Europas. Neben Handels- und Schiffahrtsnachrichten wurden auch geistesgeschichtlich wichtige Diskussionen gedruckt, z. B. zwischen Lessing, Goeze, Bodmer, Gottsched und Lichtenberg. Aber ebenso – eine Sensation – Heiratsanzeigen.

Hexenverfolgung Vor allem in der Zeit von etwa 1450 bis 1750 wurden Zehntausende von Frauen, aber auch Männer Opfer der Hexenverfolgungen in den christlichen Ländern. In Norddeutschland hörten die Hexenverbrennungen zwar Ende des 17. Jahrhunderts auf, aber die Angst vor Hexen, vor dem Anderssein, fand ein Ventil u. a. in der Verfolgung geistig verwirrter und kranker Menschen, die bis in die Gegenwart als vom Teufel oder von Dämonen besessen erlebt werden. Als letzte im deutschen Sprachraum wurde 1782 im schweizerischen Glarus Anna Göldi «wegen Kunstkraft» zum Tode verurteilt und geköpft.

Hispaniola Heute wenig gebrauchte Bezeichnung für die zweitgrößte westindische Insel, die pol. in Haiti und die Dominikanische Republik aufgeteilt ist.

Indigo Das pflanzliche Färbemittel wurde schon vor 5000 Jahren in Indien und später in fast allen Kulturen der tropischen und subtropischen Zonen verwendet. Die tiefblaue Farbe ist besonders haltbar. Das beste I. kommt aus Indien, danach ist es benannt, aber der natürliche Farbstoff wurde aus mehr als 300 Arten des mit der Erbse verwandten Strauchgewächses rund um den Globus gewonnen. In Europa löste aus Indien und von den Westindischen Inseln importiertes I. erst im 18. Jahrhundert den bis dahin zur Blaufärbung genutzten Färberwaid ab. Die Kattundruckereien, neben Zuckerverarbeitung und Kaffeehandel einer der wichtigsten Hamburger Wirtschaftsfaktoren dieser Zeit, brauchten große Mengen I.

Jouffroy d'Abbans, Claude, Marquis (1751–1832), interessierte sich zum Entsetzen seiner vornehmen Familie schon als Jugendlicher brennend für die Mechanik. Die Entwicklung eines funktionstüchtigen Dampfschiffes und die Jagd nach dem dazu nötigen Geld bestimmten sein ganzes Leben. Er starb arm und nahezu vergessen. Obgleich die von ihm konstruierten Dampfschiffe stets nur eine kurze Strecke zurücklegten, erklärte ihn die Akademie der Wissenschaften in Paris acht Jahre nach seinem Tod zum Erfinder der Dampfschiffe.

Kaffeehaus Der Kaffee, ursprünglich aus Abessinien, verbreitete sich über die gesamte islamische Welt und kam um 1600 über Venedig nach Europa. Obwohl er als gefährliche Droge galt und immer wieder Verbote gefordert wurden, eröffneten in Amsterdam, London, Paris und dann in allen großen Städten Europas Kaffeehäuser. Spätestens im frühen 18. Jahrhundert galt der «Türkentrank» trotz zeitweiliger regionaler Verbote allgemein als Modegetränk. J. S. Bach widmete ihm sogar eine Kantate. In Hamburg machte er dem bis dahin zu allen Tageszeiten üblichen Bier und dem Branntwein mächtig Konkurrenz. Kaffeehäuser, noch über lange Zeit eine reine Männerdomäne, waren Anlaufpunkte für Reisende aus aller Welt und beliebte Treffpunkte der Bürger; es gab Spielzimmer, internationale Zeitungen und jede Menge wirtschaftlichen, politischen und privaten Klatsch. Hamburgs erstes Kaffeehaus wurde nahe Börse und Rathaus wahrscheinlich 1677 von einem englischen Kaufmann oder 1680 von einem Holländer, dem späteren Leibarzt am preußischen Hof Cornelius Bontekoe, eröffnet. Hamburg war der zentrale Umschlagplatz für Kaffee in Nordeuropa. Ab 1763 passierten jährlich etwa 25 Millionen Pfund den Hafen, 1777 gab es 276 Kaffee- und Teehändler in der Stadt.

Kaiserhof Das renommierte Wirtshaus und Hotel im Zentrum der Altstadt wurde 1619 erbaut. Seine Renaissance-Fassade galt als die schönste in Hamburg. Deshalb wurde sie 1873 beim Abriß des Gebäudes abgetragen und im Hof des *Museums für Kunst und Gewerbe* wiederaufgebaut. Dort ist sie heute noch zu sehen.

Komödienbude an der Fuhlentwiete Zumindest für die Zeit bis 1738 gibt es Belege für ihre Existenz, wahrscheinlich traten hier aber auch später kleine Komödianten- oder Artistentruppen auf. Bessere Theaterräume nahe den Wällen am Dragonerstall gehörten um 1765 dem renommierten Wandertheaterprinzipal Friedrich Koch, der sie zeitweise vermietete, u. a. an die Ackermannsche Truppe. Für eine kleine Truppe wie die Beckersche waren sie in der Regel zu teuer.

König, Engelbert (gest. 1769 in Venedig). Der Hamburger Kaufmann war ein enger Freund G. E. Lessings, der 1776 dessen Witwe Eva König heiratete.

Lissabon Portugals Hauptstadt wurde bis zum großen Erdbeben 1755 als die schönste Stadt Europas gepriesen. Das Beben und die folgenden Flutwellen und Brände zerstörten die Hälfte der Stadt und töteten mehr als ein Drittel der 110000 Einwohner. Die Stadt wurde unter der Leitung des außerordentlich reformfreudigen Premierministers Marquès de Pombal im damals modernen Schachbrettmuster wieder aufgebaut. Das

Erdbeben war bis ins nördliche Westeuropa zu spüren, und seine verheerende Zestörungskraft erschütterte den Glauben an Gottes gute Ordnung. Kant, Voltaire, Kleist, Goethe und viele andere große Denker bis weit ins 19. Jahrhundert entwickelten philosophische Theorien von der Bedeutung des Bebens.

Mozart, Wolfgang Amadeus (1756–1791). Wir wissen nicht, ob der Knabe, der in dieser Geschichte so brav das Lied eines fast vergessenen Komponisten spielt, jemals in Hamburg war. Ebensowenig wissen wir, ob er, der einmal der berühmteste Komponist aller Zeiten werden würde, von einer schönen Wanderkomödiantin für seine Oper *Figaros Hochzeit* zur Figur der Gräfin Rosina Almaviva inspiriert wurde. Die Kulturgeschichte notierte seinen Aufenthalt für die Zeit vom September 1764 bis 1765 in London, aber was wissen wir schon tatsächlich über vergangene Jahrhunderte? Gewiß hingegen ist, daß der erwachsene Wolfgang A. M. ganz gegen den Zeitgeist Werke J. S. Bachs kannte und bewunderte.

Niederngericht Im komplizierten Gefüge des Hamburger Gerichtswesens jener Zeit war das Niederngericht das bedeutendste allgemeine Gericht der ersten Instanz. Ihm gehörten zwei Senatoren, zwei graduierte Juristen und sechs Bürger an. Das Oberngericht, die zweite Instanz, war mit dem Rat der Stadt nahezu identisch. Erfolg am Niederngericht galt als Start für eine solide Karriere in Politik oder Verwaltung.

Oper In der Nähe des heutigen Gänsemarktes mitten in Hamburg wurde 1677/78 die erste bürgerliche Oper Deutschlands erbaut und viele Jahre mit großem Erfolg bespielt. Erst 1738 mußte das private Unternehmen schließen. Das Gebäude wurde 1765 abgerissen, um für das neue Theater (s. Ackermann) Platz zu machen. Nach anderen Forschungen existierte das alte Opernhaus bereits 1757 nicht mehr.

Pesthof Die Krankenanstalt vor den westlichen Mauern, aber noch auf hamburgischem Gebiet, beherbergte 800 bis 1000 Menschen auf engstem Raum. Pestkranke gab es seit der letzten Epidemie anno 1713 nicht mehr. In den Sälen, Kellern,

Verliesen und Käfigen vegetierten vor allem Fieberkranke, Verbrecher sowie Geistes- und Dauerkranke. Unruhige wurden angekettet, Laute geknebelt. Dr. J. F. Struensee, Stadtphysicus zu Altona, urteilte 1760: «In solchen Behausungen des Grauens kann wohl eher ein Vernünftiger zum Wahnsinn als ein Wahnsinniger zur Vernunft gebracht werden.»

Pfeffersäcke In älterer Zeit, als der Handel mit Gewürzen noch den größten Gewinn abwarf, wurde der P. zum Symbol für großen Reichtum und enormen Geiz. Wer die Hamburger Kaufleute als P. bezeichnet, hält sie also für reich, geldgierig, blind für alle, die Hilfe brauchen, und für ignorant gegenüber allen schönen Künsten, die keinen Profit abwerfen.

Pharo Das auch Pharao genannte Glücksspiel wurde mit 52 Karten nach sehr komplizierten Regeln gespielt. Es galt als besonders risikoreich und war im 18. Jahrhundert in noblen Kreisen sehr beliebt.

Rüböl Hamburg hatte unter den deutschen Städten die beste Straßenbeleuchtung. Schon 1679 gab es 1000 Straßenlaternen, die die Sicherheit in der Stadt erhöhen sollten. Das aus Rübsen- oder Rapssamen gewonnene Öl wurde bis zum Ende des 19. Jahrhunderts in Laternen und Lampen verwendet, besonders für die Straßenbeleuchtung, da es zwar unangenehm roch, aber sehr viel billiger war als der fast geruchlose Tran.

Schwanenpastete Die Alsterschwäne waren den Hamburger Bürgern heilig. Wer sie «beleidigte», mußte mit schweren Strafen rechnen. Nur bei den großen Ratsessen für die Vornehmen der Stadt, der Petri- und der Matthäi-Mahlzeit, wurde seit dem Mittelalter eine Schwanenpastete als traditionelle Delikatesse verspeist.

Siebenjähriger Krieg (1756–1763) Preußen und das (zunächst) mit Rußland und Frankreich verbündete Österreich schlugen sich um Schlesien und die Macht im allgemeinen. Gleichzeitig tobte zwischen England und Frankreich ein Seekrieg um die Kolonien. Am Ende wurde Englands Vorherrschaft in Indien endgültig anerkannt und auf den Westindischen Inseln ausgedehnt. Zudem wurden «die überseeischen Kolonien» Kanada, Neuschottland, Florida und die Schiffahrtsrechte auf dem Mississippi bis hinunter zum Mexikanischen Golf ebenso englisch wie Menorca und Gibraltar im Mittelmeer.

Sonnin, Ernst Georg (1713–1794). Nach dem Studium der Theologie, Philosophie und Mathematik in Halle arbeitete S. in Hamburg als Privatlehrer und entwickelte als genialer Tüftler mechanische und optische Geräte. Erst mit 40 Jahren begann er als Baumeister zu arbeiten. Seine aus fundiertem Wissen entwickelten bautechnischen Methoden galten besonders beim Turmbau als verwegen, wenn nicht gar teuflisch. Das Hamburger Wahrzeichen, die Michaeliskirche, war sein berühmtestes Werk. Eng verbunden mit den aufklärerischen Kreisen Hamburgs, gehörte er zu den Gründern der *Patriotischen Gesellschaft* (s. *Hamburg. Gesellschaft der Manufacturen...*).

Struensee, Dr. Johann Friedrich (1737–1772), wurde schon mit 20 Jahren Stadtphysicus von Altona, damit zugleich Armen- und Gefängnisarzt. Er war ein Freidenker und seiner Zeit besonders auf medizinischem und sozialpolitischem Gebiet weit voraus. 1769 wurde er zunächst Hofarzt und dann Geheimer Kabinettsminister des dänischen Königs Christian VII. Seine radikalen Reformen gegen die Interessen von Kirche, Patrizier und Adel (und vielleicht auch eine Liebschaft mit Königin Karoline Mathilde) führten zu seinem schnellen Sturz und schließlich zu seiner Hinrichtung.

Telemann, Georg Philipp (1681–1767), einer der bedeutendsten Komponisten des Barock, war von 1721 bis zu seinem Tod 46 Jahre lang Musikdirektor der fünf Hamburger Hauptkirchen, Kantor am Johanneum (Knabengymnasium) und bis 1738 auch Leiter der ersten Hamburger Oper. Er war ein großer Gartenliebhaber, und komponierte außerordentlich fleißig: 50 Opern, mehrere Oratorien, 46 Passionen, Messen, Psalmen, etwa 1400 Kirchenkantaten, 70 weltliche Kantaten, 40 Kapitänsmusiken, Lieder, Oden, Kanons, etwa 1000 Orchestersuiten, etwa 120 Solokonzerte für verschiedene Instrumente und etliche Kammer-, Klavier- und Orgelwerke.

Twiete Im Prinzip eine enge Gasse, die zwei (twee) breitere Straßen miteinander verbindet. Die Fuhlentwiete an der westlichen Grenze der Altstadt zur Neustadt war jedoch eine lange Straße. Neben den üblichen schmalen, schiefen Häusern aus Fachwerk, höchstens mit steinerner Fassade, standen hier auch reiche Gebäude für «gut Betuchte» wie das «Herren-Logiment», ein säulengeziertes Palais und, wie der zweite Name «Ballhaus» verrät, eine Art Fitneß- und Sportcenter der frühen Jahre.

Waisengrüntag Das Volksfest fand zw. 1633 und 1876 alljährlich im Sommer statt. Höhepunkt war der Umzug der Waisenkinder mit dem «bravsten Zögling des Jahres» und ein paar Musikanten an der Spitze. Einige Jungen trugen an langen Stangen Sammelbüchsen, die zur Finanzierung des Waisenhauses von den Bürgern gefüllt werden sollten.

Werk- und Zuchthaus Das große Haus am Alstertor an der Binnenalster nahe dem heutigen Gerhart-Hauptmann-Platz wurde 1622 eröffnet. Es war Gefängnis und Arbeitshaus für Sträflinge, Arme und hilflose Alte und «etliche, die ihre Kost wohl verdienen können, aber wegen ihres faulen Fleisches und der guten Tage willen solches nicht thun, sondern gehen lieber betteln», und für «starke, faule, freche, geile, gottlose, mutwillige und ungehorsame, versoffene Trunkenbolde und Bierbalge sowohl Frauen als Mannspersonen, die in Untugend, Hurerei, Büberei und allerlei Sünde und Schande erwachsen...». 1666 wurde es um das Spinnhaus, eine Extraabteilung für «junge Diebe und liderliche Frauenzimer», erweitert.

DANKSAGUNG

Bis auf einige historisch verbürgte und bedeutsame Persönlichkeiten, die wie z. B. Stadtmusikus Telemann oder Baumeister Sonnin im Glossar vorgestellt werden, sind Personen und Handlung dieses Romans Produkte meiner Phantasie. Ähnlichkeiten mit vergangener oder gegenwärtiger Realität wären reiner Zufall. Ich habe mich bemüht, das Leben im Jahr 1765 so authentisch wie möglich zu schildern, aber sicher ist mir der eine oder andere Fehler unterlaufen. Für Hinweise bin ich dankbar.

Wer tiefer in Hamburgs Vergangenheit stöbern, wer wissen will, was in dieser Stadt vor 250 Jahren gegessen, gefeiert, gehandelt wurde, wie es roch oder welche Schiffe mit welcher Ladung im Hafen festmachten, findet in einer kaum überschaubaren Fülle von Büchern und Broschüren Auskunft. Davon habe ich profitiert. Ebenso von den Hamburger Museen und Bibliotheken, für dieses Buch insbesondere vom *Museum für Hamburgische Geschichte*, dem *Staatsarchiv der Freien und Hansestadt Hamburg* und der *Commerzbibliothek der Handelskammer Hamburg*.

Ein Extradank gilt Prof. Armin Reller vom *Institut für Anorganische und Angewandte Chemie* an der Universität Hamburg, der mir half herauszufinden, wie man anno 1765 ein kunterbuntes Feuerwerk und eine mörderische Explosion veranstaltete. Für die Unterstützung meiner Recherche auf Jersey danke ich den Mitarbeiterinnen des *Jersey Museums* in St. Hélier und ganz besonders Mr. Alec Podger in St. Saviour, dem Spezialisten für Hafen und Schiffahrt in der *Société Jersiaise* auf Jersey.

PETRA OELKER, Jahrgang 1947, arbeitet als freie Journalistin. Sie hat bereits zahlreiche Jugend- und Sachbücher veröffentlicht, u. a. «Nichts als eine Komödiantin – Die Lebensgeschichte der Friederike Caroline Neuber» (1993) und «Eigentlich sind wir uns ganz ähnlich. Wie Mütter und Töchter heute miteinander auskommen» (Nr. 60544). «Tod am Zollhaus» ist ihr erster Roman (liegt auch als Großdruck Nr. 33142 vor). Als weitere Romane erschienen inzwischen bei rororo: «Der Sommer des Kometen» (Nr. 22256; liegt auch als Großdruck Nr. 33153 vor), «Lorettas letzter Vorhang» (Nr. 22444), «Die zerbrochene Uhr» (Nr. 22667) und «Die ungehorsame Tochter» (Nr. 22668).

rororo
Foto: Hergen Schimpf